Einaudi. Stile L

Cristina Cassar Scalia
Il talento del cappellano

Einaudi

www.einaudi.it

ISBN 978-88-06-25059-1

Il talento del cappellano

a Bruno

Morire per qualche d'uno o per qualche cosa, va bene, è nell'ordine; occorre però sapere o essere certi che qualcuno sappia per chi o perché si è morti[1].

GIUSEPPE TOMASI DI LAMPEDUSA

[1] G. Tomasi di Lampedusa, *Il gattopardo*, Feltrinelli, Milano 2013.

1.

Aveva smesso di nevicare da un paio d'ore e il cielo s'era riempito di tutte le stelle che l'occhio umano è in grado di distinguere. Ai bordi della strada che s'inerpicava su per la *muntagna*, cumuli di neve seppellivano i muretti di pietra lavica. Cosí imbiancato, il paesaggio intorno, invisibile nel buio della notte, doveva essere uno spettacolo. Bosco, roccia, di nuovo bosco, ancora roccia. Nunzio Scimemi quella strada la conosceva a memoria. A occhi chiusi l'avrebbe potuta percorrere, nonostante il ghiaccio. Facendo uno sforzo di memoria avrebbe perfino potuto tracciarne il vecchio percorso, quello che la colata lavica del 1983 aveva spazzato via.

– Santa Panda 4x4, – sospirò. – Macari sul ghiaccio cammina.

Non ebbe il tempo di finire la frase che le ruote posteriori slittarono. Sterzò e riprese il controllo.

Tanuzza lo guardò storto.

– Non è che per colpa di una fissazione tua dobbiamo finire contro un albero?

Nunzio sbuffò: – Ma quale fissazione e fissazione, ho paura di essermi scordato una finestra aperta. Se mai sia entra qualche animale, domani mattina il capo cantiere si mette a sdilliriare con me. Già non mi può vedere, e ogni cinque minuti cerca scuse per ghittarmi fora, ci manca solo che faccio uno sbaglio e mi ritrovo disoccupato in mezzo minuto.

Tanuzza non replicò. Non avrebbero trovato nessuna finestra aperta, lei lo sapeva. Nunzio cercava solo scuse per andare a controllare la sua roccaforte di apparecchiature e ponti radio che soggiornavano nell'ammezzato di quell'albergo in disarmo di cui lui era rimasto unico custode fino a pochi anni prima e che adesso, finalmente, stava per rivedere la luce.

Una volpe attraversò la strada, si fermò un attimo a fissare l'auto e scomparve nel nulla.

– Nunzio, io te lo dico: dalla macchina non scendo, manco davanti all'albergo. 'Sa quanti animali ci sono in giro a quest'ora!

– Ma quali animali! E poi davanti all'albergo oramai accesero un faro che illumina fino a Nicolosi.

Le ultime curve, poi svoltarono a sinistra. La strada si restringeva, diventava ancora piú isolata, ma per fortuna la neve era stata spalata anche lí. Il direttore dei lavori sicuramente aveva pensato anche a questo, altrimenti l'indomani mattina per raggiungere il cantiere ci sarebbe voluto il gatto delle nevi. Manco il 26 di dicembre riposava, quel cristiano.

Il *Grand Hotel della Montagna* apparve come un'ombra scura, illuminata per metà dal faro puntato sul piazzale dov'erano radunati i mezzi da lavoro.

Nunzio scese dall'auto e andò ad aprire il cancello. Entrò fin dov'era possibile.

– Meno male che mi misi i doposci, – constatò. Si voltò verso Tanuzza. – E che obbligai macari a tia a metterteli, – aggiunse, ridendo della sua espressione sempre piú contrariata. Niente, non c'era che fare: Tanuzza Tomasello non era cosa di montagna. Del resto, ad Aci Trezza era vissuta. Tutta la vita fino ai sessant'anni. Figlia e sorella di pescatore, moglie – anzi vedova – di pescatore e pescatrice lei stessa. Come s'erano potuti accucchiare, tre anni prima, Nunzio ancora non se lo spiegava. Ma tant'era. E per giunta pure d'amore e d'accordo andavano. Quasi sempre.

– Ava', Tanuzza, scendi, che qua da sola non ti ci posso lasciare.

La donna sospirò rassegnata. Aprí la portiera e mise a terra un piede, inguainato in un Moon Boot rosso tirato fuori da uno scatolone di roba anni Ottanta risalente ai tempi in cui lei e la buonanima di suo marito portavano i picciriddi sull'Etna. I tempi in cui l'albergo era nel pieno della sua attività.

Cercando di evitare i cumuli di neve piú alti, raggiunsero l'ingresso.

Nunzio tirò fuori le chiavi ed entrò, seguito da Tanuzza.

– Ragione avevi, – fece subito lei.

– Qualche finestra aperta c'è, – confermò lui, stupito. In effetti era quasi certo di aver chiuso tutto bene.

Accese un faro che gli operai avevano piazzato nell'ingresso e la reception s'illuminò. Spoglia, quasi spettrale.

Tanuzza rabbrividí: – Mi fa troppa impressione.

Nunzio annusò l'aria. Lo spiffero freddo proveniva dalla sala comune, quella col camino che era già stata parzialmente ristrutturata.

– Torno subito. Tu mettiti là, dietro il bancone.

Tirò fuori una torcia e raggiunse il salone.

Puntò la luce sui finestroni e vide che uno era socchiuso. Si spinse fino al camino, davanti al quale aveva intravisto un'ombra, finché non urtò qualcosa col piede. Spostò la torcia in direzione del pavimento, davanti a sé.

Il cuore gli si fermò.

Tornò indietro di corsa, per puro caso non inciampò in un cavo lasciato lí per terra dagli operai. Afferrò Tanuzza, la trascinò fuori e si chiuse la porta alle spalle mentre tentava di estrarre il telefono dalla tasca. Le mani gli tremavano al punto che lo fece cadere due volte.

– Nunzio, che successe? Un fantasma pari, per quanto sei pallido! – disse la donna, preoccupata.

Non le rispose, impegnato a chiamare il numero giusto senza sbagliare.

– Pronto, polizia? Dovete venire subito... – Prese fiato.

– Al *Grand Hotel della Montagna*.

2.

Vanina si svegliò di soprassalto. Annaspò per due minuti in preda allo smarrimento tipico di quando si cambia
letto e stanza, cercando a tentoni il telefono che nel frattempo aveva smesso di suonare. Accese la luce e guardò
l'ora: le 4.37. Santiando in aramaico cercò di capire dove
fosse finito l'iPhone nuovo di zecca che aveva appena ricevuto per Natale in sostituzione di quello vecchio, che
ormai si scaricava ogni mezz'ora. Lo trovò incastrato tra
il materasso e la spalliera.

La notifica della chiamata senza risposta divideva in
due lo screensaver con la foto dell'Addaura che da anni
Vanina passava di telefono in telefono. Aggrottò la fronte e richiamò. Se l'ispettore Marta Bonazzoli la cercava a
quell'ora di notte poteva significare solo una cosa: che in
territorio catanese un morto ammazzato s'era manifestato, piombando tra capo e collo del funzionario di turno
alla sezione Reati contro la persona della Mobile etnea.
La sezione che da piú di un anno era diretta da lei: il vicequestore aggiunto Giovanna Guarrasi, detta Vanina.

– Marta, che fu?

Il rumore di sottofondo indicava che la poliziotta era
in auto. Alla guida, manco a dirlo.

– Vanina, perdonami se ti ho disturbata a quest'ora,
ma sono sicura che non avresti gradito se avessi aspettato
fino a domattina.

– Va bene, non ti preoccupare. Ora però evitiamo di perderci in preamboli inutili e andiamo al dunque, – un rumore di ferraglia disturbò la comunicazione. – Ma dove sei? – chiese Vanina.

– Su una delle strade che portano in cima all'Etna.

– Stai salendo su adesso? Da sola? – fece Vanina stupita.

– No, sto ridiscendendo. E non sono sola, c'è Spanò con me.

– Buongiorno, dottoressa, – fece l'ispettore capo.

– Sí, buongiorno: buonanotte, Spanò, – lo corresse lei. Si tirò su appoggiandosi alla spalliera e sfilò una Gauloises dal pacchetto sul comodino. Si ricordò che in casa di sua madre non si fumava in camera da letto e non l'accese. Sospirò, preparandosi ad ascoltare.

– Amuní, forza, cuntatemi tutto.

Parlò Marta.

– Alle tre del mattino un tizio ha chiamato in questura dicendo che al *Grand Hotel della Montagna* c'era il cadavere di una donna.

– E che è 'sto *Grand Hotel della Montagna*? Mai sentito nominare.

Riemerse la voce di Spanò: – Dottoressa, è un vecchio albergo, uno tra i primi costruiti sull'Etna. Fino a una certa epoca fu macari molto frequentato. Poi verso l'83 un'eruzione di chidde belle sostanziose lo isolò completamente, e da allora non ebbe sorte. È chiuso da anni, ma ora, a quanto pare, lo stanno ristrutturando.

– Continuate.

Marta riprese la parola. – I colleghi della questura hanno passato la chiamata a noi. L'uomo si chiama Nunzio Scimemi. Ma era abbastanza scioccato e non ha saputo darmi spiegazioni. Ha detto che ci avrebbe aspettato lí.

– E l'ha fatto?

– Sí sí. Quando siamo arrivati l'abbiamo trovato chiuso in macchina con la compagna. Tremavano come foglie. Non so se per la paura o per il freddo. Non vedevo tanta neve dall'ultimo Natale che ho passato in Val Camonica con i miei.

– Addirittura! – Detto da una bresciana abituata alle nevicate alpine lasciava un po' perplessi, ma l'Etna era capace di questo e altro, ormai Vanina l'aveva capito. Una convivenza tra ghiaccio e fuoco che a pensarla pareva impossibile. E invece. – Vogliamo concludere? 'Sta donna morta ammazzata chi era?

– Ecco, appunto, il problema è proprio questo.

– Marta, non mi fate incazzare, cosa significa che il problema è proprio questo?

– Che quando l'ispettore e io siamo entrati col signor Scimemi nel salone dell'hotel non c'era assolutamente nessuno. Né morto né vivo.

Vanina ci rifletté un momento.

– Siamo sicuri che 'sto Scimemi non vi pigliò per i fondelli?

Stavolta rispose Spanò: – Sí, dottoressa. Piuttosto, conoscendolo, è capace che se l'immaginò.

– Perché, lei lo conosce?

– Un poco.

– E cosa le fa sospettare che abbia immaginato tutto?

– Be', Nunzio Scimemi è sempre stato una persona, come dire... tanticchia *immaginifica*.

– Quindi inattendibile?

Spanò non rispose.

– Ispettore, che fece s'incantò?

– Scusi, dottoressa! Devo essere sincero? Non lo so se è attendibile. L'unica traccia che là dentro potesse esserci stato qualcuno era una pozza d'acqua davanti al caminetto. Altro non trovammo. Niente sangue, niente impronte.

– Vabbe', in poche parole: ora che state facendo?

– Nulla, Vanina, – riprese Marta, l'unica della squadra autorizzata a darle del tu, – siccome il tizio insiste, per sicurezza abbiamo avvertito il pm e abbiamo chiamato la Scientifica.

– Avete fatto bene. Chi è il pm?

– Vassalli.

Vanina si mise una mano in fronte.

– Persi siamo.

La Bonazzoli ridacchiò: – Era un po' scettico, ma non ha manifestato contrarietà.

– In effetti, se non si va a calpestare qualche orto importante...

Aveva parlato sottovoce, quasi tra sé e sé.

– Come dici, Vanina?

– Lascia stare, Marta, cose mie. E perciò ora là sopra c'è Pappalardo, – concluse. Il migliore. Semmai ci fosse stata una traccia, il sovrintendente capo della Scientifica l'avrebbe scovata.

– Sí. L'abbiamo lasciato lí con i suoi. Noi torniamo in ufficio insieme a Scimemi per verbalizzare la denuncia. Vediamo un po' cosa viene fuori e poi ci ragioniamo.

Vanina rimase un attimo in silenzio. Per quanto la riguardava, non c'era niente su cui ragionare. Un caso, per quanto ipotetico, era sempre un caso. Restarsene in panciolle dall'altra parte della Sicilia in attesa di capire quanto ci fosse di vero non era da lei.

– Vabbe', picciotti, ci vediamo domani. Anzi, per essere precisi, piú tardi.

– Dottoressa, – attaccò Spanò, – ascutasse a mmia: noi l'abbiamo informata perché ci pareva giusto, ma non è cosa tale da farle interrompere le ferie.

– Spanò, lei se lo ricorda il caso che cominciò con una telefonata anonima e una valigia vuota macchiata di sangue sugli scogli?

– Certo. E chi se lo scorda?

– Ecco: come andò a finire?

L'ispettore ci pensò su.

– Ci vediamo piú tardi, dottoressa.

Vanina si sistemò meglio sulla spalliera capitonné rosa e si guardò intorno prendendo del tutto coscienza di dove fosse. Il comodino lezioso, le tende con cordoni e giummi, la moquette. Tutta farina del sacco di sua madre, risalente a ventitre anni prima, quando Marianna Partanna vedova Guarrasi era da poco convolata a seconde nozze con Federico Calderaro e si era trasferita lí portandosi dietro la sua prima figlia.

Non c'era un solo mobile in quella stanza che fosse stato scelto da Vanina. L'unico elemento che aveva sempre sentito proprio era la libreria del nonno paterno, reduce dallo sgombro della casa di Castelbuono. Quanti anni aveva passato fra quelle mura? Non sapeva contarli. Eppure si era sempre sentita fuori contesto, sotto quel tetto dorato.

Si alzò dal letto e s'infilò nel bagno che condivideva con la sorella Costanza. Almeno a lei il rosa piaceva, visto che anche lí faceva la parte del leone. Insieme alle decine di barattoli e tubetti che affollavano la mensola.

Uscí un quarto d'ora dopo, pronta per comunicare alla famiglia la novità.

Per misurare i musi lunghi dei Calderaro non sarebbe bastato un doppio metro da muratore. Federico, Marianna e Costanza se ne stavano seduti intorno al tavolo da pranzo fissando Vanina con l'aria di rimprovero che si riserva a chi è colpevole di un torto di quelli gravi. Ognuno aveva davanti a sé una colazione diversa: fiocchi d'avena con lo yogurt per la signora Marianna; uovo in camicia e pane tostato per Costanza; infine il panettone alla manna di Castelbuono che il professor Calderaro s'era procurato prima di Natale apposta per condividerlo con la figliastra, golosa almeno quanto lui.

– Quattro anni erano che non passavi il periodo di Natale con noi. Speravo che almeno stavolta la vacanza durasse piú di tre giorni, – sottolineò la madre, la piú angustiata.

– Mamma, t'assicuro che sarebbe durata fino a Capodanno se…

– Se qualcuno a Catania non fosse morto ammazzato. Conosco la storia, fin troppo bene, ma con me non attacca. So come funziona. Se un dirigente di polizia è in ferie e viene commesso un reato di sua competenza, del caso se ne occupa un altro dirigente che fa le sue veci, almeno finché il primo non rientra in sede. Questo, almeno, è quello che succede quando il dirigente è una persona normale, con una propria vita privata. Sii onesta con te stessa e ammetti che in realtà vuoi solo andartene da qui. Come fai sempre.

La solita raffica di stoccate, che Vanina incassò senza replicare. Non sarebbe servito e, soprattutto, non era il momento.

– Di certe indagini non se ne può occupare chiunque, – si limitò a osservare.

Meglio non aggiungere che in questo caso si dubitava perfino dell'esistenza del cadavere, e che la storia al momento era talmente campata in aria che manco si sapeva se mai si sarebbe concretizzata in una vera indagine.

– Certo, perché prima che arrivassi tu alla Mobile di Catania i casi di omicidio restavano irrisolti, – ironizzò Marianna.

Vanina ci rinunciò. Avrebbe argomentato le sue ragioni all'infinito se non si fosse accorta che, a conti fatti, sua madre aveva ragione. Il vero motivo che la spingeva a buttarsi su ogni caso che le capitasse tra le mani, anche il piú improbabile, era la sua totale incapacità di convivere con i pensieri che riempivano la sua mente non appena la trovavano sgombra. Una dinamica inesorabile, in atto già da diversi giorni. Un po' di lavoro le ci voleva come il pane.

– Amuní, mamma, non mi fare la funcia, – sdrammatizzò, poi sorrise. Le dispiaceva interrompere il processo di riavvicinamento cominciato da qualche settimana che l'aveva portata a passare il Natale a Palermo. Processo di cui sua madre per prima s'era accorta, pur senza conoscerne il motivo, e in cui doveva aver riposto tanta speranza da inalberarsi in quel modo.

Gli occhi azzurri sconsolati di Marianna suscitarono la reazione immediata di Federico, che l'abbracciò.

– Avanti, scommettiamo che Vanina il caso lo risolve in un paio di giorni? Al massimo per l'Epifania torna a trovarci. Vero, gioia? – girò un'occhiata verso di lei, che annuí.

L'artefice del ravvedimento di Vanina nei confronti della madre, d'altra parte, era stato proprio lui. Negli ultimi tempi tra patrigno e figliastra – per lui, padre e figlia – si era instaurata un'inedita complicità, grazie alla quale si era aperto uno squarcio nella barriera che per anni Vanina aveva eretto fra sé e Marianna. Un muro fatto di rimproveri e di recriminazioni inespresse, di colpe che, in preda al dolore inconsolabile per la morte di suo padre, Vanina aveva sempre attribuito alla madre quando sarebbe bastato scavare un po' per accorgersi che niente era come lo vedeva lei.

Recuperò il borsone nella sua stanza e iniziò a infilarci dentro il vestiario che aveva portato, piú quello che aveva raggranellato con i regali. Doveva ammettere che Marianna e Costanza non ne avevano sbagliata una: colori essenziali, marchi particolari tra il giapponese, l'inglese e il newyorkese, senza l'ombra di un logo nemmeno in trasparenza. Con un'unica, graditissima, digressione parigina: un cappello alla marinara di panno blu scuro.

– L'ho scelto io, – disse Costanza.

Vanina si voltò. Non l'aveva sentita entrare.

– È bellissimo.

– Meno male! Sai, tu hai dei gusti cosí precisi... La mamma e io temiamo sempre di sbagliare.

Era la copia stampata di Marianna. Bionda, occhi azzurri, raffinata anche in jeans e maglione oversize. Con in piú il sorriso di Federico: aperto, solare. Allegro.

A Vanina venne in mente una domanda che avrebbe voluto farle da mesi.

– Cocò, dimmi una cosa, – attaccò, continuando a sistemare la roba in valigia.

La sorella restò in attesa. Vanina si fermò, la guardò.

– Me lo spieghi come ti venne per testa di sposarti a ventitre anni?

Il matrimonio si sarebbe celebrato a giugno, e da tre mesi in casa Calderaro non si parlava d'altro.

Costanza rimase spiazzata. Rise.

– E che ne so! Tommaso me l'ha chiesto e io ho accettato.

– Cosí, a morti subbitanea?

La ragazza la guardò incerta: – A morti...?

– Vero è, tu non puoi capire. A Catania significa «all'improvviso» –. Senza manco accorgersene le era uscita una *catanesata*, una di quelle tipiche che raccoglieva nelle note dell'iPhone da quando era approdata in territorio etneo.

– Ah! Allora sí, all'improvviso.

– E tu accettasti subito?

Costanza si strinse nelle spalle, un po' in soggezione. Senza volerlo Vanina aveva assunto il tono da interrogatorio. Gli occhi grigi indagatori puntati nei suoi.

– Veramente sí…

– E perché?

– Scusa, Vani, perché mai avrei dovuto dirgli di no? Sono innamorata di lui da quando veniva qui a lavorare alla tesi con papà!

Vanina rimase a bocca aperta. – Cioè quando tu avevi… quanto, piú o meno? Dodici anni?

– Tredici.

– E fammi capire, lui lo sapeva?

– Ma che sei pazza? No!

– Ahhh, mi pareva.

– Evidentemente era destino, – concluse Costanza.

Vanina la guardò sorniona. Non replicò.

Infilò le ultime cose nel bagaglio.

Costanza si sdraiò sul suo letto, accanto al borsone aperto. La fissò, seria.

– Cocò, che c'è?

– Ora te la posso fare io una domanda?

Vanina si pentí di aver iniziato su quella strada. A quel punto non poteva piú tirarsi indietro.

– Certo.

– T'è dispiaciuto che Paolo abbia perso il concorso di Catania?

Minchia, che domanda diretta! E che poteva risponderle? Non lo sapeva nemmeno lei.

– Una domanda di riserva ce l'hai? – scherzò.

– Dài, Vani, puoi dirmelo. Non lo riferirei mai, lo sai.
Vanina si sedette accanto a lei.
– Non è mancanza di fiducia, credimi, è che non so come risponderti.

Paolo Malfitano, magistrato alla Dda di Palermo nonché ex compagno lasciato da Vanina quattro anni prima e da qualche mese riapparso nella sua vita, aveva fatto tutto da solo, senza interpellarla. S'erano liberati contemporaneamente due posti da procuratore aggiunto, uno al tribunale di Palermo e uno a Catania. E lui aveva deciso di tentare la sorte concorrendo per entrambi. Dove l'avrebbero voluto, lui sarebbe andato. Al fato la decisione, che lui non avrebbe mai saputo prendere. Trasferirsi a Catania non sarebbe stato facile, ma l'avrebbe fatto se fosse servito a sbloccare la situazione di stallo che s'era creata tra loro dal momento in cui il destino li aveva fatti rincontrare, mandando all'aria i propositi di Vanina che ormai da quattro anni si teneva lontana da lui. Se avesse vinto a Catania, pur di viverle accanto, il pm Paolo Malfitano avrebbe accettato perfino di levare le mani dalle indagini che l'avevano reso tanto celebre nel mondo dell'Antimafia quanto inviso a qualunque esponente di cosa nostra in cui era inciampato negli anni. Indagini che gli avevano procurato minacce di morte una appresso all'altra, e un attentato dal quale era uscito quasi illeso solo perché Vanina, allora commissario capo alla Mobile di Palermo, s'era trovata al posto giusto nel momento giusto. Sulla possibilità che un suo eventuale trasferimento a Catania potesse risolvere tutti i loro problemi, Vanina non s'era mai espressa. Anzi, sul principio la notizia le aveva provocato una reazione opposta a quella auspicabile.

Ma il fato, nello specifico camuffato da Csm, aveva deciso che il posto di Paolo Malfitano era e restava alla procura di Palermo. Questione chiusa. Cosí la loro storia si era riassestata sull'equilibrio precario degli ultimi tre mesi. Un tira e molla infinito, cui Vanina non sapeva porre fine.

Costanza rimase in attesa della risposta, che non arrivò. Non insisté piú. Conosceva sua sorella, era già tanto che non si fosse irrigidita. Anzi, era un miracolo che si fosse interessata a lei al punto da esprimere le sue perplessità riguardo al matrimonio. Era la prima volta che accadeva, e non le andava di sciuparla. Ma Vanina la spiazzò.

– Senti un po', Cocò, ma l'amica tua come sta? – Sorrideva a metà, la faccia di quella ha voglia di sfottere un po'.

– Chi, Nicoletta?

– E chi, se no?

– E come deve stare? Sul matrimonio con Paolo ci aveva già messo una pietra sopra da mesi. Adesso poi, che... – si ricordò dei buoni propositi e non andò avanti.

Nicoletta Longo, di anni ventotto, grande amica di Costanza, era la ragazza che Paolo aveva sposato in preda alla disperazione da abbandono. Un matrimonio lampo, durato appena il tempo di generare una figlia e poi miseramente fallito.

– «Adesso poi» cosa? – finse di chiedere Vanina.

– Dài, Vani, lo sai.

Adesso che lei era tornata nella sua vita.

Vanina si pentí di aver ceduto alla curiosità. In fondo lei stessa, quando aveva abbandonato Palermo, aveva sperato che Paolo si consolasse al piú presto, e aveva pensato che Nicoletta fosse la persona ideale. Forse un po' troppo giovane, ma di sicuro innamorata persa di lui.

– Vabbe'. Vediamo se mi sto scordando qualche cosa, – divagò. Esplorò la stanza con lo sguardo. Aprí l'armadio, controllò sotto il letto. Allungò una mano verso un oggetto che intravedeva e lo recuperò.

– Vedi tu dove s'era impurtusato.

Un vecchio accendino Zippo risalente all'università. Per evitare di perderlo come accadeva con tutti gli altri, lo lasciava lí a Palermo. Lo ripose sulla mensola davanti a una foto incorniciata della sua laurea, che si soffermò a guardare. Lei e sua madre nel chiostro della facoltà di Giurisprudenza, all'ex convento dei Teatini.

Costanza s'avvicinò.

– Lo sai che me lo ricordo, quel giorno?

– Vero?

– Sí. Mi ricordo anche la tua litigata con la mamma, perché lei voleva festeggiare in pompa magna al *Charleston* di Mondello e tu invece avevi deciso di andare in una friggitoria a mangiare pane con la meusa e panelle. Alla fine si mise in mezzo papà e vi accordaste per una trattoria... non mi ricordo dove.

Vanina rise. Pure lei se la ricordava, quella sciarriatina con sua madre. Memorabile. Certo che fitusa assai era stata nei confronti della povera signora Marianna. Aggratis, per giunta, in quella come in tante altre occasioni. Ma questo allora Vanina non lo sapeva.

– A Sferracavallo era. Non ci vado da... forse dieci anni.

Costanza la seguí di nuovo sul letto, contenta. Mai era capitato che intavolassero una conversazione cosí lunga.

– Anche se stai anticipando la partenza sono contenta che almeno a Natale siamo state insieme.

Vanina rimase a secco di parole, come ogni volta che voleva esprimere un sentimento. Si limitò a sorriderle.

– Anch'io sono contenta, Cocò.

Chiuse il borsone e se lo caricò in spalla. Recuperò lo zaino e una borsa di tela dove aveva infilato il Mac e alcuni dvd della sua preziosa collezione che si era portata dietro. Andò a depositare tutto all'ingresso.

Il salotto e la sala da pranzo erano già off limits, territorio esclusivo di Filí – al secolo Filippa, storica colf di casa Calderaro – che li stava rivoltando dal soffitto al pavimento in previsione della «piccola riunione» natalizia prevista per quella sera. I soliti cinquanta-sessanta intimi che a cadenza bimestrale venivano accolti in grande spolvero nell'attico di via Cavour.

«Proprio oggi te ne dovevi andare», recriminò Marianna. Non lo disse, ma Vanina le lesse in faccia il dubbio che questo nuovo caso fosse una scusa per rifuggire l'evento mondano. Vanina sorrise. La telefonata improvvisa di Spanò era sempre l'escamotage piú semplice per scansiarsi quel tipo di serate, o per scapparsene dopo mezz'ora.

Stavolta però non era cosí. O quantomeno non del tutto.

Vanina non ribatté. Si limitò ad abbracciarla.

– Appena finisci vieni qui di nuovo, vero? – si assicurò sua madre.

– Vero, – le garantí Vanina, – o magari venite voi, – si ritrovò a rilanciare. Se ne stupí lei stessa.

Federico si caricò i bagagli. – T'accompagno in garage, – disse.

La Mini bianca di Vanina era incastrata tra la sua Jaguar e lo scooter di Costanza. Dieci manovre e altrettanti *santiamenti* dopo, finalmente riuscí a crearle lo spazio necessario per uscire.

– Non correre, – si raccomandò, abbracciandola.

Vanina s'immise in via Cavour, fece un tratto e accostò appena prima della prefettura. Tirò fuori il telefono e chiamò il numero di Paolo, che s'era decisa a memorizzare solo perché lui gliel'aveva posto come un patto quando, due giorni prima, le aveva regalato quell'iPhone ultimo modello.

Doveva comunicargli che stava tornando a Catania, ma doveva farlo di persona. Si accertò che non fosse in procura e ripartí. Svoltò a sinistra, percorse quattro isolati e girò su via Mariano Stabile. Miracolosamente trovò posto. Lasciò la Mini e raggiunse Paolo nella casa che per anni era stata anche sua.

3.

L'ispettore capo Spanò se ne stava seduto nell'ufficio della Guarrasi, faccia a faccia con Nunzio Scimemi e con la sua compagna, sempre piú spaventata. Quando la capa non c'era, le redini della squadra le prendeva lui, con delega piena del primo dirigente Tito Macchia che – come la Guarrasi – si fidava ciecamente. La Bonazzoli, piú bassa di grado ma validissima poliziotta, diventava ipso facto il suo braccio destro.

– Perciò ricapitoliamo: il salone dell'albergo era al buio, giusto?

– Giusto.

– Tu trasisti con una torcia e t'addunasti prima che c'era una vetrata aperta e poi che davanti al camino c'era una persona sdraiata a terra.

– Una fimmina, sissignore.

– Morta.

– Morta, certo. Se no che vi chiamavo a fare?

– Ti calasti sopra di lei, le toccasti il polso?

Scimemi fece un salto sulla sedia come se avesse rivisto il cadavere per la seconda volta.

– Mai sia! No, no. Me ne scappai subito.

Spanò si spazientí.

– Ma, santo cristiano, allora come fai a essere cosí sicuro che fosse morta?

L'uomo lo guardò sconsolato. Niente da fare, nessuno gli credeva mai. Pure la poliziotta bionda che stava scrivendo il verbale pareva scettica.

Su certi argomenti, Nunzio la diffidenza altrui era disposto a comprenderla, ma questa faccenda con le sue fissazioni non c'entrava niente.

– Ispettore, lei mi deve fare la cortesia di pigliarmi sul serio. Lo so che passo per essere uno strammato, ma io su quella donna ci inciampai per davvero. E quando la taliai nella faccia, dubbi sul fatto che fosse morta non ne ebbi manco per mezzo minuto. Gli occhi accussí sgriddati, una viva non ci sarebbe mai riuscita a tenerli.

Spanò si allisciò i baffi, dubbioso. *Strammato* era un eufemismo. Le sparate di Scimemi certe volte erano da clinica psichiatrica.

– Senti, Nunzio, facciamo cosí: ora tu vai di là con l'ispettore Bonazzoli, firmi la tua denuncia e poi te ne torni a casa con la signora, che mi pare tanticchia provata. Restate reperibili, però, mi raccomando, che se il collega della Scientifica dovesse trovare qualche cosa d'interessante potrebbe servire un altro confronto, magari in loco.

Tanuzza parve rinfrancata. Scimemi si alzò subito in piedi e restò impalato, mani unite in basso come un calciatore in attesa del calcio di punizione. Fermo e muto, un occhio all'ispettore e l'altro alla porta dell'ufficio.

Spanò aspettò qualche secondo, per capire che stesse facendo. Poi si spazientí.

– Scimemi!

– Dica.

– E che vogliamo fare? Ci taliamo nella faccia ancora un paio d'ore? Vai a firmare 'sto verbale di denuncia. O te ne pentisti?

– Ma no! Tutte cose firmo. Stavo aspettando l'ispettore Bon... mi scordai il nome... vabbe' insomma, quello che disse lei prima.

Spanò e Marta si scambiarono un'occhiata risolente.

– Nunzio, – lo riprese Tanuzza, quasi vergognandosi.

– Ma...

– Signor Scimemi, sono io l'ispettore Bonazzoli, – spiegò Marta.

L'uomo divenne bordeaux per la malacomparsa che aveva fatto.

– Oh, mi deve scusare! Assai! È che sentii «ispettore» e pensai che si trattasse di un uomo!

Marta gli fece strada verso l'ufficio di fianco, quello che in orari normali divideva con altri due colleghi. L'ufficio dei giovani, o meglio *dei carusi*. Scimemi firmò le carte, poi lei lo riaccompagnò nella stanza accanto, dove Spanò aveva intavolato una conversazione con Tanuzza.

– A me non pare giusto, – stava dicendo la donna.

Entrambi s'interruppero quando li videro rientrare.

– Cos'è che non ti pare giusto, Tanuzza? – chiese Nunzio.

– Ca niente, parlavamo del malinteso tuo di poco fa. E dicevo che secondo me se una è femmina la debbono chiamare ispettrice, non ispettore.

– E io le spiegavo che in Polizia oramai le ispettrici non esistono piú. I titoli sono uguali per maschi e femmine, e sono al maschile. Anche la nostra dirigente è donna, ma il suo titolo è vicequestore.

– Appunto. E che è giusto?

Marta sorrideva. Il ragionamento della donna era piú che logico, e l'obiezione piú che legittima. Ma l'ordinamento era quello, e purtroppo non prevedeva declinazioni al femminile. Almeno per il momento.

– Scusate, – fece Nunzio, tendendole la mano per aiutarla ad alzarsi, – ma Tanuzza è un poco fissata col femminismo.

– Fa bene, – rispose la Bonazzoli.

Prima di andarsene, scortato dall'agente Lo Faro che s'era appena palesato, Scimemi chiese se poteva fare un'ultima domanda.

– Se in albergo risulta qualche cosa di anomalo, metteranno le transenne bianche e rosse?

– I sigilli, vuoi dire? Certo, – rispose Spanò.

– E non si potrà piú entrare?

– Assolutamente no.

– Manco col vostro permesso, per pigliare una cosa?

– No. Ma perché, tu che devi pigliare?

L'uomo si schermí: – Niente, dicevo cosí. Lassai due apparecchi nella stanza dove dormivo prima e... Ma cose senza importanza.

Spanò lo guardò sornione.

– E casomai, se ne hai bisogno, te li prendo io. Basta che mi spieghi per filo e per segno a che servono.

Scimemi scosse la testa ripetutamente.

– Non c'è bisogno, ispettore. Facissi conto che non dissi niente.

Se ne andò.

Marta si risedette accanto a Spanò che seguiva con gli occhi i due che uscivano, divertito.

– Perché sta ridendo?

– Storia vecchia è.

– E non me la vuole raccontare?

– Troppo lunga. Appena abbiamo un pizzuddu di tempo gliela racconto.

Il telefono di Spanò prese a suonare dalla tasca dei jeans, sempre troppo stretti per il suo fisico non proprio longilineo.

– Pappalardo, – rispose, – ma ancora al *Grand Hotel della Montagna* siete? Non mi dire che piddaveru qualche

cosa trovasti! – Ascoltò in silenzio, sempre piú cupo. – Ho
capito. Il dottore Vassalli è già avvertito? – Annuí: – Va
bene, grazie.

Appoggiò il telefono sulla scrivania. Si stropicciò faccia
e occhi coi palmi delle mani.

– Novità? – chiese Marta.

Spanò prese un respiro, allargò le mani.

– A quanto pare qualche cosa di strano c'è.

– E allora, che facciamo?

Carmelo si alzò dalla poltrona, si aggiustò il maglione
che s'era arrotolato sotto la pancia.

– Niente, ce ne andiamo a fare colazione. E aspettiamo
la Guarrasi, – guardò l'orologio. – Tanto, fa' cuntu che
massimo all'una è qua. E per come la conosco, in una storia cosí ci si cala dentro con tutte le scarpe.

Vanina decise di allungare. Invece di dirigersi dritta
verso l'uscita di Palermo rifece un paio di giri in città.
Quei tre quarti d'ora con Paolo, vai a sapere perché, le
avevano scatenato una malinconia che stentava a decifrare. Un sovvertimento dello stato d'animo, fino a poco prima quasi positivo. Tanto da sentire il bisogno di
indugiare per le strade di Palermo, come per salutarla
meglio. Addentrarsi di nuovo verso il centro, passare al
lato del Teatro Massimo in grande spolvero natalizio,
con tanto di luci disseminate sulla facciata e tappeti ros-
si. Salí verso via Libertà con le sue vetrine addobbate,
la attraversò e andò verso il Giardino Inglese. Passò davanti al Liceo Garibaldi, la sua scuola. In piene vacanze
di Natale ovviamente era chiuso. Sul marciapiede, poco
piú in là, c'era la lapide di suo padre: l'ispettore Giovanni Guarrasi. Massacrato a colpi d'arma da fuoco da
quattro killer di cosa nostra davanti agli occhi terroriz-

zati di sua figlia quattordicenne che assisteva impoten-
te. Sola. Disarmata.

Distolse gli occhi, ma rivide tutto ugualmente. Accelerò
e superò quella strada. Raggiunse il mare. Aprí il finestrino
e si accese una Gauloises. La Cala, il Foro Italico, le mura
e poi ancora oltre. Lentamente. Prima di prendere l'autostrada allo svincolo di Villabate, verificò che il bluetooth
della macchina fosse connesso al nuovo telefono. S'immise sulla A19 Palermo-Catania e chiamò Spanò. Le rispose
al secondo squillo.

– Capo.

– Ispettore, che mi dice?

– Che le debbo dire, dottoressa. A me 'sta storia della morta nell'albergo non convince per niente, anche se a
quanto dice Pappalardo forse completamente campata in
aria non è.

– Perché, che trovò?

– Cose vaghe, dottoressa. Tracce di sangue, impronte
digitali. Un'orma che pare recente. Sempre che le impronte
e il sangue non siano di qualche operaio ca si tagliò. Però
vicino al camino, proprio dove secondo Scimemi doveva
esserci 'sto cadavere steso per terra, c'erano dei capelli
biondi. Dice Pappalardo che sembrano capiddi di fimmina, e che sono assai, come se fossero stati strappati.

– Vediamo cosa ne esce. Con Vassalli ci ha parlato?

– Sí. Mi pareva dubbioso.

– Spanò, Vassalli è dubbioso pure quando le prove sono
evidenti, figuriamoci con un cadavere che sparisce.

– E macari chistu è vero.

– Vabbe'. Io sono già per strada.

– A dopo, dottoressa. E mi raccomando: caminasse
piano, che la Palermo-Catania è tutta purtusa purtusa. A
spaccare un copertone niente ci vuole.

Vanina chiuse la chiamata sorridendo. Tra buche, dossi e avvallamenti, l'asfalto delle autostrade siciliane era capace di causare un'ecatombe di pneumatici, sospensioni e vari pezzi di carrozzeria. Come le targhe, di cui le campagne tra il nisseno e l'ennese dovevano essere piene.

Accese la radio, ascoltò un notiziario, poi partí una canzone che non le piaceva e abbassò il volume. Ascoltare una musica qualsiasi tanto per non stare in silenzio non era cosa per lei. Inserí la sua playlist e selezionò Vasco.

Arrivata a Bagheria, manco fosse un appuntamento stabilito, i pensieri molesti stavano già iniziando a farsi strada. E purtroppo, data la scarsità di elementi di cui disponeva per potersi concentrare su salvifiche questioni lavorative, la trovarono del tutto sgombra. Un'ora e mezzo cosí poteva guastare l'umore di Vanina per tutta la giornata.

L'ingresso di Catania era bloccato da una fila unica che partiva poco dopo la rotatoria della Playa, appena si iniziava a costeggiare il porto. L'una e mezza era ora di punta, certo, e il traffico era ai massimi livelli, ma cosí non era normale. Vanina abbassò il finestrino e si accese una sigaretta. Ebbe il tempo di fumarla tutta, di aprire i messaggi Whatsapp ricevuti durante il viaggio, e ancora non s'era mosso niente. Avvistò un poliziotto che s'avvicinava a passo lento. Scese dall'auto e lo chiamò. Quello proseguí verso di lei, sempre a passo lento, finché accelerò di colpo.

– Buongiorno, dottoressa Guarrasi.

Vanina rimase interdetta. 'Sto fatto di essere cosí conosciuta non le piaceva per niente.

– Buongiorno a lei, agente…?

– Puglisi.

– Agente Puglisi, che successe? Perché siamo bloccati qua?

– Tamponamento a catena ci fu, dottoressa, a piazza Alcalà.

– A piazza Alcalà? E questo che significa, che è tutto cosí da qui agli archi della Marina?

– Purtroppo sí.

– Caz… zarola! E io come ci arrivo in ufficio?

L'agente si guardò intorno. Spazio per fare retromarcia e cercare di raggiungere l'ingresso del porto non ce n'era manco a pagarlo oro.

– Non lo so… – esitò, – però volendo…

– Volendo?

– Con una moto potrebbe farcela.

Vanina lo guardò come si guarda un genio.

– Bravo Puglisi.

Rientrò in macchina e chiamò la Bonazzoli, che alla guida di qualunque mezzo di locomozione valeva piú di tutti i suoi colleghi maschi messi insieme.

– Marta, gioia, fammi una cortesia: prendi la moto piú piccola che abbiamo, quella che passa piú facilmente in mezzo alle macchine, e vieni a recuperarmi.

Le spiegò dove si trovava e in che contesto.

– Portati Lo Faro, mi raccomando.

Marta si stupí.

– Ma se porto con me Lo Faro come faccio a caricare te?

– La sai la storia del pastore che deve portare oltre il fiume una capra, un lupo e un cavolo?

– No.

– Tu inizia a venire, che te la conto io.

Bonazzoli e Lo Faro arrivarono a bordo di uno scooter. Vanina fece segno di non infilarsi nella sua corsia, dove non c'era abbastanza spazio per il passaggio. Marta si fermò sull'altro lato della strada, Lo Faro scese subito e partí a piedi verso la Guarrasi zigzagando tra le auto. Vestito leccato che pareva pronto per un'occasione mondana.

– Bentornata, dottoressa.

– Lo Faro, e che fu? Non c'era bisogno che ti conzassi cosí per il mio ritorno, eh.

L'agente si guardò addosso e rise.

– No, dottoressa! È che stasera ho una festa e non ce la faccio a tornare a casa a cambiarmi.

– Ah, mi pareva, – lo sfotté, bonaria.

– Che debbo fare? – s'informò Lo Faro.

– Niente, ti metti alla guida e aspetti che si sblocchi 'sto casino. Ti fai una bella panzata di social, ascolti la musica, quello che vuoi. Guarda, c'è pure la porta usb e il cavo per ricaricare il telefono. Basta che poi me la parcheggi in un posto sicuro, che dentro ci sono i miei bagagli.

Lo Faro iniziò ad annuire a metà discorso. Vero era che la Guarrasi aveva cominciato a rivalutarlo da troppo poco tempo – tant'è che non gli aveva ancora concesso di chiamarla «capo» come facevano tutti i suoi piú fidati – ma pure lui era convinto di capirla al volo come gli altri. E tanto avrebbe fatto che prima o poi gliel'avrebbe dimostrato.

– Agli ordini.

Vanina gli consegnò le chiavi, recuperò la borsa di tela col computer, ci infilò dentro le sigarette e il telefono e raggiunse Marta dall'altra parte della strada.

– Ora lo capisti a che serviva Lo Faro?

La ragazza sorrise e scosse la testa con rassegnazione mentre le allungava un casco.

– Ma va' là! Il pastore, la capra, il lupo…

Vanina salí dietro, ridendo.

– In ufficio? – chiese la Bonazzoli.

– Prima da Nino, che se non mangio qualche cosa di sostanzioso divento irascibile.

Marta partí a razzo. Passò accanto ai Tre Cancelli, il cimitero monumentale di Catania, s'infilò in strade che non si capiva come facesse a conoscere e sbucò a Porta Garibaldi. «'U fortino», per i catanesi. Da lí verso via Vittorio Emanuele, e poi giú fin quasi a piazza Duomo. Passò davanti alla questura centrale e arrivò in via di Sangiuliano.

Spanò era già lí che le aspettava. Aveva scambiato due chiacchiere con Nino, s'era fatto preparare il solito tavolo d'angolo e si stava facendo fuori una coppa di olive alla stimpirata con un cestino di pane. Conosceva la Guarrasi cosí bene, ormai, che ne aveva inquadrato le abitudini. Novantanove volte su cento azzeccava le previsioni. Era sicuro che da un momento all'altro l'avrebbe vista spuntare dalla porta d'ingresso.

E infatti.

– Dottoressa, buongiorno.

– Spanò, ma lei già in posizione era?

– Ora ora arrivai.

Vanina buttò un occhio sul tavolo: a giudicare dall'esigua quantità di olive rimaste, come minimo l'ispettore era lí da una ventina di minuti. Non commentò.

Si sedettero al tavolo. Nino arrivò subito, pronto con un'altra coppa di olive e un secondo cestino di pane. Ordinarono ognuno il proprio piatto preferito: pasta coi masculini per Spanò, misto di polpette e involtino piú caponata per Vanina, e per la vegana Marta pasta al pomodoro, che il titolare insisté per arricchire con due melanzane.

Vanina si mise comoda sulla sedia e si guardò intorno. Le tovaglie gialle, la sala piena di gente, Nino che faceva gli onori di casa col suo solito spirito. Il brusio allegro della trattoria casalinga, da piú di un anno suo imprescindibile punto di riferimento in quella città che non l'aveva mai fatta sentire estranea neppure per un'ora. Lei. Una palermitana.

– Picciotti, ma vi rendete conto che appena un paio di settimane fa qua dentro non mi ci facevate mettere piede manco se m'inginocchiavo?

– Vorrei ben vedere! – fece Marta. – Ti avevano recapitato un bossolo a domicilio, eri sotto scorta, cosa volevi? Che ti permettessimo di frequentare locali cosí poco sorvegliabili? – indicò l'ingresso, la scala che portava in un'altra saletta, con altre entrate.

– Veramente mi lasciavate frequentare solo l'ufficio e casa mia. Ah no, dimenticavo: una volta mi avete concesso una botta di vita alla mensa di servizio.

I due si guardarono, poi guardarono lei. Vanina lesse loro in faccia quello che stavano per recriminare.

– Va bene, ho capito. Evito di andare oltre, – altrimenti avrebbe dovuto ammettere di aver commesso una fesseria, la sera in cui aveva architettato un piano per uscire di nascosto. Meglio cambiare argomento. Per fortuna era stata una parentesi, tutto sommato pure breve, oramai conclusa.

– Allora, picciotti miei, ricapitoliamo. Com'è la faccenda dell'albergo?

Spanò ingoiò il centesimo pezzo di pane. – 'Na rogna, dottoressa, – bofonchiò.

– Sono emerse novità dal fronte Scientifica?

– Quello che le accennai per telefono.

– Cioè?

– Tracce di sangue, sparse intorno al punto in cui Scimemi disse di aver visto il cadavere. Pappalardo sta mandando tutte cose a Palermo per estrarre il Dna, ma capirà: un conto è un omicidio vero, che uno può insistere per avere

i risultati subito, e un conto è un caso accussí campato in
aria. 'Sa quannu si sbrigano.

Vanina agitò la mano. - Sí, buonanotte.

- Però sappiamo che le impronte digitali sul finestrone
non sono di Nunzio Scimemi.

- Potrebbero essere di qualche operaio, - intervenne
Marta.

Spanò scosse la testa. - No, perché Nunzio ripeté piú
volte che il compito di chiudere le finestre era suo. Oltretutto, sempre secondo Pappalardo, quelle impronte erano
macari fresche di giornata.

- Ma come? Non diceva che questo Scimemi non era
affidabile?

- Lo dico e lo sottoscrivo, ma questa è un'informazione
troppo semplice per essere... ecco... un parto dell'immaginazione di Nunzio.

Vanina s'incuriosí: - Perciò questo Nunzio possiede una
fervida immaginazione?

Spanò rise, facendo roteare la mano.

- Avoglia, dottoressa!

- Perché? Che s'inventò?

- Un sacco di fissariate, una peggio dell'altra. Però alle
minchiate che conta ci crede veramente.

- Per esempio?

- Chi ni sacciu... la questione degli extraterrestri, per
dirne una.

Vanina e Marta lo guardarono perplesse. In quel momento arrivarono i piatti.

- Che significa, degli extraterrestri? - chiese la Guarrasi.

- Dottoressa, mi deve scusare ma se mi metto a contar-
le tutta la storia mi si raffredda la pasta.

- Vabbe', ma in pochissime parole?

Spanò si rassegnò.

– In pochissime parole, Nunzio Scimemi è convinto che cercando i ponti radio giusti si possono intercettare gli alieni.

Vanina non commentò. Meditò su quell'informazione, piú perplessa di prima, mentre Marta rideva.

– Ma questo qui è fuori come un balcone! Fa bene a non credergli, – fece la Bonazzoli.

Spanò annuí. – Autru che balcone: una terrazza intera! – rise anche lui.

La Guarrasi rimase pensierosa. Attaccò la polpetta, poi l'involtino, poi la caponata con quel pane strepitoso – in due settimane stava riprendendo tutto il peso che aveva perso mentre era sotto scorta – e si mise in attesa che anche gli altri due finissero.

– Picciotti, qua dobbiamo metterci d'accordo su una cosa: ci crediamo o non ci crediamo?

Gli ispettori si guardarono, incerti. Non risposero.

– Alzi la mano chi è convinto che prima o poi la bomba scoppierà e ci ritroveremo tra le mani una morta ammazzata a cui dare conto, – propose Vanina. Uno per volta la alzarono tutti e tre. Lei per prima.

Alla Mobile c'era calma. Mezza sezione Criminalità organizzata era fuori in servizio assieme a quelli della Narcotici, per portare a termine un'indagine che aveva avuto inizio grazie a un caso di cui si era occupata Vanina qualche settimana prima: quello del professore di filosofia trovato accoltellato in una grotta sotterranea del fiume Amenano. Un'indagine di tutt'altra natura che però, a latere, aveva smascherato un traffico di stupefacenti in cui erano coinvolte due cosche mafiose di prim'ordine. Scava scava, avevano intercettato anche un giro di estorsioni e ora se ne stavano occupando.

La stanza dei carusi era vuota. Il sovrintendente Nun-nari era in ferie fino all'indomani e l'agente Lo Faro era ancora incastrato nel serpentone di auto strombazzanti. Nella stanza dei *veterani* invece c'era il vicesovrinten-dente Fragapane, che nella squadra, insieme a Spanò, rappresentava la «vecchia guardia». Aveva appena fini-to di consumare il pasto preparato da sua moglie Finuz-za e stava sbaraccando la scrivania da tutto il materiale accessorio che il cestino conteneva: tovagliette a fiori, posate di ogni tipo, piatti di carta (Finuzza era contro la plastica) piú un mini termos di caffè. L'altro occupan-te della stanza, ovvero Spanò, lo salutò e passò oltre ap-presso alla capa che si stava dirigendo dritta dritta nel suo ufficio. Fragapane s'accodò.

– Macchia non c'è? – chiese la Guarrasi, passando da-vanti all'ufficio del Grande Capo.

– È dal questore, – le rispose subito Marta, incurante dei due colleghi. Che lei e Tito fossero una coppia lo sa-pevano pure i muri, lo avevano tenuto nascosto ai colle-ghi per piú di un anno, ma ormai continuare a far finta di niente rasentava il ridicolo.

Vanina aprí la porta della sua stanza, una vecchia porta a vetri con la cornice di legno divisa in due parti, e notò che solo una metà funzionava. L'altra metà rimaneva bloccata.

– E che successe qua? – chiese.

– Non lo so, dottoressa, – fece Spanò. – Di bonu e bonu s'incantò. Non si riesce piú ad aprire per intero.

La Guarrasi sbuffò: – 'Sa quanto ci vorrà per farla ri-parare.

– Di sicuro se ne parla dopo l'Epifania.

Entrarono in fila indiana dalla metà destra.

Vanina si liberò del giubbotto di pelle, si piazzò sulla poltrona e si accese una sigaretta, beata. Il suo ufficio, i suoi uomini, le battute di Nino. Vero che Catania non era la sua città, e mai lo sarebbe stata, ma in compenso in un paio d'ore riusciva a tirarla fuori dal guado dei pensieri che Palermo le caricava addosso ogni volta che ci tornava.

La Bonazzoli si sforzò come al solito di non mostrare la sua contrarietà, e come al solito non ci riuscí.

Vanina la anticipò.

– Che camurría. Avanti, apri la finestra, tanto a quest'ora freddo non ce n'è.

Adesso mancava solo una cosa: un indizio serio che innescasse la cascata degli eventi. Sempre che la storia assurda del cadavere scomparso non fosse davvero un abbaglio. Ma Vanina ne dubitava: il suo naso non la tradiva mai, e il tanfo che sentiva in lontananza, vago e poco riconoscibile, era quello dell'omicidio.

Ci pensò un po', il tempo di finire la sigaretta e attaccare la cioccolata di cui il suo cassetto era stracolmo, poi uscí dallo stato meditativo.

– Picciotti belli, lo sapete che vi dico? Siccome mi sono rotta assai di stare qua senza fare niente, ora pigliamo una bella Jeep e ce ne andiamo in gita, prima che diventi buio.

Marta si sentí subito chiamata in causa come autista.

– Ci penso io. Dove dobbiamo andare di preciso?

La replica di Spanò fu immediata.

– Bonazzoli, ma secondo te dove dobbiamo andare?

Marta fissò un po' l'una e un po' l'altro, che ammiccavano tra loro sornioni. Capí.

Niente, decifrare al volo il linguaggio degli sguardi non era roba per lei. Ogni volta finiva per fare la figura della tarda. Eppure era sempre stata considerata una poliziotta sveglia, perspicace. Una che non prendeva fischi per fiaschi, insomma. La Guarrasi questo lo sapeva, però senza volerlo finiva sempre col metterla in difficoltà. Mezze pa-

role, gesti, occhiate, e Spanò la capiva al volo. – Al *Grand
Hotel della Montagna*.

Il pm Franco Vassalli pareva piú collaborativo del solito.
– Dottoressa Guarrasi, a me sembra improbabile che si
possa aprire un'indagine, ma se ci tiene ad approfondire
la cosa faccia pure. Del resto, con lei...
Non concluse, ma il tono di voce attraverso il telefono
tradiva rassegnazione. Vanina lo sapeva: lavorare con lei,
per Vassalli, era peggio di una penitenza. Niente orari, ritmo serrato, nessuna remora nel tirare in ballo chiunque
potesse essere coinvolto, anche persone che il magistrato
avrebbe evitato volentieri di scomodare. O che gli facevano tremare i polsi al solo nominarle.
L'ultimo caso di omicidio senza cadavere di cui si erano
occupati l'aveva fatto sudare due volte: la prima perché
la Guarrasi aveva smosso mezza buona società catanese, la
seconda perché era andata a toccare gente da cui era meglio tenersi alla larga. Alla fine si era dovuto inventare un
malanno per sfilarsi dall'indagine.
– Dottore, facciamo cosí: se entro un paio di giorni non
emerge nessun indizio chiaro chiudiamo la questione e
non ne parliamo piú, – propose il vicequestore.
– Due giorni.
– Due giorni.
Vanina chiuse la telefonata.
– Spanò?
L'ispettore fece capolino dal sedile posteriore della Jeep,
ancora inguaiata nel traffico dei paesi pedemontani.
– Dica, dottoressa.
– Siamo sicuri che nessuno ha denunciato la scomparsa
di una donna, vero?
– Sicuri.

Si rivolse anche a Marta.

– Avete consultato bene la banca dati? Magari la denuncia è stata fatta ai carabinieri.

– Fino a un paio d'ore fa non c'era nulla, – confermò Bonazzoli.

Da Nicolosi in poi il traffico andava scemando. Tracce di neve iniziavano a materializzarsi ai bordi della strada che s'inerpicava sul versante sud della montagna, fino a trasformarsi in cumuli e distese bianche inframmezzate da rocce laviche appuntite.

– Una foresta nera pare, – fece Spanò.

La Guarrasi si voltò con aria interrogativa e la Bonazzoli lo guardò attraverso lo specchietto retrovisore.

– La torta, – precisò l'ispettore.

Vanina riesumò il vago ricordo di un dolce che non mangiava da anni. Una meraviglia a base di panna e cioccolato, ricoperta di scaglie di cioccolato fondente. Ma il ricordo purtroppo non si fermava al dolce in sé. Suo padre che s'affacciava in cucina, ancora in divisa, un incarto tenuto da sotto con una mano. Era di ritorno da una trasferta a Catania.

– Che torta? – chiese Marta.

– Niente di adatto a te, Bonazzoli, – rispose Spanò, – panna, pan di spagna fatto con le uova… cose turche! – la sfotté.

– Esiste la versione vegana di tutto questo, sa, ispettore?

– 'Nsamaddío! E cu s'avissi a arrisicare!

Vanina sorrise. Un anno e mezzo che assisteva a quelle discussioni e un anno e mezzo che, manco a dirlo, concordava al cento per cento con l'ispettore capo. E chi s'arrischiava? Per Spanò, come per lei, la versione vegana era un intruglio di surrogati indebitamente etichettato col nome originario.

– Parliamo di cose serie, – li interruppe, – cosí come

sono, al *Grand Hotel* comesichiama posso scendere dalla
Jeep o mi ritrovo la neve dentro i calzini?

La faccia dubbiosa di Marta parlava da sé. Lei e Spanò s'erano dovuti vestire in modo appropriato per salire
su di notte e cosí poi erano rimasti. Scarpe da trekking e
pantaloni adeguati. Lo stivaletto beatles di Vanina, nonostante la suola in gomma, non avrebbe retto nemmeno un
minuto se la neve fosse rimasta tale e quale.

– Forse, se ti porto in macchina fino all'ingresso, potresti cavartela.

– Sui gradini magari la neve si è già sciolta, – auspicò
Spanò.

Bonazzoli stava seguendo le indicazioni per l'Osserva-
torio Astrofisico. Vanina notò che del *Grand Hotel della
Montagna* non si faceva cenno da nessuna parte.

– Mi faccia capire, Spanò: ma 'st'albergo ha mai fun-
zionato?

– Come no, dottoressa! Fino all'83 era molto frequentato. Si deve immaginare che dentro c'era macari una discoteca. Io e mia mogl… io e la mia ex moglie là ci conoscem-
mo. A una festa di Capodanno… – Si fermò. Nominare
Rosy, la sua ex moglie, l'aveva rabbuiato. – Poi successe
quello che successe, e l'albergo restò isolato, – concluse,
distratto, proprio mentre Marta svoltava in una stradina
tortuosa. Il cancello compariva dopo qualche curva, semi-
nascosto dagli alberi.

– Eccolo là, – indicò Spanò, aprendo lo sportello e scendendo dalla macchina. La neve s'era già sciolta in buona
parte e camminare in salita era piú agevole rispetto a quella mattina.

Vanina abbassò il finestrino per osservare meglio. Pietra lavica e intonaco rosso stinto dal tempo. All'angolo tra
la facciata e uno dei lati, una struttura tondeggiante che

pareva la tolda di una nave. Finestre malridotte, sprangate. Poche visioni la immalinconivano come quella di un albergo abbandonato. Ogni volta che ne vedeva uno finiva
immancabilmente con l'interrogarsi su come fosse stato
quand'era ancora in attività. Chissà chi ci aveva dormito,
chi aveva cenato nel ristorante; o chi aveva riordinato le
camere, accolto i clienti. Un film, in poche parole. Marta
la interruppe che era già alle prime scene.

– Qui puoi scendere senza problemi.

Erano nel piazzale davanti alla porta d'ingresso e Spanò stava armeggiando per aprire senza rompere i sigilli.

Vanina salí quattro gradini schivando la neve residua
e lo raggiunse.

Entrarono e lasciarono aperto.

– Perciò il nostro Scimemi stanotte è passato da qui,
giusto?

– Esattamente.

– S'è accorto che arrivava aria fredda da una sala...
Qual era la sala?

Spanò indicò una porta scorrevole a destra: – Quella.

Le fece strada.

Il sopralluogo di Pappalardo aveva lasciato come reli-
quato metri di nastro bianco e rosso a delimitare un'area
che piú vasta non poteva essere. Pressoché tutta la stanza.

– Quale sarebbe 'sta finestra aperta?

Marta fece lo slalom fra gli attrezzi dei muratori e raggiunse un finestrone. Girò la maniglia. – Ecco qua.

Vanina oltrepassò la soglia e si ritrovò su una terrazza
piena di neve, in parte già sciolta, che correva per tutto
un lato dell'edificio. Residui di ombrelloni sbrindellati
accatastati negli angoli indicavano la funzione che doveva aver avuto quello spazio. A pochi passi dalla ringhiera,
cosí bassa che pure sua nonna sarebbe stata capace di sca-

valcarla, iniziava il bosco. Un bosco di querce e pini che partiva da dietro l'albergo e si estendeva in discesa a perdita d'occhio, sempre piú fitto.

Vanina camminò avanti e indietro lungo quella terrazza tre volte senza dire niente, sotto gli occhi perplessi dei due ispettori. Poi si fermò. Tirò fuori il telefono e fece partire una chiamata.

– Pappalardo, buonasera.

– Dottoressa! Ero sicuro che l'avrei sentita.

– Vero? E come mai? – scherzò. Tra lei e il sovrintendente capo della Scientifica c'era un rapporto di stima tale da consentire battute del genere.

– Intuito.

– E senta un po', lei che si diverte a intuire: ci ha fatto caso a quello che c'è fuori dal finestrone su cui ha rilevato le impronte?

Pappalardo esitò. – E che c'era? Un terrazzino, chino chino di neve.

– Ha controllato se fosse integra, la neve?

– Integra?

– Sí, se non c'erano impronte, se non era stata intaccata in qualche modo?

Silenzio.

– Pappalardo? Che fece s'addormentò?

– Dottoressa, mi deve scusare. Tanto concentrato ero a cercare tracce all'interno della stanza che...

– Che non pensò all'esterno.

– No, – ammise l'uomo.

Vanina non seppe che dirgli. Una svista poteva capitare a chiunque, ma in quel caso rischiava di fare la differenza.

– La verità è che 'sta storia del cadavere davanti al caminetto non convinceva nessuno, – si giustificò Pappalardo. – Lo sa, Nunzio Scimemi è uno un poco fantasioso.

Le tracce stesse che trovammo, anche quelle biologiche, in tutta sincerità potrebbero essere di chiunque. Se lei vuole, però, risalgo subito e completo il sopralluogo.

– Lasci stare, ormai la neve si sta squagliando.

– Questo non significa.

– Vabbe', allora salga e controlli per bene terrazza e ringhiera. E anche l'ingresso nel bosco, veda se per caso ci sono segni di trascinamento o impronte. Faccia in fretta, che tra poco è buio. Poi mi aggiorni.

– Parto subito.

Vanina fece per staccare poi si ricordò di una cosa.

– Pappalardo? – lo richiamò a voce alta. Quello sentí.

– Dica, dottoressa.

– Occhio, che impronte mie lungo la terrazza ce ne sono a tignitè.

Rientrarono nel salone.

– Spanò, lei lo conosce bene 'st'albergo?

– Abbastanza.

– Allora mi faccia fare un giro, va'.

– Impossibile, dottoressa. Ci sono impalcature dappertutto. Le uniche stanze agibili sono quelle del custode, nell'ammezzato. Per un periodo ci abitò Nunzio Scimemi.

– E mi porti a vedere quelle, allora.

Spanò esitò, poi cedette. Sperò che la Guarrasi non gli chiedesse come faceva a conoscere quelle stanze. Per spiegarglielo avrebbe dovuto ammettere un bel po' di fesserie di gioventú. Tipo le incursioni notturne nell'albergo già chiuso.

Insieme raggiunsero l'ammezzato. Spanò cercò tra le chiavi di Scimemi quella che apriva la porta d'ingresso dell'appartamentino.

Precedette le donne e accese la torcia. Rimasero tutti e tre a bocca aperta.

– Mi faccia capire, ispettore, – riepilogò la Guarrasi, mentre scendevano di nuovo verso Catania. – Questo Scimemi era convinto che grazie a tutto quell'ambaradan di apparecchiature nella sua stanza si potessero intercettare gli alieni?

– Cosí diceva, ai tempi.

– Ma adesso sono abbandonate.

– Sicunnu mia non sono abbandonate. Nunzio non sapendo dove metterle le conservò là. Tanto, un catafalco come quello cu si l'avissi a rubare? Cose costruite da lui, sono. Ogni tanto se le viene a controllare. Io penso che ieri notte questo stava facendo, e per puro caso s'addunò che c'era la finestra aperta per davvero. Trasí nel salone e vide 'sto cadavere, disse lui. Però lei capirà che una testa strammata come la sua...

– Capace che s'inventò tutte cose? – concluse Vanina, poco convinta.

– Ma perché, secondo lei uno che sostiene di intercettare gli extraterrestri non è capace di dire qualunque fissariata?

– Certo. Però a quanto ho capito Scimemi non era venuto qui da solo.

– Era con la sua compagna, – rispose Marta, – Gaetana Tomasello. Una signora tanto a modo.

– Come si potti mettiri con uno cosí, per me resta un mistero, – aggiunse Spanò.

– Vabbe', questi sono fatti suoi. E la signora Tomasello dov'era mentre Scimemi rinveniva, diciamo cosí, il cadavere che poi scomparve?

– Assittata dietro il bancone della reception, – rispose Spanò.

– A fare che?

– Niente. Siccome s'impressionava ad andare girando

al buio, e nella hall c'era la luce degli operai, Nunzio la lasciò lí e proseguí da solo.

Per come l'aveva detta Spanò, pareva scontato che quella fosse un'ulteriore conferma della stramberia della testimonianza di Scimemi. Ma per Vanina non era cosí. E il sopralluogo nel vecchio albergo aveva acuito quella sensazione.

4.

Il commissario in pensione Biagio Patanè imprecava da mezz'ora. Non s'era reso conto dell'ingorgo finché non c'era finito dentro senza piú possibilità di schivarlo. Ancora qualche minuto a motore acceso e l'acqua nel radiatore della sua Panda 1000 sarebbe stata pronta per calarci la pasta. E manco troppo poteva lamentarsi, dato che si trovava in quella situazione per aver rifiutato ben due suggerimenti che gliel'avrebbero evitata senz'altro. Il primo era stato di sua moglie Angelina, secondo la quale per accompagnare all'aeroporto il figlio, la nuora e il nipote in partenza per il Trentino sarebbe stata piú appropriata – nonché piú comoda – la macchina *buona*: una Golf modello 2005 che lui tirava fuori solo per viaggi a lunga percorrenza. Il secondo consiglio gliel'aveva dato suo nipote Andrea, di anni otto, che suggeriva di consultare Google Maps – una *mavaría* dei telefonini nuovi con cui il commissario aveva scarsissima dimestichezza – prima di decidere che strada prendere. «Ti dice com'è il traffico», aveva precisato il bambino.

Ma adesso che li aveva accompagnati era inutile recriminare, come fu e come non fu, ormai là si trovava e là doveva rassegnarsi a restare fino a quando l'ingorgo non si fosse sbloccato. Il che, se conosceva bene le dinamiche della città, poteva avvenire anche dopo ore.

– Cose da pazzi, certe volte 'sta macchina è china di

giornali ca ci putissi incartare tutta la casa, ora che mi servirebbe qualche cosa da leggere pi passari tempo, nenti, – bofonchiò, ravanando in un mucchio di carte buttate sul sedile posteriore. – E manco 'na «Settimana Enigmistica».

L'unica era scendere a fare due passi. Percorse una cinquantina di metri, fermandosi ogni tanto a chiedere lumi sull'accaduto a qualche compagno di sventura piú informato di lui. Collezionò tre versioni differenti. Il primo interpellato, un pezzo di marcantonio sulla trentina che stava ammorbando i vicini con un impianto stereo degno di una discoteca, disse che forse c'erano dei lavori lungo la strada. Siccome all'andata non aveva notato nessun cantiere su quella corsia, Patanè decise di domandare un secondo parere. Chiese a due ragazze, che si limitarono ad alzare le spalle e a supporre che forse c'era una macchina in doppia fila. Infine, rassegnato a non cavare un ragno dal buco, fece l'ultimo tentativo e *tuppuliò* sul finestrino di un suo quasi coetaneo alla guida di una Seat Ibiza rossa. Il tizio, che sicuramente da almeno mezz'ora non sapeva come passare il tempo, attaccò un bottone infinito sulle strade, le buche, e nessuno che metteva piú la freccia, fino ad arrivare al dunque di quello che era successo: un tamponamento in piazza Alcalà che aveva coinvolto tre auto, una moto e un furgone della Bartolini. Erano dovute intervenire ben due ambulanze.

– Ma lei come fa a sapere tutte 'ste cose? – indagò Patanè, che il vizio della sbirraggine non l'avrebbe perso manco quando sarebbe stato con un piede nella fossa.

– Ci arrivai.

Il commissario si stupí. – A piedi?

– Ca comu se no? A peri, certo.

Un chilometro ad andare e uno a tornare.

Mentre stava per fare dietro front e tornarsene nella
Panda, l'occhio gli cadde su una Mini bianca *impurtusata*
tra due file strettissime. Strinse gli occhi per leggere la targa, che di appizzare una malacumparsa non ne aveva nessuna voglia, e sorrise con tutti i denti di cui madre natura
l'aveva dotato ottantatre anni prima senza sottrargliene
mai uno solo. Partí verso l'auto col passo piú spedito che
la sua anca, irrigidita dalla lunga permanenza sul sedile
della Panda, gli consentisse. Raggiunse il lato del guidatore e, prima ancora di sbirciare dal finestrino, tamburellò
con le dita sullo sportello che si aprí. Spalancò le braccia,
pronto a stringere la sua giovane amica che non vedeva
da una settimana.

– Dottoressa Guarr… – si bloccò cosí, a braccia aperte,
sorpreso.

L'agente Lo Faro aveva seguito pari pari le indicazioni
della Guarrasi. S'era accomodato alla guida della Mini
e, telefonino in mano, si stava mettendo in pari con una
serie tv. Ogni tanto buttava un occhio all'ingorgo, nella
speranza di non farci notte. L'irruzione del commissario
Patanè l'aveva colto alla sprovvista. Anzi, l'aveva proprio
fatto saltare sul sedile. Gli aveva dovuto raccontare per
filo e per segno quanto era successo, suscitando l'ilarità
del vecchio poliziotto. – Sperta, la carusa, ah! Ti lassò a
guardia della macchina sua e se ne andò in ufficio.

E ora erano lí, seduti nella Mini in attesa che i vei-
coli incidentati – sí, di tamponamento si trattava, ma
l'ambulanza era stata una sola – venissero rimossi. Dopo
dieci tentativi falliti, il commissario riuscí a farsi spiegare da Lo Faro come funzionava Google Maps e come
si consultavano le previsioni del traffico. Poi si misero
a chiacchierare. O meglio, l'agente rispose come poteva

alla raffica di domande che Patanè snocciolò una appresso all'altra. Risultato finale: nel giro di pochi minuti il vecchio commissario era al corrente delle ultime novità, compresa quella della notte precedente. Compiuta la missione, se ne tornò al volante della Panda tutto contento. Ora qualche cosa da fare per ammazzare il tempo ce l'aveva. Fece per tirare fuori il telefono e avviare la chiamata. In quel momento preciso la fila di auto cominciò a muoversi.

Vanina aveva appena rimesso piede in ufficio quando l'iPhone iniziò a vibrare nella borsa di tela che s'era portata appresso. Faticò a recuperarlo, sepolto sotto pacchi di sigarette, accendini, tavolette di cioccolata e una busta di stoffa contenente i vecchi film in digitale. Quando riuscí ad afferrarlo aveva già smesso di suonare. Lesse il nome scritto sul display e richiamò subito, senza nemmeno liberarsi del giubbotto.

Il commissario Patanè rispose festoso al secondo squillo.

– Dottoressa!

– Commissario bello, come sta?

– Ora meglio, ma fino a poco fa ero come una tigre in gabbia.

Vanina sghignazzò, pensando a qualche impegno familiare in cui l'aveva incastrato sua moglie Angelina. Si tolse il giubbotto e si sedette sulla poltrona dietro la scrivania.

– Che le successe?

– La stessa cosa precisa che successe a lei qualche ora fa. Sulu ca io un Lo Faro da piantare a guardia della macchina oramai non ce l'ho piú.

– Ma che rimase bloccato al porto?

– Sissignore. Due ore e passa. Cose di spararisi!

– E Lo Faro come ha fatto a vederlo?

– Ca comu fici? Riconobbi la macchina sua, come uno scimunito mi precipitai convinto di farle una sorpresa, e invece mi ritrovai davanti 'ddu caruso.

Vanina represse una risata. Immaginava la scena come se l'avesse avuta davanti agli occhi.

– Perciò ormai starà per arrivare?

– Questione di minuti. Sempre s'attrova posto, pirchí vicino alla Mobile non c'è un purtuso manco a pagarlo oro.

Dal telefono del commissario risuonò lo stesso clacson che Vanina sentí sotto il suo balconcino. Un sospetto la sfiorò. Si alzò per affacciarsi. La Panda bianca vecchio modello, inconfondibile, stava svoltando su via Vittorio Emanuele.

– Provi a girare a sinistra e tornare indietro, capace che un posto si libera, – gli suggerí.

– Ora ci provo. Forse nella traversa... – si bloccò. – E lei che ne sa dove sono io?

– Commissario, ma lei vero pensa di fregarmi?

Stavolta la risata se la fece lui.

– Dottoressa, il bagaglio ho preferito portarglielo qua, che a lasciarlo nel baule non mi fidavo. Sa com'è.

L'agente Lo Faro scaricò il borsone sul divanetto di fronte alla scrivania di Vanina.

– Bene hai fatto, Lo Faro, grazie.

– Dovere, – sorrise lui.

Non pareva, ma un passo avanti bello grosso nella considerazione della Guarrasi Lo Faro l'aveva fatto. Certo, non aveva ancora ottenuto il permesso di chiamarla «capo», ma non poteva negare che aver fatto parte della sua scorta aveva segnato una svolta. Quantomeno, dopo tutte le notti che aveva passato all'addiaccio sul suo terrazzino, il vicequestore aveva ammorbidito l'atteggiamento nei suoi confronti. Il che per lui significava già tanto.

– Lo sa chi ho incontrato, dottoressa?

Vanina non batté ciglio.

– Il commissario Patanè, – rispose.

Lo Faro mascherò la delusione con un sorriso incerto.

– Ah, già lo sapeva.

– Perché, non immaginavi che me l'avrebbe raccontato?

– Certo, certo. Il commissario è una persona cosí speciale, un vero signore...

Vanina iniziò a innervosirsi. – Lo Faro!

Il ragazzo arrossí.

– Ma com'è che non riesci a trattenerti? La leccata compulsiva hai.

– Scusi, dottoressa.

– Vabbe', per stavolta t'ho fermato in tempo. Però ricordati quello che ti dissi una volta: i lecchini qua dentro non sono i benvenuti. E non vale solo nei miei confronti.

Per il primo dirigente Tito Macchia, il Grande Capo, le moine dell'agente erano moleste quanto se non piú che per lei. Con la differenza che lui, per natura piú diplomatico e per ruolo meno confidenziale di Vanina, invece di manifestare il fastidio si limitava a prenderne atto in silenzio e a comportarsi di conseguenza. La qual cosa per l'agente Lo Faro non era positiva.

– Glielo giuro, non stavo... leccando.

– Meglio cosí, – tagliò corto Vanina, – anche perché a momenti il commissario sarà qua e pure lui non ama granché le sviolinate.

– Sicuramente sarà curioso di scoprire qualcosa di piú sulla storia dell'albergo.

Vanina cadde dalle nuvole.

– Non vedo come possa esserlo, visto che non ne sa nulla.

– Certo che lo sa! Glielo contai io. Sembrava interessatissimo.

Sulla faccia di Lo Faro era dipinta la grande soddisfazione di aver ragguagliato personalmente quello che la Guarrasi considerava il suo collaboratore piú prezioso, cui perfino Spanò era secondo. Un collaboratore speciale, che l'aveva aiutata nella risoluzione di vari casi, primo tra tutti quello della donna mummificata da sessant'anni in un montacarichi grazie al quale era nata la loro amicizia.

Ma la reazione di Vanina non fu quella sperata.

– Che hai fatto tu? – chiese. Il tono era pacato ma gli occhi parevano piú grigi della tempesta.

– Io... il commissario mi chiese perché lei era tornata e io glielo raccontai, – biascicò il ragazzo, incerto.

– Perciò, fammi capire: una persona ti fa delle domande su di me, sulle nostre indagini e tu riferisci tutto?

Lo Faro la guardò confuso.

– Ma dottoressa... era il commissario!

Vanina si spazientí.

– Poteva essere pure il papa, tu i fatti della squadra non li devi raccontare a nessuno se prima io non ti do il permesso.

L'agente impallidí.

– Mi scusi, pensavo che il commissario fosse uno fidato, e che tanto gliel'avrebbe detto.

– Certo che è uno fidato. Io lo so. Ma tu? A parte averlo visto con me, che elementi hai per dirlo? Che ne sai se nel frattempo qualcosa tra me e lui non è cambiato?

Lo Faro pareva quasi sul punto di piangere per quanto si sentiva mortificato.

– Ma perché, qualche cosa è cambiato? – osò chiedere.

– No, ma questo tu non potevi saperlo.

L'agente non trovò argomenti per replicare. Inutile, con

la Guarrasi per ogni passo avanti conquistato con fatica se ne rischiavano due indietro in mezzo minuto.

Proprio in quel momento il commissario Patanè comparve sulla porta dell'ufficio, scortato dalla Bonazzoli.

Vanina gli andò incontro. Si abbracciarono e baciarono.

– Lo Faro, che fu? Perché 'st'aria contrita? – chiese il commissario, incuriosito.

– Niente, non si preoccupi, – rispose Vanina, già un po' pentita della strigliata che, a onor del vero, poteva pure risparmiarsi.

Ma Patanè non era tipo da accontentarsi di mezze spiegazioni.

– E che è 'sta faccia scura allora?

La Guarrasi guardò l'agente, che rimase in silenzio.

– Grazie, Lo Faro. Finisci il lavoro che avevi lasciato a metà per venire da me, poi te ne puoi andare a casa.

Il ragazzo filò verso la stanza dei carusi, mogio che pareva l'avessero bastonato.

Patanè lo seguí con lo sguardo, sempre piú incuriosito.

– Dottoressa, ma me lo vuole cuntare che gli successe a Lo Faro?

Vanina si rassegnò a spiegargli tutto.

– Ah, perciò lei non mi voleva dire niente? – recriminò, sornione.

– Ma che fa, babbía? Certo che volevo dirglielo, commissario. Solo che...

– Solo che 'ddu povero caruso le tolse il prío di cuntarmelo lei per prima.

La verità, spietata e inconfutabile.

Inutile negarlo. Pensando di compiacerla, Lo Faro le aveva tolto il gusto di godersi la faccia del commissario mentre gli raccontava di Scimemi e del cadavere svanito nel nulla.

Ammise la colpa.

– Mischinazzo, a 'st'ura 'u carusu 'sa quanto ci sta rimuginando, – infierí il commissario.

– Va bene, gli dirò che ho esagerato, – promise Vanina.

Una Gauloises a testa e mezza tavoletta di cioccolato fondente piú tardi, s'erano già raccontati le rispettive feste natalizie. Poi l'attenzione s'era inevitabilmente concentrata sull'argomento cui entrambi, l'una per impegnare la mente e l'altro per poter tornare virtualmente in servizio, erano interessati.

– L'ultima volta che salii al *Grand Hotel della Montagna* mio figlio Francesco aveva l'età che adesso ha mio nipote Andrea. Angelina s'ava fissatu che il picciriddu doveva imparare a sciare. Aveva organizzato 'na comitiva di famigghie, china di carusi ca non si capeva nenti. Tanto fece, però, che me figghiu a sciare l'imparò per davvero e non passa anno che non se ne vada in Trentino almeno per una settimana se non due.

– Perciò Angelina ha avuto ragione, – concluse Vanina.

– Certo, – confermò Patanè. Sorrise. – Raramente non ce l'ha avuta.

Vanina lo guardò stupita. Mai il commissario s'era mostrato tanto tenero con sua moglie. Affettuoso sempre, garbatamente burlesco quando lei si lasciava andare a improbabili manifestazioni di gelosia, ma cosí amorevole mai.

Fece per commentare quando Spanò bussò e irruppe nella stanza, agitato. Salutò il suo vecchio capo di sfuggita.

– Spanò, che successe? – chiese Vanina.

– Dottoressa, penso che ci siamo.

– In che senso ci siamo?

L'ispettore si sedette davanti a lei, accanto al commissario.

– La questura centrale ci passò ora ora una denuncia di scomparsa.

L'ufficio della Guarrasi si popolò di colpo. Bonazzoli e Fragapane si piazzarono davanti alla scrivania presidiata da Patanè, che uno sviluppo come quello non se lo sarebbe perso per niente al mondo. Per farsi perdonare, Vanina richiamò anche Lo Faro.

Spanò spiegò il foglio della denuncia raccolta da quelli della questura centrale.

– La scomparsa si chiama Leonardi Azzurra, anni quarantuno, professione medico chirurgo specialista in Pediatria, in servizio presso il Policlinico di Catania. La denuncia è stata sporta dal marito separato, Di Girolamo Marco. La donna ha accompagnato i figli a casa sua intorno alle 20, per poi recarsi a una rimpatriata con gli ex compagni di liceo. Avrebbe dovuto chiamarlo stamattina presto, ma lui non ha piú avuto sue notizie. Stamattina la donna non si è presentata nemmeno in ospedale per il turno di guardia e nessuno è riuscito a rintracciarla. Pare che la dottoressa sia una ligia al dovere, che si assenta solo per motivi di salute e avverte sempre per tempo i colleghi.

– Perciò 'sta sparizione dal lavoro non depone bene, – commentò Vanina.

– No. Ma poi, lo vuole sapere dov'era la rimpatriata con i compagni di scuola? – si fermò.

– Che vuole fare, Spanò, se lo vuole tenere per sé? – Una fissazione avevano i suoi uomini per la suspense.

– A Nicolosi, quasi al confine con Ragalna.

Per Vanina valeva come se avesse detto vattelappesca. – Che di preciso è?

– La località in cui si trova il *Grand Hotel della Montagna*. Rifletté in silenzio, la sigaretta pronta per essere accesa.

– Una fotografia di questa Leonardi ce l'abbiamo?

– Sí, – Spanò tirò fuori il telefono, – provai a stamparla ma veniva una fitinzía. Meglio che gliela faccio vedere cosí.

Vanina allargò l'immagine sul viso. Capelli lunghi castani, occhi grandi chiari, viso rotondo. Ornella Muti in camice bianco.

– Bedda carusa, – commentò Patanè, occhialetti sul naso.

La Guarrasi annuí, distratta.

– Spanò, chiami Scimemi e gli dica di venire subito qua. Non c'è bisogno che si porti la compagna, a quanto ho capito non ha visto niente.

– Vado a recuperare il numero di telefono, – e uscí.

– Marta, fai una cosa, – disse Vanina, gli occhi sulla fotografia, – vedi di tirare fuori dal sistema qualche informazione su questo Di Girolamo. Lo Faro, vai con Bonazzoli.

La ragazza uscí dalla stanza con l'agente proprio mentre il primo dirigente Tito Macchia vi faceva il suo ingresso. Il Grande Capo li lasciò passare – non senza prima aver lanciato alla fidanzata un'occhiata eloquente – ed entrò di profilo attraverso la mezza porta aperta. Anche cosí, rischiò di squinternarla.

– Sembra fatta su misura per Mar... per l'ispettore Bonazzoli, – commentò.

Vanina sorrise. Inutile, la lingua batte dove il dente duole: la magrezza di Marta per Tito rappresentava una preoccupazione. Vero era che tutto è relativo, e che in confronto alla stazza titanica del Grande Capo pure lei pareva filiforme, ma che la Bonazzoli fosse eccessivamente magra saltava agli occhi di tutti.

– Fatti vegano pure tu, – gli suggerí Vanina.

– Guarra', non scherziamo con le cose serie! – Per uno

che viaggiava alla media di tre bistecche alla settimana e spazzolava chili di mozzarella, l'opzione veg non era nemmeno tra le piú remote.

Il giorno con la notte erano, lui e Marta. Eppure.

Macchia tese la manona a Patanè. – Commissario, vedo che anche lei è già in servizio, – scherzò, sedendosi accanto a lui mentre il soprabito taglia cinquantotto volava sul divano.

Il commissario tentò di giustificare la sua presenza. – Mi trovavo a passare, – iniziò, ma non concluse. Che gira vota e furría si ritrovasse sempre a contribuire alle indagini della Guarrasi, oramai era un fatto assodato pure per Macchia. Tutta 'sta pantomima del passare di lí per caso era perfino fuori luogo. Tanto piú che il dirigente, pur non dismettendo mai un certo tono da garbata presa in giro per la sbandata senile che gli attribuiva nei confronti di Vanina, avallava ogni volta il suo temporaneo «reintegro» in servizio alla Mobile. Anzi, lo ringraziava senza mezze parole per l'apporto considerevole che forniva alle indagini.

Tito tirò fuori mezzo sigaro e se lo mise tra le labbra. Spento, nonostante l'ufficio della Guarrasi, come diceva lei *affummazziato*, invitasse a infischiarsene delle regole.

– Guarra', allora, che mi racconti?

Vanina lo aggiornò sul caso surreale.

– Nientemeno tu stavi a Palermo in ferie e sei tornata per questa fesseria? – fu la conclusione incredula del capo. La guardò. – No perché, non so a te, ma a me al momento sembra una cosa senza capo né coda.

– Può essere che lo sia come può essere che non lo sia. Dipende da quello che succederà nelle prossime ore.

– Ma tu pensi davvero che questa donna scomparsa, sempre ammesso che non si sia data alla macchia volontariamente, sia la stessa che ha visto il tizio lí... come si chiama? Quello dell'albergo.

– Scimemi, si chiama. No, Tito, io non penso niente. Aspetto di avere qualcosa in mano, o per avviare sul serio l'indagine o per archiviarla in partenza –. Menzionò entrambe le opzioni, ma per com'era partita difficilmente avrebbe lasciato perdere quella storia.

– Archiviare? Tu? – rise Macchia. – Ma fammi il piacere! Come se non ti conoscessi, Guarra'. Sono sicuro che non leverai le mani da quell'albergo finché non avrai la prova incontrovertibile che non ci sia morto dentro nessuno.

– Perché, secondo te è possibile trovare una prova incontrovertibile che nessuno sia morto in un posto?

– No. Appunto.

Spanò entrò nell'ufficio.

– Capo, – si bloccò. – Oh, buonasera, dottore.

– Buonasera, Spanò.

– Dica, ispettore, – lo sollecitò Vanina.

– Scimemi sta arrivando. Una decina di minuti ed è qua.

Anche Marta rientrò, con le poche informazioni sul marito della presunta scomparsa e Lo Faro al seguito, che non sapendo come comportarsi al cospetto di Macchia, temendo di sbagliare, si andò a piazzare nell'unico angolo del divano lasciato scoperto dal cappotto king size. – Di Girolamo Marco, – attaccò la Bonazzoli, – nato a Catania il 4 aprile 1974, professione farmacista. Nessun precedente a parte un bel po' di multe, alcune delle quali per eccesso di velocità. All'anagrafe risulta tuttora coniugato dal 28 giugno 2007 con Azzurra Leonardi.

– Non erano separati? – obiettò la Guarrasi.

– Cosí disse, – confermò Spanò.

– Mah, – fece Vanina tra sé e sé, – andiamo avanti, Marta.

La ragazza si strinse nelle spalle. – Non c'è altro.

– Niente proprio?

– Niente.

La Guarrasi e Patanè guardarono entrambi Spanò, che capí al volo.

– Domani mattina mi faccio un giro in famiglia.

Altro che Sistema Utente Investigativo: il miglior database erano gli Spanò. Tre generazioni di catanesi purosangue, inseriti a fil doppio nel tessuto sociale della città e ferratissimi su tutti i curtigghi piú sostanziosi. Se c'era qualcosa da scoprire, la squadra poteva sempre contare su di loro.

Macchia si alzò. – Vabbuo', io me ne vado nel mio ufficio. Fatemi sapere come va a finire con quel tale...

– Scimemi, – suggerí Spanò.

Tito annuí. Stava per infilare la porta, di profilo ovviamente, quando si accorse di aver dimenticato il cappotto. Si voltò per raggiungere il divanetto ma andò quasi a sbattere su Lo Faro, che se ne stava ritto davanti a lui sull'attenti. Il suo cappotto in mano.

Vanina aveva appena conquistato una meritata sigaretta dopo dieci sfiancanti minuti di telefonata col pm Vassalli, che prima di «etichettare» come scomparsa la dottoressa Leonardi preferiva ponderare ogni variabile. Che poi la stampa in queste faccende ci si buttava a pesce, e se la donna infine fosse tornata a casa si sarebbe sollevato un polverone per nulla. Il cambio d'atteggiamento cosí repentino faceva intuire che la Leonardi non fosse estranea al vasto giro di persone che Vassalli teneva molto a frequentare, e nei confronti del quale usava guanti che piú bianchi non potevano essere. La proverbiale imparzialità con cui Vanina trattava persone di ogni

6o CRISTINA CASSAR SCALIA

estrazione sociale o provenienza politica, senza riguardo
per nessuno che non la convincesse, la rendeva ai suoi
occhi una mina vagante.

Lei e Patanè stavano commentando la telefonata, quando Nunzio Scimemi si presentò nell'ufficio scortato da
Spanò.

Basso, capello brizzolato, viso rubicondo. Lello Arena
in versione grigia.

– Dottoressa Guarrasi, – quasi s'inchinò. Nel rialza-
re la testa si bloccò. – Ma lei non è... il commissario Patanè? – chiese, stupito.

Il commissario fece un sorriso di circostanza. Si grattò
il mento come quando ragionava su qualcosa. Un tentativo di ricerca nei meandri della memoria che però non andò a buon fine.

– Io sono.

– Matruzza mia! Quanti anni passarono. Ma lei ancora in servizio è?

– Non proprio.

– Sicuramente non si ricorderà di me, ma di mè patri
forse sí. Vinnèva giornali vicino alla questura.

Patanè ebbe un'illuminazione.

– Ma cui, Enzo dell'edicola?

– Iddu!

– Certo che mi ricordo. E lei perciò è il picciriddu che
se ne stava assittato sullo sgabello accanto a lui?

– Sissignore, proprio io.

Era rimasto in piedi. Vanina gli fece segno di accomodarsi di fronte a lei.

– Signor Scimemi, avrei bisogno di un'informazione.
Anzi, per l'esattezza di un riconoscimento.

– A disposizione. Non sa quanto piacere mi ha fatto essere stato richiamato. Significa che lei mi credette!

– E perché mai non avrei dovuto crederle? – fece Vanina. Personaggi come quello bisognava prenderli per il verso loro.

Scimemi sorrise. – Ava', non mi dicisse che non lo sa.

– Che cosa dovrei sapere?

– Ca la maggior parte di persone mi pigghiano per scimunito.

– Io non la conosco, signor Scimemi. Posso pigliarla solo per una persona che ha denunciato di aver visto un cadavere. Se è attendibile o no lo diranno i fatti.

L'uomo la guardò con riconoscenza. Abbassò la testa due volte.

Vanina tirò fuori la fotografia di Azzurra Leonardi.

– Ha mai visto questa donna?

Scimemi prese dalla tasca un paio di occhiali che piú scalcagnati non potevano essere e li inforcò. Saltò sulla sedia.

– 'A morta è!

Vanina lo osservò. Tutto si poteva dire tranne che quella reazione non fosse autentica. E, se l'aveva avuta, il motivo poteva essere uno solo.

– Signor Scimemi, mi vuole raccontare di nuovo come andò?

L'uomo non se lo fece dire due volte. Con dovizia di particolari ripeté quanto aveva già dichiarato quella mattina.

– Ora le chiedo un'altra cosa: quando è entrato nella sala del caminetto uno dei finestroni che dànno in terrazza era aperto?

– Sí.

– Ed era socchiuso o spalancato?

– Un'anta era spalancata, l'altra socchiusa.

– E lei non l'ha chiuso.

– No, – rifletté, – invece dovevo chiuderlo, vero? Allora non ci pinsai, dottoressa.

– Certo che non ci pensò. In quella circostanza è normale. Ma io ho bisogno di esserne sicura.

– Sicurissimo, non lo toccai.

Vanina si rivolse a Spanò.

– Ispettore, lei se lo ricorda com'era di preciso il finestrone quando siete entrati voi?

Spanò allargò le braccia desolato.

– No, capo, sinceramente no.

Marta alzò la mano.

– Io sí.

Si voltarono tutti a guardarla.

– Era socchiuso. Un battente un po' piú aperto dell'altro ma comunque socchiuso. Come se…

Nell'attimo di esitazione s'infilò Vanina.

– Come se qualcuno l'avesse accostato dall'esterno.

5.

La serata pareva non finire mai. Scimemi se ne andò
e appresso a lui, obtorto collo, dovette abbandonare il
campo anche Patanè. Angelina era sul piede di guerra e il
numero di telefonate con cui aveva subissato il marito ne
era la prova. Il commissario ne aveva abilmente ignorate
un paio, ma quelle cui aveva risposto valevano per dieci.
In un'altra fase dell'indagine, magari vicina alla conclusione, avrebbe piantato dei paletti e l'avrebbe zittita, ma
non era ancora il momento. Se non dosava bene i tempi,
capace che poi quella santa fimmina iniziava a inquietarsi
proprio quando le cose si facevano serie e il ritmo dell'indagine si serrava. A quel punto non c'erano piú proteste
che tenessero e finiva a discussione. Perché, questo era
ovvio, Patanè quel caso lo sentiva già suo. O meglio: sentiva di condividerlo con la Guarrasi.

Che ancora alle otto di sera se ne stava nel suo ufficio,
fresca come se fosse appena arrivata e, con buona pace del
pm Vassalli, tutt'altro che intenzionata a mollare la presa.

Spanò e Bonazzoli erano rimasti con lei, Fragapane invece era stato congedato insieme a Lo Faro.

Nella stanza di Vanina, manco a dirlo, si respirava a
stento. Una decina di Gauloises piú un paio di Marlboro
di Spanò avrebbero intaccato seriamente la tolleranza di
Marta, se l'unica alternativa alla nube tossica che si era
creata non fosse stata l'apertura indiscriminata delle vetrate

a disposizione, ovvero un balcone e una finestrella laterale. La Bonazzoli ci rifletté sopra, ma niente da fare: rischio broncopolmonite quella sera batteva rischio cancro da fumo passivo dieci a uno.

– Prima di tutto, tracciamo il telefono della Leonardi. Vassalli ha promesso di disporre subito il controllo, perciò al massimo domani mattina voglio sul tavolo i movimenti telefonici e le celle che ha agganciato.

Marta annuí. In assenza del sovrintendente Nunnari, di solito deputato a quel tipo di indagini, dei tabulati e dei tracciamenti se ne occupava lei.

Vanina si alzò dalla scrivania con l'aria di chi è intenzionato a sbaraccare. Iniziò a raccogliere telefono, sigarette, accendino, borsa di tela. – Ah, Spanò, – proseguí, – nel frattempo cerchiamo di recuperare quante piú notizie possibile sulla dottoressa e sul marito.

– Certo, capo, domani mi attivo.

– E speriamo che rientrino nel giro di conoscenze della sua famiglia, – lo sfotté.

Si aggiustò la fondina ascellare e sistemò bene la Beretta. Manco s'era resa conto di averla tenuta indosso tutto il giorno, viaggio in auto e permanenza in ufficio compresi. Non sapeva se interpretarlo come un segno di peggioramento, o come una dimenticanza causata dall'abitudine. Per non innescare malipensieri optò per la seconda. Tanto, se anche le sue fissazioni fossero peggiorate, poco poteva farci. Viveva con un'arma addosso dall'età di ventiquattro anni, da quando la Polizia di Stato le aveva fornito in dotazione la prima Beretta d'ordinanza.

I due ispettori la seguirono lungo le scale, entrambi con giubbotto da moto indosso e casco in mano. Spanò s'era caricato in spalla anche il suo borsone.

– Vanina, – fece Marta, al quartultimo gradino, – ricor-

do male io o il tuo amico palermitano, il dottor Monterreale, lavora al Policlinico?

Spanò si batté la mano sulla fronte. – Vero, per giunta
in Pediatria!

La Guarrasi si bloccò, li guardò entrambi.

– Minchia, picciotti miei, questa è grave: com'è che non
ci pensai subito?

Pareva sorpresa per davvero, ma inconsciamente sapeva qual era il motivo di quella défaillance. Aveva evitato
Manfredi Monterreale per tutti i tre giorni che entrambi, ognuno per conto proprio, avevano passato a Palermo.
Aveva eluso almeno quattro suoi inviti, all'apparenza in-
nocenti, adducendo ogni volta una scusa diversa. Era certa che Manfredi avesse mangiato la foglia, ma non altrettanto che gliel'avesse perdonata.

– Allora che faccio? Mi concentro solo sul marito? –
chiese Spanò.

E che poteva rispondergli? Subordinare un'informazione che poteva essere importante per un'indagine alle sue
questioni personali non era da lei e mai lo sarebbe stato.
Offeso o no, Manfredi sarebbe stato il primo che avrebbe
chiamato uscendo da lí.

– Ovvio. Una volta tanto l'asso nella manica per conoscere curtigghi sulla vittima ce l'ho io.

– Presunta vittima, – precisò Bonazzoli.

– Cambia poco, – tagliò Vanina.

Anzi, per quanto la riguardava non cambiava nulla. Il
naso le diceva che quel «presunta» sarebbe stato accan-
tonato in tempi piú che brevi, e lei al suo naso tendeva a
dare credito.

Spanò la accompagnò alla macchina, sistemò il bagaglio
sul sedile posteriore e la salutò. Un minuto piú tardi, sfrec-
ciava via in sella alla sua Vespa Primavera anni Settanta.

Il tempo di immettersi in via di Sangiuliano e anche la
moto monumentale di Tito Macchia, con la Bonazzoli al-
lacciata dietro, la superò da destra.

Tirò fuori il telefono e cercò in rubrica il numero di
Manfredi Monterreale.

– Oh, Giovanna Guarrasi in persona. A che debbo l'o-
nore?

L'esordio era simile a tanti altri, a cambiare stavolta era
il tono. Ironico, quasi pungente.

– L'onore, ora! Il piacere, semmai.

– Il piacere, dici? Mio o tuo?

– Di entrambi. Almeno credo.

– E io che ne so cosa fa piacere a te? Anzi, se dovessi
basarmi sui segnali… – non andò avanti.

Vanina preferí ignorare la provocazione, anche se sapeva che non avrebbe potuto farlo troppo a lungo.

– Tornasti a Catania? – la anticipò Manfredi.

– Stamattina. C'è un nuovo caso da seguire.

– Accussí finirono le ferie natalizie?

– Capita, a chi fa un mestiere come il mio.

– Se è per quello, capita pure a chi fa un mestiere come il mio.

Mai Manfredi Monterreale era stato cosí scontroso.

– E tu, tornasti?

– No. Io mi sto godendo la nostra città e non ho intenzione di schiodare da qui prima del 2 gennaio.

Vanina decise di tagliare corto, tanto la malaparata era
evidente.

– Senti, Manfredi, avrei bisogno di qualche informazione su una tua collega del Policlinico…

Monterreale sbottò in una risata prima ancora che finisse di parlare.

– Ma come ti posso conoscere cosí bene, Guarrasi?
Vanina rimase spiazzata.

– Che vuoi dire?

– Voglio dire che aspettavo la tua telefonata da oggi pomeriggio alle cinque, quando ho saputo da un collega che
Azzurra Leonardi era scomparsa e che l'ex marito era intenzionato a rivolgersi alla polizia. Chissà come mai, ero
sicuro che la cosa sarebbe finita nelle mani tue. Ergo sarei
stato interpellato.

– Che simpatico.

– Fossi in te soprassiederei sull'argomento simpatia.

– Vabbe', Manfredi, ho capito. Troverò qualche altro,
o altra, pediatra a cui chiedere le informazioni che mi servono. Scusa se ti disturbai. Quando torni a Catania fatti
sentire, se vuoi, – e chiuse.

Che rottura di palle. Pure Manfredi offeso ci mancava.

Il tempo di accendersi una sigaretta e il telefono squillò.

– Amuní, scimunita che non sei altro, in giro ti stavo
pigliando. A Catania pure io sono. Vieni, che ti cucino
qualche cosa e ti conto tutto quello che vuoi.

Ad Aci Castello non c'era anima viva. Vanina attraversò il paese e svoltò verso il lungomare Scardamiano. Parcheggiò davanti alla palazzina a tre piani di cui Manfredi
Monterreale occupava un appartamentino. Scese dalla macchina e s'affacciò dal muretto che delimitava la strada, lo
stesso oltre il quale un paio di mesi prima una valigia abbandonata aveva innescato uno dei casi piú complessi che
le era toccato risolvere da quando era in servizio a Catania.
Sulla destra, qualche centinaio di metri piú in là, il Castello Normanno dominava dall'alto la scogliera. A sinistra i
faraglioni di Aci Trezza se ne stavano lí, a guardia della
riviera dei Ciclopi di cui erano il simbolo. La stanchezza

della giornata, iniziata a Palermo e non ancora conclusa, le piombò addosso. Forse accettare la proposta di Manfredi non era stata una grande pensata. Ma ormai, là era.

Citofonò, attraversò il cortile e salí fino al secondo piano da una scala esterna.

L'idea che il dottor Monterreale aveva del «preparare qualcosa», per la grande maggioranza della gente corrispondeva a una cena di lusso. Spaghetti con le vongole, pesce spada al forno, zucchine gratinate. Dulcis in fundo, la cassata palermitana portata fresca fresca quel pomeriggio.

– Ora non mi venire a dire che tutte 'ste cose le avevi in casa, perché non è possibile, – commentò Vanina dopo aver spazzolato l'ultimo frammento di glassa.

– Per te non è possibile, che fai a pugni pure col padellino dell'uovo fritto. Io cucino sempre, anche se sono da solo. Gli spaghetti con le vongole erano la mia cena, e il pesce spada stavo per congelarlo per i prossimi giorni.

Pantaloni di velluto beige, maglione blu, grembiule da cuoco ancora indosso. Gli occhi limpidi di una persona in pace con sé stessa, capace di trasmettere serenità anche a chi le sta intorno. Uno che Vanina si dannava di aver relegato al ruolo di amico.

Al bicchierino di amaro, si piazzarono davanti alla vetrata fronte mare.

– Perciò, che mi dici di Azzurra Leonardi?

– A te cosa interessa sapere, di preciso?

– Tutto quello che sai tu.

Manfredi si mise comodo e incrociò i piedi su un pouf. – Allora vediamo: quarant'anni circa, lunga esperienza in pronto soccorso pediatrico, notevole numero di pubblicazioni su riviste scientifiche ad alto impact factor…

– Non c'è bisogno che mi sciorini l'intero curriculum.

– Tu me lo dicesti, che volevi sapere tutto, – replicò il medico, risolente.

Vanina lo guardò storto. – Vabbe', ho capito: che tipo di persona è Azzurra Leonardi?

– Una persona che sa il fatto suo, che va dritta per la sua strada senza farsi fuorviare. Dedita al lavoro e ai pazienti quanto me, se non di piú. Una che, ad esempio, non avrebbe mai disertato un turno di guardia se non per gravissimi motivi e di sicuro non senza congruo preavviso.

– Questo, perciò, non rende plausibile l'ipotesi che abbia deciso di darsi alla macchia di propria spontanea volontà, – desunse Vanina.

– A meno che non sia impazzita da un giorno all'altro, direi di no. Ho sentito che nel suo reparto ci sono due bambini appena ricoverati da lei, e pare che non piú tardi di ieri pomeriggio abbia chiamato l'infermiera di turno per accertarsi che andasse tutto bene.

– Che sai della sua vita privata?

– È separata, ma non credo da molto, e ha due figli abbastanza piccoli. Nessun nuovo compagno, almeno ufficiale.

– E ufficioso?

– Non all'interno del reparto, – ci rifletté, – e manco tra i colleghi.

– Perché?

– Perché gira e rigira le trazze che succedono nell'ambiente si sanno, specie se il soggetto è una donna cosí graziosa. Invece su di lei non ho mai sentito nulla.

– Tu ovviamente non hai idea se Azzurra abbia nemici in ambito lavorativo.

– E che ne so, Vanina. Ma poi che genere di nemici?

– Qualunque genere.

– Un nemico capace di cosa?

– Mah. Stuprare, ammazzare, rapire...

Monterreale la guardò incredulo.

– Ma vero dici che Azzurra potrebbe essere finita cosí male?

Vanina esitò prima di rispondere. La sensazione che Scimemi non stesse raccontando fesserie lei l'aveva avuta dall'inizio, ma il fatto che l'uomo avesse subito riconosciuto la foto di Azzurra Leonardi era un ulteriore elemento di conferma. Pochi, traballanti indizi che potevano anche non portare a nulla. Era il caso di condividerli?

– Manfredi, di Azzurra Leonardi si sono perse le tracce da stanotte. L'unica certezza è questa. Se abbia deciso di fuggire a Timbuctú o se sia finita male, lo scopriremo solo indagando. Senza escludere nessuna ipotesi.

Monterreale era colpito. Sentir parlare in quei termini di una collega con cui si trascorrono giornate intere avrebbe turbato anche una persona molto meno empatica di lui.

– Non lo so, Vanina. Ma posso cercare di scoprire qualcosa.

– Grazie, Manfredi. Magari provaci prima che la notizia della sua sparizione dilaghi in tutto l'ospedale e inizi la gara a chi la spara piú grossa.

Finirono l'amaro affacciati dal terrazzino vista Faraglioni – o vista Castello, a seconda di dove si indirizzava lo sguardo. L'unico suono che rompeva il silenzio, altrimenti assoluto, era il rumore dell'acqua che s'infrangeva sugli scogli. L'aria, fredda e salmastra, aveva l'odore inconfondibile del mare d'inverno.

– Ho provato un sacco di volte a registrarlo, ma non rende l'idea, – disse Manfredi.

Vanina cadde dalle nuvole.

– Cosa?

– Il mare.

– Come *Il postino*.

– Come chi?

– Massimo Troisi nel *Postino*, che registrava il rumore delle onde per il suo amico Neruda.

Manfredi la contemplò sorpreso.

– Ma me lo dici come fai a ricordarti i dettagli dei film cosí bene? Una cinefila fissata sei!

Vanina agitò la sigaretta appena accesa in segno di diniego.

– Non di tutti i film, solo di quelli che ho amato particolarmente. E guarda che non sono molti. Io sono selettiva, ma selettiva assai.

– Vabbe', lo so: possibilmente bianco e nero, ma non per forza, cinema italiano d'altri tempi piú tutti i film ambientati in territorio siciliano. Del *Postino*, a occhio, scommetto che ricordi tutto.

– Piú o meno, sí.

– E come si chiamava Troisi?

– Mario Ruoppolo, – Vanina si fermò a pensare, – uno dei personaggi piú poetici che io ricordi.

Era ormai mezzanotte quando mise piede in casa, a Santo Stefano, il paese alle pendici dell'Etna dove viveva da piú di un anno. Porte e finestre di Bettina erano sprangate, segno che la donna era già tra le braccia di Morfeo. Dalla quantità di sacchetti per la raccolta differenziata che aveva depositato dietro il cancelletto, Vanina dedusse che il figlio «torinese» della vicina – nonché vero proprietario della dépendance in cui lei viveva – fosse ancora lí, in ferie natalizie con moglie e figli.

Il timer dei termosifoni, per fortuna, aveva fatto il suo lavoro e la casa era sufficientemente calda. Depositò il bagaglio in un angolo della camera da letto, si liberò dei vestiti che aveva addosso da quella mattina e s'infilò sotto

la doccia. Ci rimase per mezz'ora, sperando di rilassarsi
abbastanza da riuscire a addormentarsi a un'ora consona.

La conversazione con Manfredi, alla fine, non era cascata là dove Vanina temeva che potesse finire. Dopo la
messinscena della telefonata offesa, il medico aveva glissa-
to sulla questione Palermo. Con nonchalance, come sempre, aveva finto di non accorgersi dei messaggi che Vanina
continuava a ricevere e che sbirciava rientrando in casa
dal terrazzino ogni volta con una scusa diversa. Del resto,
era troppo intelligente per non aver capito che le chance
di superare il confine dell'amicizia con lei erano inversamente proporzionali alla presenza di Paolo Malfitano nella sua vita. E che Palermo, da quel punto di vista, era il
luogo meno neutrale in cui incontrarsi.

Riemerse dal bagno in pigiama e cardigan di lana. Piú
per abitudine che per bisogno reale, tirò fuori due biscotti al cioccolato dalla credenza e si accovacciò sul divano
grigio davanti allo schermo gigante. Era troppo tardi per
iniziare un film della sua collezione. Cercò tra i canali qualcosa di piacevole con cui rilassarsi e si fermò su una replica di *Totò, Peppino e la... malafemmina.* Un occhio alla
tv e uno al telefono, scorse i messaggi che aveva ricevuto
durante la giornata. Uno era di Maria Giulia De Rosa, la
sua amica avvocata catanese. Uno era di Adriano Calí, altro suo grande amico nonché miglior medico legale della
città. Entrambi chiedevano quando sarebbe tornata. Rispose a tutti e due con una foto del suo soggiorno. Quattro, infine, erano di Paolo. Li aveva già letti di sfuggita
quand'erano arrivati, ma ovviamente non aveva potuto rispondere. Due foto della casa all'Addaura accompagnate
da due frasi, a metà tra il sentimentale e il sibillino, che
le avevano lasciato addosso un velo di tristezza. Mentre
rifletteva sulla risposta da scrivergli, afferrò un plaid e se

lo avvolse addosso. Guardò distratta le scene del film sus-
seguirsi sullo schermo: Teddy Reno/Gianni che suona la
chitarra nella sala da pranzo del *Grand Milan*, dov'è finito traviato dalla «donna di malaffare»... Senza nemmeno
accorgersene s'addormentò. Si risvegliò di soprassalto ai
titoli di coda. Spense tutto e si trascinò fino al letto. Prima di riaddormentarsi aprí l'ultimo messaggio di Paolo e
gli rispose: «L'odore del mare d'inverno».

6.

Il telefono la svegliò che non erano ancora le sette. Rispose senza nemmeno provare a leggere il nome che compariva sul display.

– Dottoressa, mi scusi, Fragapane sono.

– Fragapane, che fu?

– Il cadavere trovarono.

Vanina dovette impegnarsi in uno sforzo di concentrazione.

– Che cadavere?

– Quello della Leonardi, dottoressa!

Fece un salto sul letto che pareva l'avessero catapultata in avanti.

– Cazzo, lo sapevo.

– Carmelo Spanò è già salito, Bonazzoli e io lo stiamo raggiungendo. Mi disse di riferirle che pensò lui ad avvertire il dottore Vassalli. A Pappalardo invece lo chiamai io.

– Va bene, il tempo della strada e arrivo.

Fece per chiudere quando sentí Fragapane che la chiamava.

– Dottoressa, aspittassi!

– Che c'è, Fragapane? – sbuffò, già davanti alla macchina del caffè.

– Come ci raggiunge, che non le dissi dove si trova il cadavere?

Vanina rimase con la capsula in mano.

– Ma perché, non è al *Grand Hotel della Montagna*?

– Nonsignore! Non è là.

– Vabbe', mandatemi la posizione precisa.

– Non ce n'è di bisogno, dottoressa.

– Perché? – 'Sto stillicidio di informazioni stava iniziando a farla innervosire.

– Pirchí la posizione precisa s'attrova appressu porta con casa sua.

– Fragapane, mi dica dove minchia è 'sto cadavere altrimenti giuro...

Il vicesovrintendente non la lasciò finire: – Nel cimitero di Santo Stefano.

Vanina trasecolò. Per davvero appresso porta. E che ci faceva il cadavere di Azzurra Leonardi nel cimitero di Santo Stefano?

– Dieci minuti e sono là.

– Macari Bonazzoli e io. Una cosa deve sapere, però, dottoressa.

– Cosa, Fragapane? – sospirò Vanina.

– I cadaveri sono due.

Uscí di corsa che pareva la stessero inseguendo i cani. La portafinestra di Bettina era aperta e un gatto stava facendo capolino nella sua cucina. Meditò se fosse il caso di fermarsi a salutare, ma non ebbe il tempo di decidere.

La vicina le venne incontro a braccia aperte, intrusciata in un giaccone da inverno siberiano. Tempo due secondi, Vanina si ritrovò imprigionata in un abbraccio morbido e odoroso di vaniglia.

– Vannina, che bello riverderla! – Enne rigorosamente doppia. – Trasisse che le faccio assaggiare una torta paradiso che mi venne una meraviglia.

– Non posso, Bettina, sono di fretta.

– Che ci fu, ammazzatina a capo di mattina? – fece l'altra, contrariata.

– Non proprio.

Meglio non dirle dove stava andando.

Bettina le assicurò che avrebbe messo da parte la sua porzione, «se no capace che 'ddi lupi affamati dei miei nipoti se la spazzolano tutta».

Vanina infilò le scale, uscí e salí di corsa sulla Mini.

Raggiunse il parcheggio del cimitero proprio mentre arrivava l'auto di servizio con a bordo Marta e Fragapane.

– Ehi, capo, – la salutò Bonazzoli.

Si diressero insieme verso l'ingresso principale. Prima di attraversare il cancello Fragapane si bloccò, naso all'aria.

– Che successe? – lo riprese Vanina.

– Dottoressa, taliasse ccà che c'è scritto! Cosa da toccarsi fino a dopodomani, con rispetto parrannu.

Vanina alzò gli occhi sulla scritta che sovrastava il cancello: «Fummo come voi, sarete come noi».

– Madonnina, che frase inquietante! – fece la Bonazzoli.

La Guarrasi non si scompose.

– La verità è. Amuní, forza, che qua l'unica cosa inquietante è 'sta storia che i cadaveri diventarono due.

Marta e il vicesovrintendente la seguirono mentre rispondeva alla telefonata di Spanò.

– Ispettore, qua sono, – lo anticipò.

– Ah, magnifico, dottoressa. Le vengo incontro? – propose Spanò.

– Si scanta che mi perdo in mezzo alle tombe?

– Perdersi no, però lo sa come sono i cimiteri. Labirinti parunu.

– Non si preoccupi, sono con la Bonazzoli che ha la localizzazione precisa.

Nonostante ciò, prima di raggiungere il punto in cui Spanò li stava aspettando sbagliarono strada tre volte. Alla fine si ritrovarono davanti a una cappella privata, di discrete dimensioni, con tanto di nome della famiglia proprietaria inciso sulla pietra. «Murgo». L'ispettore, bardato con piumino, sciarpa e berretto di lana, stava parlando con un uomo seduto su un muretto a capo chino.

Spanò lo presentò subito alla Guarrasi.

– Dottoressa, il signor Lisa è il custode del cimitero. È lui che trovò i due cadaveri.

L'uomo si alzò in piedi, accennò una specie di riverenza. Vanina indicò la cappella. – Là dentro sono?

Il custode annuí. – Sí. Sopra il loculo al centro. Addobbato ca pare 'na bancarella natalizia.

Spanò intercettò la perplessità del vicequestore.

– Venga, dottoressa, le faccio vedere –. La precedette dentro la cappella.

Il loculo centrale, come l'aveva chiamato il signor Lisa, era l'unico scavato a terra. Al centro, davanti a un altarino, come in posizione privilegiata rispetto agli altri, tutti inseriti nelle pareti. Adagiati sul coperchio di marmo un uomo e una donna, uniti da un nastro rosso, largo, annodato come un fiocco all'altezza della vita. Sopra le teste, una composizione di rametti di vischio e accanto due stelle di natale. Una doppia corona di lumini aggiungeva alla scena un che di sinistro.

Vanina s'avvicinò facendosi strada tra gli addobbi. Storse il naso per l'odore.

Azzurra Leonardi era ben riconoscibile, anche se la somiglianza con Ornella Muti s'era persa nel grigiore del colorito e nella tumefazione del volto. L'uomo poteva avere una sessantina d'anni. Capelli grigi, lineamenti regolari, fisico asciutto.

– Lui chi è? – chiese a Spanò, che era rimasto un passo indietro.

– Il proprietario della cappella: monsignor Antonino Murgo.

– Un prete? – si stupí Vanina.

– Parroco della chiesa di Sant'Oliva ad Acireale.

Vanina lo osservò meglio. Ora che ci faceva caso, l'abbigliamento dell'uomo era abbastanza rappresentativo. Mancava solo il collarino bianco. Addosso non aveva ferite. La Leonardi, invece, era strapazzata assai. Vestiti lacerati, ematomi vari, tra cui uno predittivo intorno al collo.

Uscí dalla cappella e andò verso la Bonazzoli.

– Marta, abbiamo avvertito il marito della Leonardi?

– Non ancora.

– Fallo subito. Ma convocalo direttamente in ufficio piú tardi, che qua tempo dieci minuti ci sarà l'inferno, medico legale e Mortuaria compresi, che ai familiari non fanno mai un bell'effetto. Spanò? – si rivolse all'ispettore. – Cerchiamo di avvertire anche qualcuno per il monsignore. Avrà un fratello, una sorella, un nipote, qualcuno insomma.

– Mi attivo subito.

Il custode era ancora seduto sul muretto. L'aveva raggiunto un altro uomo, piú giovane, anche lui in tenuta da lavoro.

Vanina s'avvicinò ai due, che si alzarono di colpo.

– Lei è? – chiese al nuovo arrivato.

– Pirrotta Stefano, lavoro nel cimitero.

– Anche lei era presente al ritrovamento dei cadaveri?

Il collega Lisa rispose per lui. – No, a quell'ora c'ero solo io. Visti il cancelletto della cappella aperto e m'insospettii. Trasii e... trovai tutto 'sto teatro.

Teatro, esatto. Addobbi, fiocchi, lumini. Parto di una mente contorta, non c'era che dire.

– La notte qui non resta nessuno, vero? – chiese Vanina.

– No. Dopo che ho chiuso me ne vado a casa. Torno la mattina verso le sei e mezzo.

– E stamattina il cancello come lo trovò? Chiuso regolarmente?

– Preciso come lo lasciai aieri sira. Però c'è macari un ingresso secondario. Nella confusione, stamattina, manco ebbi il tempo di andare a controllarlo.

– Posso andarci io, – si offrí Pirrotta.

Vanina concordò, ma gli mise Fragapane alle calcagna.

Mentre i due si avviavano, da uno dei vialetti comparve Adriano Calí. Appresso a lui spuntò Cesare Manenti – il vice dirigente della Scientifica – con la sua squadra. Pappalardo era in prima fila. Vanina se la rise sotto i baffi: qualche settimana prima s'era fatta una chiacchierata con Sergio Munzio – il nuovo dirigente della Scientifica oltre che suo caro amico dai tempi di Palermo – che aveva sortito l'effetto desiderato. A Manenti non era rimasto che piegarsi alla volontà superiore, ammettere la competenza del sovrintendente capo e accettare che fosse sempre presente durante i sopralluoghi legati alle indagini della Guarrasi. Nonché rassegnarsi al fatto che lei non l'avrebbe mai stimato nemmeno un quarto di quanto stimava Pappalardo.

Adriano, che aveva il passo piú lungo, arrivò alla cappella per primo. Salutò tutti e si diresse dritto dritto da Vanina.

– Un'amicona, ah! Ora ora tornasti, e già mi rifilasti una fregatura. Doppia, a quanto pare.

– Veramente la fregatura la rifilarono in primis a me, che pensavo di occuparmi di un omicidio e invece ora me ne toccano due.

Calí parò la mano davanti. – Gioia, risparmiami le tue lamentele. Tu piú sgobbi e piú sei contenta.

Lo scortò dentro la cappella e uscí di nuovo. Rischiò di scontrarsi con Manenti, che stranamente le risparmiò il fastidioso botta e risposta con cui si aprivano di solito le loro collaborazioni. Muto, contrito, le passò davanti abbassando il capo in segno di saluto.

– Guarrasi.

Senza aggiungere una parola s'infilò nella cappella insieme a due videofotosegnalatori scafandrati.

Pappalardo si distaccò un attimo e le si avvicinò. – Buongiorno, dottoressa.

– Buongiorno, Pappalardo, mi fa piacere vederla.

– Pure a me, – lo sguardo raccontava che aveva capito.

– Mi raccomando, rivoltate quella cappella da cima a fondo.

– Non si preoccupi, dottoressa.

Non poté finire la frase che già Manenti lo stava richiamando all'ordine.

– Pappalardo, che facciamo?

Vanina evitò di guardarlo male, per non esacerbare il conflitto.

Si mise di lato e s'accese una sigaretta.

– Ho chiamato il marito della Leonardi, – comunicò Marta. – Gli ho detto di venire in ufficio alle 11.

– Hai fatto bene –. Vide con la coda dell'occhio Fragapane che tornava indietro con Pirrotta. Il vicesovrintendente, che i suoi cinquantanove anni non li portava benissimo, ansimava per il tratto in salita che s'era dovuto fare correndo appresso all'inserviente.

– Allora? – chiese Vanina.

– Tutte cose scassarono, capo.

– Che vuol dire?

– Il catenaccio del cancello di servizio è rotto, e la telecamera di sicurezza macari, – spiegò l'inserviente. Il custode parve piú preoccupato di prima. Capace che per questa storia avrebbe rischiato di giocarsi il posto.

– Quindi chi ha organizzato tutta 'sta sceneggiata si sa muovere qua dentro, – dedusse la Guarrasi.

– Oppure se l'era studiato per bene prima, – suggerí Fragapane.

Vanina chiamò Pappalardo, che era dovuto uscire di nuovo insieme ai colleghi per non intralciare il dottore Calí, che spazio per muoversi già ne aveva poco e non poteva dividerlo con loro. Solo Manenti era rimasto dentro, a deliziare il povero Adriano.

– Dica, dottoressa.

– Rilevate tutte le tracce di pneumatici dal cancello posteriore a qui. E confrontiamole con quelle vaghe trovate ieri all'albergo. Ovviamente vale anche per eventuali impronte e tracce organiche.

– Certo. Se dovesse essere necessario, potremmo fare un ulteriore sopralluogo al *Grand Hotel della Montagna*.

– Faccia tutti i sopralluoghi che vuole, basta che troviamo qualcosa da cui iniziare.

Il pm Vassalli comparve dal vialetto principale, scortato da Spanò che era dovuto correre a recuperarlo mentre vagava cimitero cimitero in cerca della cappella.

– Dottoressa Guarrasi, buongiorno. Che mi dice?

– Buongiorno, dottore. Per il momento posso dirle poco. Spanò l'ha già ragguagliata sull'identità dei cadaveri?

– Non ancora.

– Uno dei due è quello di Azzurra Leonardi, come purtroppo temevamo. L'altro è un sacerdote di Acireale, monsignor… Spanò, può ripetere il nome?

– Monsignor Antonino Murgo.

Vassalli sbiancò di colpo.

– Mo... mo... monsignor Murgo?

– Lei lo conosceva, dottore? – chiese Vanina.

– Non di persona, ma conosco molto bene i suoi meriti. Un ecclesiastico di grande cultura, già cappellano di Sua Santità, e destinato a cariche di grande prestigio. Dio mio, che tragedia!

La Guarrasi non reagí a quelle rivelazioni con il pathos che il pm avrebbe voluto. Del resto, da una come lei non era nemmeno realistico aspettarselo.

– Un pezzo grosso, perciò.

Vassalli sgranò gli occhi.

– Dottoressa Guarrasi! Non è cosí che si definisce un uomo di Chiesa importante come monsignor Murgo!

– Mi scusi, intendevo che non si tratta di un prete qualunque. Questo rende ancora piú interessante capire chi l'ha ammazzato e perché ha pensato bene di farcelo trovare già pronto nella sua cappella, in compagnia e per di piú confezionato tipo regalo di Natale.

– Come sarebbe a dire confezionato? – si stranì il pm.

– È meglio se lo vede lei stesso, – gli suggerí Vanina, muovendosi verso la cappella. Il magistrato la seguí.

Adriano Calí lavorava piegato sulle ginocchia, in equilibrio precario tra i lumini. Gli uomini della Scientifica si tenevano distanti, per non intralciarlo.

Vanina s'avvicinò a Adriano, che s'era tirato su per salutare il pm.

– Che ci dici? – gli chiese.

– Mah, entrambi sono stati strangolati, probabilmente con le mani, – il medico s'avvicinò al cadavere della Leonardi, indicò il collo, poi fece lo stesso con quello dell'uomo, – vedete qua? I segni, soprattutto sull'uomo, sono poco evidenti, ma le digitazioni si vedono abbastanza bene. Dalla quantità di ematomi presumo che la donna sia stata anche percossa. Ma questo con precisione posso dirvelo dopo l'autopsia.

– È plausibile che la donna sia morta nella notte tra il 26 e il 27 dicembre? – chiese il magistrato.

– Rigidità cadaverica risolta, a occhio direi proprio di sí.

– Questo confermerebbe le dichiarazioni di Scimemi, – concluse Vanina.

– Ovviamente non so di cosa parli, ma se le dichiarazioni riguardano un arco temporale di piú di ventiquattr'ore, immagino sia cosí.

– E monsignor Murgo? – s'informò Vassalli.

– Lui invece è morto piú o meno da dodici ore. Per il resto, ci devo studiare per dirvi di piú.

Vassalli si guardò intorno.

– Dottoressa Guarrasi, abbiamo qualche idea di come abbiano fatto a entrare qui?

– L'unica cosa che sappiamo è che l'artefice di questa messinscena, che probabilmente è anche l'assassino, è entrato dall'ingresso posteriore. Ha pure messo fuori uso la telecamera di sicurezza che riprende quella parte del cimitero. Al momento non abbiamo altro.

Il pm si trattenne il tempo necessario per osservare ancora il quadro d'insieme. Poi se ne andò, piú contrito di quand'era arrivato. In un colpo solo aveva raggranellato ben due omicidi scomodi. Azzurra Leonardi era figlia di un caro amico del circolo, e monsignor Murgo… meglio non pensarci.

Spanò lo riaccompagnò alla sua auto e tornò subito indietro dalla Guarrasi. Lungo la strada rischiò di venire travolto da Manenti, che si stava allontanando a passo sostenuto. Si voltò inseguendolo con lo sguardo mentre saliva i due gradini della cappella, dove Calí e il vicequestore stavano lasciando il posto a Pappalardo e agli altri uomini

della Scientifica. Aspettò di essere di nuovo fuori prima
di esprimere la sua perplessità.

– Dottoressa, mi scusi, ma lei lo sa che gli successe al
dottore Manenti?

Vanina sorrise senza rispondere.

S'avviò sul vialetto principale con al seguito Adriano e
Marta Bonazzoli.

– Venga, ispettore. Andiamocene da Alfio, che ci rimet-
tiamo in forze prima di tornare in ufficio.

La notizia del ritrovamento al cimitero aveva già fatto
il giro del paese ed era approdata, come ovvio, al *Bar Santo Stefano*. Dove alla normale clientela mattutina, locale
e non – la colazione di Alfio era notoriamente la migliore
di tutto l'hinterland etneo –, s'era aggiunta una piccola
congrega di compaesani cui lo scoop aveva vivacizzato la
giornata. Tra gli avventori s'era ritrovata anche Bettina,
che ogni mattina da cinque giorni si sedeva al bar al seguito di figlio, nuora e nipoti, e si godeva cornetto e cappuccino in felice compagnia.

Sui «morti del cimitero» s'erano già sviluppate varie ipotesi. La piú accreditata era che si trattasse di un omicidio-
suicidio, di quelli che troppo spesso si sentono al telegiornale. Uno di quegli uomini – *uomini*, poi! – che non voleva
accettare di essere stato lasciato dalla zita e pur di non darle
il sazio di rifarsi una vita con qualcun altro aveva preferito
ammazzarla. E poi, avendo capito che per il delitto compiuto
avrebbe pagato, aveva deciso di togliersi di mezzo da solo e
tanti saluti a tutti. Criminale e macari vigliacco.

Questo era il tono della discussione, quando il vicequestore Guarrasi e la sua squadra entrarono nel bar. Il chiac-
chiericcio cessò di colpo, surclassato dalla presenza in carne e ossa dei poliziotti.

– Buongiorno, Alfio, – salutò Vanina.

– Buongiorno, dottoressa, bentornata!

– Siamo in quattro, posto in saletta ce n'è?

A occhio, i tavolini parevano tutti occupati.

– Certo! Per lei posto ce n'è sempre.

Da un anno e mezzo, da quando s'era trasferita a Santo Stefano – per la precisione a cento metri scarsi dal bar – per Vanina non c'era stata mattina degna di tale nome in cui non si fosse portata appresso in ufficio la colazione di Alfio. Le poche volte che aveva dovuto rinunciarci, l'aveva rimpianta. Che fossero cornetti, raviole, treccine o un altro pezzo di quel repertorio fantastico. La brioche con la granita nei mesi estivi.

Tempo uno e due, si liberò giusto giusto il tavolo accanto a Bettina e famiglia.

– Vannina, ma che successe? – le bisbigliò la vicina in un orecchio.

Vanina diede una rapida occhiata in giro e capí che la storia del cimitero doveva essere già di dominio pubblico.

– E che successe, Bettina: purtroppo stavolta i morti ammazzati erano qui a Santo Stefano.

Bettina continuò, sempre sottovoce. – Maria santissima, che impressione! Se l'immagina se mi fossi trovata al cimitero, a portare i fiori a mio marito, bonarma, e mi fossero capitati davanti due morti ammazzati?

Di morti al camposanto ce n'erano a centinaia, certo, ma erano custoditi nelle loro tombe, e sconcerto non ne creavano.

– Pessi semu, dottoressa, – fece Spanò. Era appena tornato dal bagno e nel tragitto s'era fatto un'idea del curtigghio che s'era scatenato.

– A che si riferisce, ispettore?

– Alle orecchie appizzate che abbiamo intorno.

Del resto c'era da aspettarselo. Santo Stefano era un paese tranquillo, dove la gente si conosceva da sempre. C'era anche qualche elemento spurio, tipo qualche catanese che se n'era andato a vivere lí, ma la comunità autoctona era sempre la stessa da generazioni. Un fatto come quello non poteva che scatenare un putiferio.

Vanina evitò la questione. Ordinò una raviola di ricotta e un cappuccino, che doveva rimettersi in pari con i giorni precedenti, mentre Adriano Calí e Spanò si fecero fuori due cornetti a testa e due caffè. Marta Bonazzoli, dopo aver studiato ogni pezzo e aver appurato che in ognuno c'era qualcosa di derivazione anche lontanamente animale, si limitò a prendere un tè.

Nessuno dei quattro si sognò di accennare all'argomento cimitero.

7

Il commissario Patanè era già stanco a capo di mattina. Aveva passato la nottata a girarsi e rigirarsi nel letto
in cerca di una posizione che lo aiutasse a liberarsi di quel
dolorino al fianco che, però, cambiando posizione non si
modificava in alcun modo. A peggiorare le cose, appena
s'era accorta che era infastidito, Angelina s'era messa a
càmula: Gino tutto bene? Gino chiamiamo il dottore? Gino mi raccomando se hai bisogno svegliami. Col risultato
di disturbargli anche gli unici frammenti di sonno profon-
do che era riuscito a conquistare.
    Male aveva dormito e male s'era svegliato. S'era piaz-
zato in cucina e aveva cercato di far passare il tempo.
Caffè e savoiardo, telegiornale delle 8, poi quello delle 8.30 su un altro canale, previsioni meteo. Starsene a
casa era fuori discussione. L'unica era arrinzittarsi per
bene e uscire.
    Si sbarbò con piú cura del solito, si spazzolò due vol-
te i capelli che madre natura gli aveva lasciato in testa,
scelse con attenzione cravatta, giacca, sciarpa, cappello.
L'inverno era camurriuso per questo, in estate la quantità
di indumenti da indossare si dimezzava. Il cappello, per
esempio, da giugno a settembre era uno solo: il panama.
E la cravatta non sempre era necessaria. Qua ogni giorno
c'era da scimunire, specie poi per uno come lui che all'abbigliamento ci teneva assai.

Giacca spigata grigia e nera, cravatta e sciarpa bordeaux,
cappotto grigio. Cappello Borsalino di panno grigio. S'infilò lesto nell'ascensore prima che Angelina rientrasse dal
suo giro mattutino e raggiunse il bar dove s'andava a sedere ogni mattina assieme al geometra Bellia.

Il geometra non c'era. A detta del caruso che serviva
dietro il bancone, era partito per la Spagna, dove viveva
la figlia. A Patanè la cosa non quadrò. La figlia di Bellia
era stata a Catania fino a poche settimane prima. Ordinò
un caffè di quelli buoni e ci mangiò insieme un panzerotto
alla crema. Si sentí subito meglio. Non c'è niente da fare,
a ottantatre anni crogiolarsi nei propri acciacchi è severa-
mente vietato. Perché uno tanto fa che alla fine se li peg-
giora da solo. L'unica è ignorarli.

Girò attorno all'isolato e andò a recuperare la Panda.
Fece tutta via Umberto e sbucò in via Etnea. La attraversò, imboccò via Sant'Euplio e svoltò a sinistra. Fece il giro da largo Paisiello, poi piazza San Domenico e di nuovo
giú verso via Etnea dalla calata dei Cappuccini. Guidava
senza una meta precisa, o meglio: cosí se la raccontava. In
realtà una meta ce l'aveva, ed era pure abbastanza scontata. Via Manzoni, poi a sinistra via di Sangiuliano fino
a via Ventimiglia. Per miracolo, un posto si liberò giusto
giusto a cinquanta metri dalla Mobile. Poteva sprecare
una simile fortuna?

Lo prese come un segno del destino.

Vanina entrò nel suo ufficio e si fermò sulla porta.
Fece segno a Spanò, che stava entrando appresso a lei,
di non fiatare. Senza fare rumore andò verso il balconcino aperto e s'affacciò accanto al commissario Patanè,
che sobbalzò.

– Dottoressa! 'N coppu mi fici pigghiari!

– Il colpo, casomai, doveva farlo pigliare lei a me. Apro la mia stanza e trovo una persona che fuma sul balcone. Le pare creanza? – scherzò.

– Ragione ha. È che mentre citofonavo incontrai il sovrintendente Nunnari. Gentilmente mi fece entrare, e siccome sapeva che lei stava rientrando in ufficio mi disse di aspettarla qua –. Si ricordò del giorno prima con Lo Faro e aggiunse: – Ora però nun facissi la secunna, che a quel mischino il permesso di farmi accomodare nella stanza sua glielo diede Macchia in persona!

Vanina rise e si accese una sigaretta.

– Ormai lei e Macchia siete grandi amici.

– Grandi amici, ora… Capace ca ci fazzu pena. Un vicchiareddu che gioca a fare il poliziotto.

– Commissario, non scherziamo con le cose serie: lei non gioca a fare il poliziotto, lei è un poliziotto. E pure di quelli bravi –. Vanina si rivolse a Spanò: – Vero, ispettore?

– Verissimo.

Patanè si voltò e se lo trovò davanti.

– Carmeluzzo, buongiorno.

L'ispettore salutò il commissario, poi se ne andò nell'ufficio dei veterani a rintracciare i parenti del monsignore.

Vanina notò che Patanè aveva appeso cappotto, cappello e ombrello all'appendiabiti accanto alla porta. Che ora pareva preciso identico a quello del commissario Maigret al Quai des Orfèvres nello sceneggiato con Gino Cervi, il Maigret preferito da Vanina – e, secondo i ben informati, pure da Simenon.

– Commissario, veda che non è cosa di starsene fuori senza cappotto, – lo avvertí.

– Piffavuri, non ci si mittissi macari lei, dottoressa! Angilina mi basta e m'avanza.

Vanina scrollò le spalle.

– Vabbe', come vuole. Io rientro, che sento freddo. Anzi, gradirei chiudere le vetrate. Lei che fa, resta fuori?

Ancora con la sigaretta stretta tra le labbra, si liberò di giubbotto e fondina e si andò a sedere alla scrivania.

Il commissario scosse la testa, rassegnato. Non lo ammise, ma in fondo in fondo lo sapeva pure lui che la Guarrasi non aveva tutti i torti. E manco Angelina, d'altro canto. Spense la sigaretta nel posacenere strapieno che il vicequestore teneva per terra sul balconcino, e chiuse diligentemente le vetrate.

– Abbiamo novità che lei manco può immaginare, – attaccò Vanina.

A Patanè s'illuminarono gli occhi. Si sedette davanti alla scrivania, trepidante.

Man mano che la Guarrasi raccontava, lo sguardo del commissario si faceva sempre piú attento, le orecchie piú tese. Alla fine si grattò il mento, come ogni volta che ragionava su qualcosa, in modalità «capo della Omicidi».

– 'Sta storia mi pare 'na rogna peggio di tutte le altre che ci capitarono ultimamente.

Parlava già in prima persona plurale. Del resto, la sua collaborazione esterna alle indagini della Guarrasi era ormai una prassi consolidata. Nessuno se ne stupiva piú.

– Sotto quale punto di vista?

– Prima cosa: c'è di mezzo un uomo di Chiesa, e chistu rende le indagini delicate assai. Sicunna cosa: 'sti due non furono ammazzati nello stesso momento, questo significa due omicidi da ricostruire, e due scene del crimine da analizzare. Anzi, una macari da trovare, perché vallo a capiri dove fu ammazzato il monsignore.

Vanina lo guardava sconfortata. Patanè aveva espresso punto per punto le perplessità su cui lei stessa stava meditando da piú di due ore.

– Come si vuole muovere? – chiese il commissario.

– Innanzitutto, sentiamo l'ex marito della Leonardi, che a momenti sarà qua. Poi credo che dovrò parlare con l'arcivescovo per comunicargli quanto accaduto a monsignor Murgo.

– E macari col vescovo di Acireale, che la parrocchia sua ddocu era.

– Ad Acireale dice Spanò che ci va lui, che lo conosce. Io appena finisco col marito della Leonardi me ne vado direttamente in arcivescovato e ci parlo di persona. Tra noi della Mobile e le alte cariche ecclesiastiche della città c'è un ottimo rapporto. Abbiamo curato il servizio d'ordine per la festa di Sant'Agata molte volte.

– Sempre c'è stato un buon rapporto, – confermò Patanè.

Mentre aspettavano che Marco Di Girolamo si presentasse, Vanina spezzò un quadretto di cioccolata e lo offrí al commissario.

Patanè, incredibilmente, rifiutò.

Marco Di Girolamo arrivò alla Mobile alle 11.20. Alto, sui quarantacinque, capello corto castano, mascella quadrata. Alec Baldwin di qualche anno fa, in versione catanese. Affranto. Gli occhi chiari arrossati, febbrili. Lo sguardo sperso di chi non ha ancora realizzato fino in fondo quello che è accaduto.

Una sensazione terribile, Vanina la conosceva fin troppo bene. Ecco perché per sopravvivere al porco mestiere che s'era scelta non poteva far altro che distaccarsi.

L'uomo si accomodò davanti a lei, su una delle due sedie. L'altra era occupata da Spanò. Patanè s'era piazzato alla destra del vicequestore.

Di Girolamo scuoteva il capo di continuo.

– Io me lo sentivo, dottoressa Guarrasi, che ad Azzurra doveva essere accaduto qualcosa di brutto. Mio suoce-

ro non ci voleva credere, si ostinava a illudersi che se ne
fosse andata da qualche parte. La stanchezza gioca brutti
scherzi, diceva. Ma io ero sicuro che Azzurra non fosse
una da colpi di testa. Non avrebbe mai lasciato i suoi figli, nemmeno sapendo che erano con me. E non avrebbe
mai disertato un turno di guardia senza avvertire i colleghi. Ho pensato subito a un incidente. Ho fatto su e giú
da Nicolosi percorrendo tutte le strade possibili, ma niente. Certo non immaginavo... una cosa simile, – restò in
silenzio per un attimo, – o forse non volevo immaginarla.
Uno può mai pensare che una persona cara possa venire... – non concluse.

– Perché sua moglie era andata a Nicolosi? – chiese
Vanina.

– Ex moglie, in realtà, – precisò. La Guarrasi lo guardava col sopracciglio alzato e l'aria dubbiosa. – Sí, lo so,
dalle carte non risulta, – si corresse Di Girolamo, – era
complicato, avevamo un sacco di cose in comune e, siccome finora nessuno dei due era interessato ad avere una
carta scritta, avevamo soprasseduto. Ma era solo questione di tempo.

– Vabbe', la domanda resta la stessa: perché Azzurra
era salita a Nicolosi quella sera? – ripeté Vanina.

– Una ex compagna del liceo aveva organizzato una rimpatriata nella sua casa in montagna.

– C'era andata con la sua macchina?

– Sí, una 500X bianca.

– Per caso doveva passare a prendere qualcuno?

– Che io sappia, no, – Di Girolamo ci pensò, – anzi,
no di sicuro, perché mi chiese qual era secondo me la via
piú veloce per arrivare a Nicolosi. Perciò tappe interme-
die non ne doveva fare.

– Quando ha provato a rintracciarla la prima volta, senza riuscirci?

– Io?

Vanina lottò per non spazientirsi.

– Lei, sí.

– Alle 8.40 di ieri mattina, quando l'infermiera del pronto soccorso pediatrico del Vittorio Emanuele mi chiamò per avere sue notizie, visto che non si era presentata in ospedale per il turno di guardia. M'allarmai e cercai di telefonarle pure io. Ma il telefono risultava staccato.

– Perciò lei non avrebbe dovuto rivederla quella sera stessa, – dedusse Vanina.

– Non c'era motivo di rivederci. I bambini erano con me, e sarebbero rimasti con me anche l'indomani dato che lei era di guardia. Quando l'infermiera mi chiamò, era appena arrivata mia madre per badare a loro mentre io ero in farmacia. Però so che Azzurra è andata via dalla festa piú o meno a mezzanotte.

– Come fa a saperlo?

– L'ho chiesto a Ilaria... sí, insomma, all'organizzatrice della serata.

– E che altro le ha detto, questa Ilaria? Ha notato movimenti strani, telefonate?

– Sinceramente non gliel'ho domandato.

– Il cognome di questa Ilaria?

– Gilardo. Se vuole le do il numero, – lo cercò sul telefono.

Vanina fece segno a Spanò di appuntarselo e l'ispettore lo trascrisse su un foglietto di carta.

La Guarrasi proseguí: – E gli altri partecipanti alla festa? Li conosce?

– Un paio, ma di vista. Non ricordo nemmeno come si chiamano –. Di Girolamo s'allarmò. – Ma perché? Lei pensa che l'assassino sia uno di loro?

– Al momento non penso niente. Solo che, a giudicare dagli elementi che abbiamo, loro probabilmente sono gli ultimi ad aver visto Azzurra viva. Perciò dovrò
convocarli.

– Sicuramente Ilaria potrà darle i recapiti.

– Glieli chiederemo. Senta, dottor Di Girolamo, la sua ex
moglie aveva legami particolari col paese di Santo Stefano?

L'uomo scosse la testa. – Nessuno. Non ci aveva mai
abitato, e non ci andava mai.

– Quindi non conosceva il cimitero di Santo Stefano?

– Non vedo come potesse conoscerlo. Nessuno dei suoi
cari è sepolto lí –. Di Girolamo tergiversò, arrotolò un faz-
zoletto di carta che s'era ritrovato in mano prendendo il
telefono dalla tasca. Infine cedette: – Scusi, dottoressa,
posso farle una domanda?

– Certo.

– L'ispettore Bonazzoli disse che Azzurra è stata trovata
insieme a un altro cadavere, – deglutí, non era una parola
facile da pronunciare, specie se si riferiva a una persona cui
si è voluto molto bene, – potrei sapere di chi si tratta?

Vanina ci pensò su. Voleva fargli ancora un paio di domande prima di prendere l'argomento, ma oramai era tardi.

– Monsignor Antonino Murgo.

Di Girolamo aggrottò la fronte, perplesso.

– Chi?

– Monsignor Murgo.

– Monsignor Murgo… – ripeté Di Girolamo.

– Lei lo conosceva?

– Assolutamente no.

– E non sa se Azzurra lo conoscesse?

– Non credo.

– Perciò sarebbe meglio chiederlo ai suoi suoceri, – concluse Vanina.

– Mia suocera è morta due anni fa. Mio suocero in questo momento... non credo sia molto lucido. Anzi, temo che fargli delle domande proprio oggi sarebbe abbastanza deleterio per il suo equilibrio psicologico. Azzurra era la sua unica figlia.

– Ne terremo conto, stia tranquillo. A questo punto immagino che l'unico a poter eseguire il riconoscimento sia lei.

– Ovvio, dottoressa.

Mentre Spanò riaccompagnava Di Girolamo al portone il sovrintendente Domenico Nunnari comparve nell'ufficio della Guarrasi. Anche lui dovette mettersi di profilo per passare dall'unica anta apribile della porta. Gli toccò persino trattenere il respiro e tirare dentro la pancia.

– Nunnari, che fu? Il pranzo di Natale ti si depositò tutto là?

– Capo, facciamo quelli degli ultimi dieci anni, – ironizzò il poliziotto, che quel giorno stranamente aveva abbandonato l'abbigliamento mimetico e s'era infagottato in un maglione cosí spesso che lo faceva sembrare ancora piú florido. A ben leggere lo stemma attaccato sulla manica, sempre di un indumento marchiato US Army si trattava. Segno che la «sindrome del marine», come Vanina chiamava la passione del sovrintendente per i film di guerra americani, non aveva allentato la sua presa. Anzi, capace che durante le vacanze Nunnari s'era fatto pure un ripassino.

– Che sono quei fogli? – gli chiese la Guarrasi.

– Ecco, dottoressa, per questo ero venuto: sono i tabulati telefonici della Leonardi. Tra poco arrivano pure i tracciamenti. L'ultimo contatto è stato alle 00.43 minuti, e ha agganciato ancora la cella di Nicolosi, – passò i fogli al vicequestore che andò subito alle ultime chiamate.

– A chi corrispondono 'sti numeri?

– Ancora non lo so. Ora ci lavoro. Come vede sono assai, ci vorrà un poco di tempo.

– E tanto tu tempo ne hai assai. Sei appena rientrato dalle ferie, fresco fresco ed energico. Fatti dare una mano da Lo Faro.

– Signorsí, signore, – scattò sull'attenti, due dita alla fronte.

– Amuní, rompi le righe, guardiamarina Nunnari, – Vanina scosse la testa. – Ma vedi tu se ti devo dare conto con 'sta pantomima. E sbrigati con i tracciamenti, che qua non sappiamo da dove cominciare. Tra poco, sempre se il dottore Vassalli si muove, avremo anche quelli di monsignor Murgo.

– Il morto numero due, cioè.

– Dipende.

– Da che cosa, capo?

– Dalla scala di progressione.

Nunnari se ne andò perplesso.

Patanè era rimasto in silenzio finché lui e la Guarrasi non s'erano ritrovati di nuovo da soli.

– 'Sto momento, quando uno manco sa dove deve iniziare a taliare per cercare qualche indizio, è 'u cchiú tinto di tutti, – sentenziò.

– Ragione ha, commissario. Una camurría. Però qualcosa da cui partire l'abbiamo: una ventina di persone da sentire.

– Ma cui, i compagni di scuola?

– Azzurra Leonardi è stata ammazzata la notte dopo quella rimpatriata. Al *Grand Hotel della Montagna*, se non vogliamo immaginare che l'assassino abbia spostato il cadavere due volte.

– Sí, macari sicunnu mia la dottoressa fu ammazzata
là. Scimemi dovette capitare giusto giusto nel momento
in cui l'omicidio s'era appena consumato. Capace che nel
salone dell'albergo, assieme a lui, c'era pure l'assassino.

– Che si teneva pronto a uscire dal finestrone aperto,
portandosi via il cadavere. Il punto però è un altro.

– Chi ce la purtava la Leonardi di notte e notte dentro
un albergo chiuso dall'83? – l'anticipò Patanè.

Vanina annuí mentre si accendeva la sigaretta che s'era
tenuta in mano per un'ora. Gliene offrí una. Il commissario rifiutò. Allora gli offrí di nuovo la cioccolata, ma anche
stavolta lui la rifiutò con convinzione. Lo osservò bene e
notò che quella mattina tendeva a curvarsi, lui che di solito
era piú dritto di lei e Spanò messi insieme. Si preoccupò.

– Commissario, sicuro che si sente bene?

Patanè si raddrizzò di colpo.

– Pirchí, le sembro poco salutivo? – scherzò.

– No no, è che prima rifiutò la cioccolata, ora la sigaretta… Che successe?

– Ca nenti, è che 'sti jorna, tra pranzi e cenoni con parenti e amici, Angilina si mise a cucinare ca pareva dovesse sfamare un battaglione di soldati. Cose buonissime, ah!
Però tutto quello che resta poi pare peccato a ghittarlo e
finisce che ce lo mangiamo noi due. E siccome gli stoma-
ci nostri non sono cchiú quelli di una volta, per qualche
giorno megghiu mangiare leggero.

– Mi pare molto sensato, – concordò Vanina. La spiegazione reggeva, anche se non giustificava il rifiuto della
sigaretta. Ma quello poteva essere un caso.

Mimmo Nunnari ricomparve con la Bonazzoli. Dalla
modalità «marine» era passato a quella «cagnolino sco-
dinzolante» appresso alla collega, di cui era perdutamente
innamorato. Ora che la liaison tra lei e Macchia era uffi-

ciale, per il sovrintendente stava diventando un problema ogni giorno piú serio. Piú tempo passava, piú Mimmo si convinceva di avere gli occhi del Grande Capo puntati addosso, e piú difficile gli riusciva camuffare i propri sentimenti. Che Marta, invece, ignorava bellamente. O, quantomeno, fingeva di ignorare.

– Che dicono i tracciamenti telefonici? – chiese la Guarrasi.

Nunnari lasciò che parlasse Bonazzoli, sua diretta superiore.

Marta scosse il capo. – Niente di che. Il telefono della Leonardi si è spento all'una meno venti della notte in cui è morta. La cella che agganciava era ancora quella di Nicolosi. Da quel momento silenzio totale. Tra i numeri telefonici dei tabulati che Mimmo ha rintracciato, quelli che ricorrono piú di frequente sono due: uno è di Teresa Marini, di professione infermiera al reparto di Pediatria d'urgenza dell'ospedale Vittorio Emanuele, dove la Leonardi lavorava.

– Non lavorava al Policlinico? – obiettò Vanina. Manfredi cosí le aveva detto.

– Policlinico e Vittorio Emanuele sono un'unica cosa. Il pronto soccorso è al Vittorio, per esempio. Tra un anno o due il Vittorio chiuderà e si trasferirà al San Marco. E il pronto soccorso sarà al Policlinico, – spiegò Patanè. Dei nosocomi catanesi conosceva vita morte e miracoli grazie al geometra Bellia che, vai a capire perché, ne seguiva le sorti con vivo interesse.

– In effetti per un po' Azzurra ha lavorato al Policlinico, poi è passata al Vittorio Emanuele, – precisò Marta.

Vanina fece fatica a non confondersi.

– Vabbe', andiamo avanti.

Marta riprese: – L'altro numero corrisponde a un certo Gianlorenzo Rosario, che risulta impiegato in una palestra.

– Un personal trainer?

– Probabilmente.

– Altri numeri?

– Mah, niente di rilevante. Qualche telefonata al padre, Leonardi Armando, piú vari numeri ognuno corrispondente a una persona diversa. Era una che il telefono lo usava parecchio.

Vanina meditò sulla cosa.

– Per adesso convochiamo solo il personal trainer, – guardò l'orologio. – Oggi pomeriggio, però, che ora ce ne andiamo da Nino –. Si alzò. – Commissario, lei viene con noi?

Patanè parve titubante. Lo sguardo scrutatore della Guarrasi gli suggerí di non dare adito ad altri dubbi sulla sua salute, che a trasformarsi da saggio consigliere – anzi, diciamo pure collaboratore – a vecchietto per cui provare tenerezza, uno dell'età sua ci metteva cinque minuti precisi. E finire accussí per una fissariata di dolorino al fianco, che manco sempre si avvertiva, era un vero peccato.

– Certo, – rispose, balzando in piedi. Per un attimo, il dolorino si fece sentire piú acuto. Poi passò.

8.

La Guarrasi e Spanò uscirono dall'arcivescovato che erano le cinque. Con il massimo del tatto possibile, Vanina aveva comunicato alla maggior autorità ecclesiastica della città che monsignor Antonino Murgo, già cappellano di Sua Santità, era stato assassinato. Con uguale tatto, aveva dovuto rispondere alle domande che l'arcivescovo, sinceramente addolorato, le aveva posto sulle circostanze della morte e sul ritrovamento del sacerdote.

In quella mezz'ora di conversazione, Vanina si fece un'idea del tipo di vita che conduceva il monsignore. Riservato, lontano dalla ribalta ma comunque presente in ogni occasione importante. Uno che il titolo di monsignore se l'era guadagnato a suon di lauree, alti studi e considerevoli meriti, tra cui anche un paio di missioni in Africa. Uno che «parlava con i fatti», aveva detto l'arcivescovo, con un talento tutto speciale per rincuorare la gente. Un talento per farsi amare.

Tornarono in ufficio appena in tempo per incontrare la signora Concetta Murgo, sorella nonché unica parente di monsignor Antonino Murgo, che arrivò alla Mobile cinque minuti dopo di loro. Un donnone di un metro e settantacinque per cento chili, sui sessanta, capelli tinti di quel castano che vira verso l'arancio inesistente in natura ma assai gettonato tra alcune donne. Vestita a lutto, il viso completamente sfatto dal dolore. Era accompagnata dal marito, Oreste Interillo, che la sorreggeva. L'ispettore Bonazzoli le sedeva accanto dall'altro lato, con i Kleenex d'emergenza e l'espressione costernata almeno quanto quella della Guarrasi pareva invece indifferente.

Vanina lo sapeva benissimo che trovarsi in un ufficio di polizia a parlare di un proprio congiunto appena deceduto sbatteva in faccia la realtà in un modo cosí crudo che alcuni non riuscivano a tollerarlo. La signora Concetta Interillo, nata Murgo, era di sicuro tra questi.

– Quando ha visto suo fratello l'ultima volta? – chiese Vanina, appena la donna si fu calmata un po'.

– Ieri pomeriggio, dopo la messa delle 18, – singhiozzò lei.

– Era solo?

– In chiesa era col sagrestano, poi Totò se ne andò a casa...

– Totò sarebbe il sagrestano? – la interruppe Vanina.

– Sí.

– Ha un cognome, questo Totò?

– Malachia.

Bonazzoli se lo segnò.

La signora Murgo sembrava essersi incantata.

– Andiamo avanti, – la risvegliò Vanina. – Dopo la chiesa?

– Niente, dottoressa. Io e mio marito lo accompagnammo fino a casa perché gli avevo preparato le polpette come piacciono a lui e gliele volevo sistemare io stessa nella pentola per riscaldarle... – s'interruppe. – Capace che manco ci arrivò a mangiarsele! – scoppiò in lacrime di nuovo.

– Quindi voi lo avete lasciato a casa. Vi disse se per caso sarebbe uscito?

– Uscire? Di sera? – si stupí Interillo. – Le pantofole si stava per mettere, dottoressa, – rispose, mentre Marta cercava di placare i singhiozzi della moglie.

– Se le stava per mettere o se le era messe?

Quello la guardò perplesso. – Se le stava per mettere, mi pare... ma perché, è importante?

– Tutto è importante, signor Interillo, anche il particolare piú trascurabile.

Il cadavere aveva le scarpe, questo Vanina se lo ricordava bene.

L'uomo ci rifletté. Si rivolse alla moglie che s'era quasi calmata. – Cettina, ascolta un momento: tu ti ricordi se Nino ieri sera si mise le pantofole mentre noi eravamo ancora a casa sua?

La signora non rispose subito, ci pensò su.

– Mi pare di no... anzi, no di sicuro perché quando ci accompagnò alla porta aveva ancora le scarpe ai piedi e io gli feci notare che erano sporche. Gli chiesi se voleva che gliele pulissi. Mi rispose che faceva da solo. È sempre stato cosí, Nino: non voleva disturbare mai nessuno.

– Non aveva qualcuno che lo aiutasse in canonica?

– Una signora si occupava delle pulizie, tre volte alla settimana. Per il resto, Nino se la sbrigava per conto suo.

Vanina ci rimase un po' male. Chissà perché, s'era immaginata un ménage diverso, magari con tanto di perpetua da interrogare.

Un dubbio l'assalí. – Non è che la signora è andata stamattina, vero?

– No, deve andarci domani. Ma... perché me lo chiede? Sospetta di lei? – Concetta Murgo si spaventò.

– A parte che in questa fase delle indagini io di norma sospetto di tutti, in questo caso però quello che mi interessa è che nessuno oggi abbia messo piede in casa di suo fratello.

– No, no, nessuno.

– In poche parole, in casa l'avete lasciato e in casa lui aveva tutta l'intenzione di restare, – sintetizzò Vanina.

– Cosí ci disse, per lo meno, – Interillo, piú lucido della moglie, capiva che la certezza matematica non c'era.

Vanina si poggiò sui gomiti, avvicinandosi alla donna.

– Senta, signora, nella vostra cappella, accanto al cadavere di suo fratello, c'era quello della dottoressa Azzurra Leonardi. Lei per caso sa se si conoscevano? La dottoressa c'entra qualcosa con la vostra famiglia?

Concetta Murgo e il marito rimasero perplessi.

– Cui? – chiesero all'unisono. In siciliano.

– Azzurra Leonardi, – ripeté il vicequestore.

La donna si concentrò. Scosse la testa. – Niente, mai sentita nominare –. La faccia, sempre piú sconcertata, ora rasentava l'indispettito. – E pirchí l'assassino portò a questa Leonardi nella nostra cappella? Che mi vuole significare? Forse che li ammazzò assieme?

– Non credo, – si limitò a rispondere Vanina. Altro non poteva dirle.

– Allura pirchí? – si lasciò andare la Murgo. Il siciliano ormai aveva preso il sopravvento.

– Vorrei saperlo pure io, signora, – tagliò corto la Guarrasi.

Si alzò in piedi e gli altri la imitarono, Marta compresa.

Come ultima comunicazione, non facile ma necessaria, avvertí Concetta Murgo che le sarebbe toccato riconoscere il cadavere di suo fratello. La reazione fu quella attesa: una crisi di pianto da consumare in due minuti tutte le scorte di fazzoletti in dotazione all'ispettore Bonazzoli.

Prima che la signora e il marito uscissero dal suo ufficio, Vanina li richiamò.

– Un'ultima domanda: si ricorda com'era vestito suo fratello ieri sera?

– E come doveva essere vestito? Con l'abito suo.

– Il collarino bianco ce l'aveva?

– Se lo tolse davanti a me, – rispose Interillo.

– Pensa sia possibile che fosse uscito senza prima rimetterselo?

Concetta Murgo non ebbe esitazioni: – Mai.

Gli Interillo non erano ancora arrivati alla fine del corridoio che già Vanina si stava infilando fondina e giubbotto. Passò nella stanza accanto, quella dei carusi. Nunnari e Lo Faro erano cosí concentrati che nemmeno la sentirono entrare. Fissavano il computer triturando biscotti Ringo uno dopo l'altro.

Vanina s'avvicinò, guardò lo schermo e riconobbe la grafica di Facebook.

– Che minchia state facendo? – tuonò.

I due saltarono in aria.

– Niente, dottoressa… – rispose Nunnari, con la faccia piú rossa di un mantello cardinalizio, tanto per restare in tema. – Lo Faro ha avuto l'idea di cercare Azzurra Leonardi su Facebook per vedere se per caso c'era qualche cosa di interessante.

Vanina s'avvicinò allo schermo. La pagina era quella di un'influencer di moda.

– Picciotti, secondo voi io ho la faccia da cretina?

I due sgranarono gli occhi. – Ma che dice, dottoressa? – balbettò Lo Faro.

– No, fatemi capire, perché qua i casi sono due: o siete convinti che io sia cosí analfabeta riguardo ai social network da non accorgermi che quello non è il profilo di Azzurra Leonardi, oppure siete due mentecatti.

Nunnari si guardò la punta delle scarpe, anzi la pancia.

– Scusi, dottoressa, stavamo facendo una piccola pausa, – ammise.

– Una pausa da cosa?

– Abbiamo procurato all'ispettore Spanò tutti i recapiti che lui ci chiese. Venti.

I compagni di scuola della Leonardi.

– I tabulati del monsignore arrivarono?

– Un'ora fa, dottoressa.

– Li avete guardati almeno, prima di mettervi a cazzeggiare con Internet?

– Signorsí, capo, – fece Nunnari.

– E allora?

– Poco e niente. Telefonava e riceveva chiamate solo da tre numeri. Uno è della sorella. L'altro è di un certo Mario Fratone. L'ultimo la compagnia telefonica ce lo comunica a breve.

– Li avete passati a Spanò?

– Sí, capo.

– I tracciamenti invece?

– Peggio che mai, capo: dalle 19.07 di ieri sera il telefono del monsignore aggancia la cella corrispondente a casa sua e non s'è mai mosso.

– Ed è tuttora acceso?

– Sí.

Li fissò entrambi: tesi come due pali.

– Almeno qualche cosa d'interessante l'abbiamo trovata sul profilo della Leonardi?

I due ripresero a guardarsi la punta delle scarpe.

– Veramente eravamo appena entrati su Facebook. Ci capitò davanti la pagina dell'influencer e... ci fermammo un momento là, – confessò Nunnari.

Vanina scosse la testa con rassegnazione.

– Vabbe', ora basta minchiate. Nunnari, tu resta qua e vedi di recuperare qualche informazione. Lo Faro invece viene con me, Spanò e Bonazzoli.

L'agente scattò alla sua postazione per recuperare il giubbotto.

La Guarrasi uscí in direzione della stanza dei veterani mentre Marta rientrava. L'avvertí di recuperare un'auto di servizio. Fece due passi verso l'ufficio di Spanò, poi tornò indietro. Lo Faro, che la seguiva a ruota, le arrivò quasi addosso. Vanina lo guardò male e rientrò nell'ufficio dei carusi.

– Tanto per curiosità, ma a voi due di un'influencer di moda femminile che ve ne frega?

Nunnari si girò verso Lo Faro, che dovette rispondere.

– Stavo cercando qualche cosa di figo... di bello da regalare a una ragazza.

– Ma chi, Ristuccia? – indovinò Vanina. Agata Ristuccia era tra gli agenti che le avevano fatto da angeli custodi nel periodo in cui era stata sotto scorta e Lo Faro se n'era innamorato. Non era ancora chiaro se fosse corrisposto, ma lui sembrava mettercela tutta.

– Ss... sí.

Vanina fece mente locale. – Allora lascia perdere la moda, Lo Faro. Vai in libreria che a occhio e croce non sbagli.

Bonazzoli uscí dal parcheggio delle auto di servizio, il cortile della caserma davanti alla Mobile, al volante di una Giulietta nera. Vanina salí accanto a lei, Spanò e Lo Faro si misero dietro.

– Ora me lo dici, dove dobbiamo andare?

– Ad Acireale, a casa di Murgo. Mi gioco qualunque cosa che l'hanno ammazzato lí.

– Perché ne sei cosí certa?

Vanina si infilò una sigaretta tra le labbra, ma per rispetto della Bonazzoli non l'accese.

– Ragionaci, Marta. La sorella ci disse che alle 19.30 di ieri sera il monsignore si ritirò in casa, e non era intenzionato a uscire di nuovo. Tant'è vero che per prima cosa si tolse il collarino. Il cadavere che abbiamo visto stamattina era vestito di tutto punto, ma il collarino non ce l'aveva.

– Non è che lo usarono per strangolarlo? – suggerí Spanò.

Vanina fece segno di no agitando le due dita che tenevano la sigaretta spenta. – Calí dice che è stato strangolato con le mani. Come la Leonardi.

Spanò non replicò.

– Il dottor Vassalli sa che stiamo andando a casa del monsignore? – chiese la Bonazzoli.

– Quand'è il momento glielo comunico.

– Dottoressa, ma lei è convinta che ci darà l'autorizzazione a entrare? – fece Spanò.

– Non dubiti, ce la darà, – assicurò Vanina. Intanto aveva evitato di avvertirlo prima di partire dall'ufficio. Un sopralluogo come quello o si fa subito o diventa inutile, e loro avevano già perso mezza giornata. Ci mancava solo che il pm si mettesse di traverso con la sua cautela.

– E se invece ci dice di no? – azzardò Spanò.

Vanina si voltò.

– Picciotti, parliamoci chiaro: Vassalli non è Terrasini, che viaggia alla stessa nostra velocità e non si tira indietro davanti a niente. Uno come lui va ammuttato. Ma ammuttato forte, altrimenti restiamo ancorati al punto di partenza per chissà quanto tempo. Un bradipo col coraggio di un coniglio è. Perciò, pure se io per prima non amo farlo, ci toccherà giocare un poco d'inventiva. Ci siamo capiti?

– Perfettamente, dottoressa, – fece Spanò.

Marta si limitò ad annuire. L'idea non le piaceva, e si vedeva, ma non poteva dare torto alla Guarrasi.

Vanina si girò di centottanta gradi. – Lo Faro, capisti pure tu?

– Certo, dottoressa.

– Mi posso fidare?

– Al cento per cento, glielo giuro.

Marta preferí evitare l'autostrada e prese la strada del mare. Aci Castello poi Aci Trezza, Capo Mulini e tutta la costa fino all'incrocio in cui a destra si va verso Santa Maria La Scala e a sinistra si entra ad Acireale. Dritto, invece, si prosegue sulla statale che un tempo era l'unica via per Messina. Bonazzoli svoltò a sinistra e attivò il navigatore sul telefono. Finirono incastrati in una stradina dove a stento sarebbe passata una Smart.

– Bonazzoli, te lo dissi io di non fidarti! – sbottò Spanò. – I navigatori ti indicano i percorsi che sicunnu iddi sono i piú brevi. Se poi si tratta di una viuzza ca nun ci passa manco una lapa loro che ne sanno?

In quella viuzza una motoape ci sarebbe passata, ma per l'auto di servizio non c'era niente da fare. L'unica era tornare indietro in retromarcia. Per scongiurare il pericolo che qualcuno s'infilasse dietro di loro, Lo Faro scese dalla macchina e si piazzò all'inizio della strada.

La casa del monsignore era in un'altra stradina del centro storico, parallela a quella da cui s'erano appena disincastrati. Costruzione antica, a un piano, con tanto di batacchio sul portone. Attigua alla chiesa di Sant'Oliva, che si scorgeva alle spalle.

La Guarrasi osservò l'ingresso. – Qua, a occhio, direi che ci abitava solo il monsignore.

Spanò andò a sbirciare il citofono. Iniziò a cercare in

tutte le tasche gli occhiali, ma non li trovò. Lo Faro accorse in aiuto.

– Altra gente non risulta, – confermò.

– Bella fregatura.

– Perché dice cosí, dottoressa? – chiese Spanò.

– Perché ora dobbiamo inventarci un modo per aprire pure il portone –. Senza dire che cosí non reggeva la scusa che s'era inventata per smuovere Vassalli: un vicino di casa che, avendo sentito strani rumori e non riuscendo a parlare col monsignore, aveva contattato la sorella che a sua volta aveva contattato lei... un esercizio di fantasia degno di un romanziere.

– Se è per questo, a trasiri dentro 'sto portone nenti ci voli –. Spanò tirò fuori dalla tasca un arnese che un poliziotto non dovrebbe possedere, se non nel momento preciso in cui lo sta sequestrando a uno scassinatore di appartamenti. A Carmelo Spanò, molti anni prima, era capitato di arrestare un assassino che per combinazione era pure un ladro. E siccome di quel reato minore, al cospetto di due vecchiette assassinate, non fregava niente a nessuno, l'arnese era rimasto là dove l'ispettore – allora sovrintendente capo – l'aveva lasciato. Come fu e come non fu, a caso chiuso se l'era ritrovato in mano e, appurato che sarebbe finito dritto nella munnizza, gli era parso peccato e se l'era tenuto. Metti che in una casa c'è una persona da salvare e la porta non si può sfondare. Fragapane aveva replicato che non era un pompiere, ma Carmelo ormai aveva preso possesso dell'arnese.

Si guardò intorno per assicurarsi che non stesse passando nessuno e: – Forza, trasemu.

Vanina attraversò il portone per prima e si trovò davanti a una rampa di scale che finiva in un pianerottolo con una sola porta. S'infilò un guanto e accese la luce. Salí, seguita da Spanò e Lo Faro, eccitato almeno quanto la Bonazzoli era contrariata.

Carmelo, guanti di lattice indosso, si accinse a ripetere sulla porta la medesima operazione appena praticata sul portone d'ingresso, ma non ce ne fu bisogno.

– Mezza aperta è, – comunicò.

Vanina spinse la porta. Buio pesto. Interruttore della luce non identificabile.

Tre torce di tre telefoni s'accesero insieme illuminando un ingresso vecchio stile: pavimento grigio in scagliette di marmo, attaccapanni di legno con tanto di specchio macchiato su cui era appeso un cappotto blu con accanto cappello analogo.

Spanò localizzò l'interruttore e accese la luce.

Vanina diede un'occhiata intorno. Tutto ordinato, tranne lo zerbino all'ingresso che non era al suo posto. La prima porta che s'incontrava dava in un soggiorno.

– Io e Spanò entriamo qui. Bonazzoli e Lo Faro, voi andate verso il corridoio.

La televisione era accesa. Intorno a un tavolo tondo pieno zeppo di libri e giornali due sedie erano rovesciate. Sul tavolo era appoggiato il famoso collarino che il monsignore s'era tolto davanti al cognato.

Spanò si mise ad annusare l'aria.

– Ispettore, un cane da tartufi pare.

– Dottoressa, lo sente macari lei 'st'odore?

Vanina annuí. – Di fumo.

– Fumo freddo, – precisò Spanò. Partí verso un tavolino basso dov'era appoggiato un posacenere.

– Spanò, si fermi, – ordinò la Guarrasi, chinandosi sul pavimento.

L'ispettore rimase con un piede avanti e uno dietro, immobile.

– Che fu?

– Guardi qua.

Spanò si abbassò piegando le ginocchia, senza muoversi.

– Mizzica che munzieddu di polvere.

– A lei che tipo di polvere pare?

L'ispettore esitò, come davanti a un professore di scuola che lo stesse interrogando. Spanò, in che anno fu la Prima guerra d'indipendenza?

– Polvere comune, pare, dottoressa, – azzardò. S'avvicinò meglio, le mani sulle ginocchia piegate. – Macari qualche briciola, se non mi sbaglio.

– E questo che le fa pensare?

Altra botta di incertezza. La so, la so...

Vanina non aspettò la risposta. – Le do un aiuto, guardi là davanti.

Spanò spostò gli occhi un metro piú in là. Un altro munzieddu di polvere, tale e quale a quello. Niente, non ci arrivava.

– Vabbe', Spanò, se no qua notte facciamo: dove si nasconde la polvere che si vuole ammucciare senza perdere tempo a pulire bene?

L'ispettore s'illuminò. – Sotto il tappeto!

– E lei qua vede tappeti?

– No, ma capace che fino a ieri c'era. Questo voleva dire, vero, dottoressa?

– Esattamente.

Marta e Lo Faro entrarono nel soggiorno da una seconda porta che dava in una cucina che a sua volta si apriva in un corridoio.

– La stanza da letto è tutta in disordine. I cassetti sono aperti, l'armadio mezzo svuotato, – comunicò Bonazzoli. – Ah, e la signora Concetta aveva ragione: il monsignore non aveva mangiato le polpette. Sono ancora nella pentola, pronte per essere scaldate.

Vanina si infilò le mani in tasca. – Vabbe', picciotti, usciamo di qua ed evitiamo di lasciare altre tracce, che quelli della Scientifica poi se la prendono con noi.

– Li chiamo io, dottoressa? – propose Spanò.

– Sí, mi faccia 'sta cortesia, ispettore. E dica a Pappalardo di chiamarmi quando è qui vicino, che gli do un paio di indicazioni.

Tornò verso l'ingresso, telefono in mano e sigaretta spenta tra le labbra. Bonazzoli e Lo Faro la seguirono.

– Ce ne andiamo? – chiese Marta.

Vanina stava cercando un numero in rubrica. Rispose senza alzare gli occhi.

– Tutti qua facciamo solo confusione, e non serviamo a granché. Ma qualcuno deve restare per non richiudere la casa, – avviò la chiamata e attese. Era occupato. – Lo Faro, te la senti di restare tu da solo ad aspettare la Scientifica? – chiese.

Il ragazzo s'illuminò. – Certo che me la sento, cap… dottoressa! – tirò fuori la pistola.

La Guarrasi lo guardò desolata. – A chi devi sparare, Lo Faro? Al fantasma del monsignore che torna a casa per mangiare le polpette?

Il ragazzo s'imbarazzò. – No, volevo solo sistemare meglio la pistola, – sorrise. – Io sono della scuola sua, dottoressa.

– E sarebbe?

– Lei… è sempre armata.

Vanina lo guardò storto che piú storto non poteva. Vedi tu che ora doveva passare per la giustiziera sempre armata. Del resto, come faceva a spiegare a un Lo Faro che la sua pistola onnipresente non serviva a sparare a destra e a manca in stile John Wayne, ma ad assicurarle che semmai qualcuno si fosse trovato sotto tiro davanti ai suoi occhi lei sarebbe stata in grado di difenderlo? Com'era successo con Paolo, quattro anni prima. E come non era potuto succedere con suo padre, quando s'era ritrovata ad assistere inerme al suo omicidio. Piccola e disarmata.

– La mia scuola dice che devi solo fare il tuo lavoro per bene, senza scimmiottare nessuno. Neppure me. Soprattutto quando non sai di cosa stai parlando. Vai dritto per la tua strada e vedrai che prima o poi mi chiamerai capo pure tu.

Lo Faro annuí, lo sguardo incerto di chi non sa se è stato redarguito o se gli è stato dato un consiglio. Nel dubbio, evitò di parlare.

Riapparve Spanò mentre Vanina stava facendo ripartire la chiamata. Si fermò un attimo.

– Ispettore, giri un poco qui intorno e veda se per pura fortuna c'è qualche telecamera nelle vicinanze. Che ne so: una farmacia, o uno sportello bancario. Poi cerchi di scoprire chi abita nelle due case accanto e chieda se per caso hanno visto qualcuno entrare nel portone del monsignore, se hanno sentito trambusto, sí, insomma, tutto il repertorio di domande che conosce meglio di me. Appena arrivano quelli della Scientifica Lo Faro la raggiunge e le dà una mano, – si voltò verso l'agente, – capito, Lo Faro?

– Tutto chiaro, dottoressa.

– Io e Bonazzoli ce ne andiamo in ufficio. Vi mando Fragapane con un'auto di servizio. Tanto, il tempo che voi sbrigate tutto il lavoro, lui riesce ad arrivare –. Non aggiunse «a dieci all'ora», ma lo pensarono tutti.

Avviò la chiamata mentre scendeva la rampa di scale con la Bonazzoli al seguito. Era appena uscita dal portone quando il pm Vassalli le rispose.

Il commissario Patanè s'era pentito di essersene tornato a casa mentre la Guarrasi faceva visita all'arcivescovo.
Tra il dolorino al fianco che ogni tanto si ripresentava e
la stanchezza della notte quasi insonne che si stava facendo sentire, aveva pensato che un'oretta di riposo l'avrebbe rimesso in sesto. Per sicurezza, da Nino aveva evitato
di appesantirsi. Si era limitato a una fetta di pesce spada
arrosto e un piattino di fagiolini e patate bollite. Niente dolce. S'era sparato una sigaretta, quella sí, che tanto
con le cose di stomaco non c'entrava niente. Aveva messo
piede in casa che stava morendo dal sonno, ma il dolorino per il momento era sparito. S'era messo sulla poltrona
reclinabile che quel buontempone del nipote di Angelina
aveva regalato agli zii anziani per Natale, e tempo un minuto s'era addormentato.

E ora era lí, a guardare intontito l'orologio che segnava le 19.30. Quattro ore di sonno s'era fatto, altro che
un'oretta. A giudicare dal plaid e dall'inclinazione della
poltrona, era evidente che Angelina doveva averci messo mano.

Il commissario si alzò e controllò il telefono che aveva
lasciato acceso, «'nsamai c'erano novità», e s'accorse che
era in modalità silenziosa. Sul display c'erano delle telefonate, ma appena lo toccò sparirono.

– Angilina! – sbraitò.

La donna comparve sulla porta, una cesta piena di bian-
cheria tra le braccia.

– Che c'è, Gino? Non ti senti bonu? – fece, allarmata.

Patanè la guardò male. – Chi lo toccò il tasto della suoneria?

– Iu lo toccai. Te lo misi silenzioso, prima che qualcheduno ti svegliava.

– E a ttia chi te lo disse che non volevo svegliarmi?

– E cu mi l'av'a diri, Gino! Ti visti ca dormivi e pinsai che era meglio non disturbarti. Nun è ca ci vole assai!

– E invece il telefonino mi sirveva acceso. Aspittava notizie importanti.

La donna appoggiò la cesta sul tavolo. Piantò le mani sui fianchi.

– 'N'autra vota, Gino? All'età tua?

– Ma 'n'autra vota che cosa?

– Talia le telefonate e viri a che cosa mi riferisco.

Patanè cercò tra le chiamate ricevute: tre erano della Guarrasi. Risalivano a mezz'ora prima.

Alzò gli occhi su Angelina, pronto a sdilliriare, e vide che lo guardava soddisfatta.

Niente, davanti a certe fissazioni, l'unica era evitare di rispondere.

Voltò le spalle a sua moglie e richiamò la Guarrasi.

9.

Alle otto e mezzo di sera tutta la squadra era tornata alla base. Compresi Spanò e Lo Faro, nonostante la guida di Fragapane. L'ispettore capo, già che c'era, aveva approfittato per fare visita al vescovo di Acireale. Anche lui era annichilito di fronte a quella morte assurda. Anche lui aveva descritto Murgo come un sacerdote dai grandi meriti, e come una persona amabile, che nella vita sua aveva fatto solo del bene.

Nell'ufficio della Guarrasi s'era creato quello che la Bonazzoli chiamava il *nebbiún*. Il fumo delle Gauloises di Vanina piú quello delle Marlboro di Spanò, con l'aggiunta finale dell'Antico Toscano del primo dirigente Tito Macchia che, di fronte a quella conclamata violazione delle regole, s'era lasciato andare e aveva acceso mezzo sigaro. Una nebbia che manco nelle zone sue in pieno inverno. Marta aveva preferito ritirarsi nella stanza dei carusi e portarsi avanti col rapporto da scrivere.

Il Grande Capo s'era piazzato come sempre sulla poltrona della sua vice che, come sempre, aveva emesso dei cigolii sinistri. Spanò l'aveva già dovuta sistemare piú volte, ma appena quel gigante barbuto ci si abbandonava sopra era di nuovo punto e accapo.

Macchia stava facendo il punto della situazione prima di levare le tende e rifugiarsi nella casetta fronte mare, affacciata sul porticciolo di San Giovanni li Cuti, in cui la Bonazzoli l'aveva accolto ormai in pianta stabile.

– In poche parole: abbiamo due cadaveri, uccisi con la stessa modalità ma in luoghi e in momenti diversi, fatti ritrovare insieme nella cappella di famiglia di uno dei due. Non abbiamo la piú pallida idea di che legame ci sia tra queste morti ma sappiamo dove sono state uccise le vittime. Potremmo iniziare da lí?

Vanina, spodestata dalla sua postazione abituale, si era accomodata su una sedia a lato della scrivania.

– Ci stiamo lavorando. Considera però che uno è un albergo chiuso, in ristrutturazione e privo di qualunque sistema di sorveglianza, e l'altro è l'unico appartamento di un edificio in cui viveva solo la vittima. Speriamo che Pappalardo trovi qualche cosa di concreto.

– L'idea che l'assassino possa aver usato un tappeto per portare via il cadavere del monsignore non è campata in aria.

– No. Anzi, è pure troppo scontata.

– Forzuto doveva essere, questo tizio, per caricarsi due cadaveri e trasportarli di qua e di là.

– E questo farebbe escludere che si tratti di una donna. A meno che non siamo di fronte a una culturista.

Tito annuí. – Concordo. Piuttosto: la gente che avete sentito finora, ha un alibi?

– Ma chi? Il marito della Leonardi e la sorella del monsignore?

– Perché ti stupisci? Non sarebbe né la prima né l'ultima volta che un delitto matura all'interno di una famiglia.

– Senz'altro, – replicò Vanina, – però qua le famiglie sarebbero due, e tra loro non si conoscono nemmeno. E oltretutto un alibi ce l'hanno entrambi.

Marco Di Girolamo la notte in cui la ex moglie era sparita era rimasto a casa con i figli e la baby sitter, che aveva
confermato. Quanto a Concetta Murgo, nelle ore in cui il
fratello veniva ammazzato ospitava a cena una coppia di
vicini con cui aveva condiviso le famose polpette, che doveva aver cucinato in gran quantità.

– Quando interrogherai i compagni di scuola della Leonardi? – Tito si dondolò sulla poltrona, che oltre al solito cigolio emise un *crack* inquietante. Il primo dirigente
lo ignorò.

– Domani mattina. Insieme al sagrestano della chiesa
di Sant'Oliva, – rispose la Guarrasi.

– Vediamo un po' questi che ci raccontano.

– Speriamo ci diano qualche aiuto in piú di quello che
ci stanno fornendo i telefoni delle vittime. Quello della
Leonardi, ovunque sia stato gettato, è staccato dalla notte
dell'omicidio. Quello di Murgo è a casa sua sotto carica.

– L'avete trovato voi?

– L'ha trovato Pappalardo, ma non credo che ci sarà
utile. Era appoggiato su un ripiano della cucina. È abbastanza chiaro che l'assassino non l'ha toccato, quindi
non ci saranno impronte se non quelle del proprietario.
Dai tabulati pare che non telefonasse granché. Vediamo
se esce qualcosa di utile dai messaggi, ma non mi farei
troppe illusioni.

– I computer?

Vanina girò la domanda a Marta, che era appena rientrata col rapporto in mano.

– Nunnari sta già lavorando su quello della Leonardi,
un MacBook Air nuovo modello. Spanò e Lo Faro l'hanno prelevato in casa della dottoressa, prima di tornare
in ufficio. Il figlio maggiore ci ha fornito le password.
In casa c'è anche un computer fisso, ma sempre il figlio

piú grande ha comunicato che tanto, essendo due Mac, sono collegati tramite iCloud. Quello che c'è in uno c'è anche nell'altro.

– Sveglio, 'o guaglione. Quanti anni ha?

– Nove.

Macchia bloccò il dondolamento. – Nove? – fece, stupito.

– Nemmeno compiuti, a quanto pare.

Tito scosse il capo. – Inutile, non abbiamo scampo, Guarra'.

– In che senso?

– Che piú il mondo si digitalizza, piú questi ci seppelliscono.

– Questi chi sarebbero, i ragazzini?

– E chi se no?

Vanina, da quel punto di vista, si sentiva già abbondantemente seppellita. Vero che un MacBook ce l'aveva pure lei, ma non andava oltre le funzioni base.

– Il monsignore? Digitalizzato anche lui? – chiese Macchia.

– Non direi. L'unico computer che hanno trovato è un portatile un po' datato. Era sulla sua scrivania. Ci sarà da combattere un poco perché è protetto da password, ma Nunnari di solito ce la fa.

Macchia batté i palmi sui braccioli. – Vabbuo', andiamocene a casa, – si alzò. Cappotto extra large e borsa erano appoggiati sul divanetto.

– Aspetta, – lo fermò Marta, nonostante la presenza di Spanò, – vado a prendere la mia roba, spengo il computer e arrivo.

Tito la guardò meravigliato, quasi si emozionò. Scambiò uno sguardo d'intesa con Vanina, che occultò una risata in un mezzo sorriso. Bonazzoli finalmente aveva capitolato: fidanzata ufficiale del capo.

Preso dall'euforia, Tito si abbandonò di nuovo sulla poltrona con tutto il suo peso. Fu questione di un attimo: quello che per mesi Vanina aveva temuto accadde davanti ai suoi occhi, inesorabile.

– Madunnuzza, 'n terra finí! – gridò Spanò, precipitandosi sul primo dirigente Macchia che bestemmiava in lingua partenopea tra le macerie di quella che era stata la poltrona della Guarrasi.

Vanina riuscí a entrare in casa alle 22 passate. Stavolta non aveva potuto schivare una sosta da Bettina con tanto di intrattenimento familiare e presentazioni ufficiali. Suo figlio, sua nuora, i nipoti. Gente gradevolissima, perfino simpatica, se non hai quattordici ore di lavoro sulle spalle e una pistola appizzata sulle costole di cui non puoi liberarti finché non sei in casa tua. La fermata, però, aveva avuto il suo risvolto positivo: una porzione abbondante di ravioli di ricotta conditi col sugo di carne e una, altrettanto abbondante, di tonno *a cipuddata*. Piú la torta paradiso per la colazione. Una manna dal cielo, come sempre provvidenziale considerato che la *putía*, sua principale fonte di approvvigionamento, aveva già chiuso prima che lei potesse passarci per rimediare la cena. Se come al solito la vicina non si fosse premurata di preparare «per caso» cibo per un commensale in piú, a Vanina sarebbe toccato cucinarsi qualcosa da sola con risultati che era un eufemismo definire pessimi. Pur di non rischiare sarebbe finita a latte e biscotti.

E invece. Tre minuti di microonde, un po' di quel vino rosso che Federico le aveva messo in macchina all'ultimo minuto, e il ben di Dio di Bettina era pronto per essere onorato a dovere. Manco la tavola s'era apparecchiata.

Divorò tutto seduta sul divano grigio, usando il tavolino basso come piano d'appoggio, un occhio ai messaggi sul telefono e l'altro alla televisione: un film ambientato in un futuro che se mai fosse stato reale era cosa da non dormirci la notte. Giuli voleva conto e ragione del perché non s'era ancora fatta sentire. Le rispose che l'avrebbe richiamata l'indomani. Sua madre, invece, chiedeva già se il caso fosse a buon punto. Vanina faticò a risponderle senza mortificare le sue speranze, e si mantenne sul vago.

Concluse la cena con un'arancia, anche quella di provenienza Calderaro, e andò a scegliersi un film. Tirò fuori la lista che andava aggiornando a ogni nuova acquisizione. Collezione «Sicilia»? No, quella sera no. Andò per attori: Gassman, Tognazzi, Mastroianni, Loren... Ecco: Mastroianni piú Loren. *Matrimonio all'italiana* o *Una giornata particolare*? Mentre decideva, squillò il telefono.

Rispose subito alla Bonazzoli che le aveva promesso di darle notizie di Tito.

– Marta, come va?

– Abbastanza bene, tutto sommato. È un po' dolorante, ma poteva andare peggio. Ha avuto la prontezza di aggrapparsi alla scrivania, e questo ha frenato un po' la caduta.

– Lo convincesti a farsi controllare?

– Certo. L'ho portato perfino al pronto soccorso. Niente di grave, ma ha rischiato una lesione del sacro.

Vanina rabbrividí all'idea.

Quattro persone c'erano volute, per disincastrare il capo e aiutarlo a tirarsi su. La fortuna aveva voluto che fosse abbastanza vicino al tavolo da poterlo afferrare almeno finché il peso eccessivo non lo aveva trascinato giú. Certo, c'era andata di mezzo una lampada, e una pila di carte che Vanina doveva ancora firmare era finita sotto la scrivania insieme a Macchia, ma per lo meno si era evitato il peggio.

– Se domani vuoi rimanere a casa per stargli vicino non preoccuparti, – propose d'impulso.

Marta rise.

– Perché, secondo te domani Tito resterà a casa?

Anche Vanina sorrise.

Chiuse e tornò a concentrarsi sui film. Tanto, di materiale su cui arrovellarsi l'indagine non ne aveva ancora fornito. E siccome di amminchiarsi sui pensieri suoi non ne aveva nessuna voglia, meglio impiegare il tempo e la mente in qualcosa di piacevole.

Scelse *Una giornata particolare*. Sophia Loren/Antonietta aveva appena avvistato alla finestra di fronte Marcello Mastroianni/Gabriele, quando il telefono squillò di nuovo.

Vanina fissò il display per tre squilli prima di rispondere.

Paolo Malfitano se n'era andato all'Addaura. Le temperature non erano piú compatibili con un villino in riva al mare dotato di un solo caminetto come riscaldamento, ma lui aveva rinnovato ugualmente il contratto d'affitto. Alla luce di com'era andato il concorso, aveva fatto bene. Quella casa aveva il potere di rasserenarlo. Le modifiche apportate dai proprietari nel periodo in cui lui non ci aveva piú messo piede avevano alterato un po' l'atmosfera, ma per fortuna non erano state abbastanza radicali da contaminarla del tutto. Bastava poco per riportarla indietro di qualche anno, avendone la facoltà. Cosí Paolo aveva fatto ciò su cui meditava da un mese: aveva chiamato la proprietaria del villino e le aveva proposto di venderglielo. Con sua grande sorpresa, la signora non s'era mostrata contraria. Anzi, gli aveva chiesto di vedersi all'anno nuovo per discuterne di persona. Stravaccato sul divano dell'unica stanza riscaldata, aveva riflettuto sulle parole che Vanina gli aveva scritto la sera prima, pensando allo scorcio fuori dalla finestra del villino, un'immagine che lei si portava sempre appresso come salvaschermo. La scogliera frastagliata, il mare che tutto il giorno era stato incerto sulla direzione da prendere e nel dubbio aveva continuato a sbatterle contro da ogni lato. Anche in quel momento, in piena notte, bastava aprire la finestra per sentirlo infrangersi sulle rocce.

Mare d'inverno.

Senza nemmeno accorgersene si era ritrovato il telefono tra le mani, il numero già pronto. Pochi secondi per decidere se rinunciare o avviare la chiamata, infischiandosene delle solite richieste che Vanina, resettando giorni e notti passati insieme, aveva avanzato l'ultima volta che si erano visti a Palermo. Due minuti e *zac*: di nuovo al punto di partenza.

Paolo aveva scelto di infischiarsene.

Vanina riuscí a trascinarsi sul letto alle due. Il film, che aveva visto fino all'ultima scena, non era bastato a distrarla dalla telefonata di Paolo, ma quantomeno l'aveva costretta a non pensarci per le due ore successive. Alla scena finale con Marcello Mastroianni portato via dalla milizia s'era perfino addormentata. S'era svegliata di soprassalto sul divano venti minuti piú tardi, conscia di aver abbandonato un sogno terrificante di cui, però, non ricordava nulla. La stanchezza era tale che le gambe le parevano due macigni, e gli occhi stentavano a restare aperti. Per non giocarsi la chance di riaddormentarsi subito, evitò di passare dal bagno e s'infilò il pigiama a occhi chiusi. Tempo cinque minuti sprofondò in un sonno piombigno e, per fortuna, senza sogni.

Alle 4.42 del mattino, il telefono la svegliò con la violenza di una bomba aerea. Vanina lo portò all'orecchio dopo aver fissato il numero, sconosciuto.

Rispose con un tono a metà tra il sorpreso e l'irritato.

– Dottoressa Guarrasi? – sussurrò una voce femminile.

– Sono io. Con chi parlo?

– Mi perdoni se la disturbo, sono Serenella De Rosa.

Vanina cercò di ricordare dove aveva sentito quel nome. La donna le venne in aiuto. – La madre di Maria Giulia.

Ecco dove l'aveva sentito. Mentre biascicava un «Buongiorno, signora» che piú impastato non poteva essere, il terrore che alla sua amica fosse accaduto qualcosa di brutto la svegliò del tutto. – Che succede? Giuli sta bene?

– Non proprio.

Vanina si drizzò sul letto.

– Oddio, che è successo?

– Due ore fa ci ha chiamato dicendo che si sentiva male. Abbiamo fatto appena in tempo a raggiungerla e portarla in ospedale.

– In ospedale? Quale ospedale?

– Al Santo Bambino.

Arrivò in ospedale alle 5. La madre di Giuli le aveva assicurato che entrare non sarebbe stato un problema, ma se fosse stato necessario Vanina era disposta a usare persino il distintivo. L'amica aveva chiesto esplicitamente di vederla, e non era nemmeno difficile capire il perché. Nessuno al di fuori di lei sapeva che Giuli era incinta. Nessuno sapeva quanto delicata fosse la situazione in cui l'avvocata s'era andata a cacciare.

Luca Zammataro, compagno decennale di Adriano Calí, era l'uomo di cui Giuli era innamorata da anni. Complice un eccesso di alcolici, bevuti in un locale del centro

di Roma dove s'erano incontrati per caso due mesi prima, avevano trascorso una notte insieme. Un errore, di
cui lei stessa s'era pentita subito. Dopotutto Adriano era
uno dei suoi piú cari amici, e lui e Luca erano una delle
coppie piú unite in circolazione. Quando aveva scoperto la gravidanza, aveva avuto la consapevolezza che una
notizia come quella avrebbe sfasciato tutto: amori, amicizie, vite intere. Era entrata in crisi. Dopo una prima
reazione di rifiuto, però, a poco a poco aveva iniziato a
cambiare idea. Anzi, l'ultima volta che ne aveva parlato con Vanina, prima di Natale, Giuli sembrava perfino
cominciare ad apprezzare l'idea di un figlio. «Ho quarant'anni e non ho una relazione stabile. Capace che poi
non mi ricapita piú!» aveva scherzato. Anche sul fatto che
il picciriddo – picciridda era meglio, ma casomai pazienza
– non avrebbe mai avuto un padre, aveva iniziato a fare
dell'ironia. «In America le donne che vogliono un figlio
lo fanno pure senza bisogno di cercarsi un uomo, – aveva aggiunto. – Facciamo conto che io viva a New York».
   Adesso, purtroppo, il picciriddo l'aveva perso.
   A Vanina non fu necessario esibire nessun distintivo.
Maria Giulia De Rosa, secondo il suo stile, s'era piazzata
in una stanza a pagamento dove non esistevano restrizio-
ni di orari.
   La signora Serenella, una copia di Giuli piú bionda e piú
agé, le venne incontro. Un incrocio tra Catherine Spaak
e Sylva Koscina in abiti moderni. La accompagnò nella
stanza 3 e la lasciò lí.
   Giuli era in penombra. Appena la sentí entrare si voltò.
   – Vani! Scusami, ti ho buttato giú dal letto.
   Vanina si sedette accanto a lei.
   – Chi cumminasti?
   Giuli si strinse nelle spalle.

– Che ne so. È successo all'improvviso, manco me ne
sono resa conto.

– Ora come stai?

– Di merda, – borbottò. Era evidente che non si riferiva al malessere fisico.

Vanina non seppe che dire. Quel genere di situazioni la
lasciavano sempre a corto di commenti. Forse perché era
pressoché impossibile trovare le parole giuste, e parlare
tanto per parlare non era cosa per lei.

Andò sul concreto, che era meglio. Se l'amica aveva chiesto di vederla, doveva esserci un motivo. Quello
della spalla su cui piangere non era in linea col carattere di Giuli.

– Che posso fare per aiutarti?

Giuli drizzò le spalle, recuperò la solita espressione ri-
soluta.

– Due cose, Vani. Scusa se te le chiedo, ma puoi farle
solo tu.

– Dimmi.

– Devi andare a casa mia e far sparire tutto quello che
ho comprato in questi giorni: seggiolone, carrozzina, ve-
stitini…

Vanina la guardò sbalordita. – Giuli! In cinque giorni
tutte 'ste cose accattasti?

L'amica fece un sorriso amaro. – La scimunita che sono,
vero? Capace che me la tirai da sola la sfiga. Mia nonna
diceva che prima del terzo mese non si compra manco un
calzino. Vedi tu che aveva ragione lei.

Vanina la rimproverò con gli occhi.

– Non dire minchiate, non ti tirasti niente. Succede e
basta. Piuttosto spiegami di preciso che devo fare.

– Devi togliere di mezzo tutto. Non deve restare niente.
Quando rientro in casa voglio trovarci solo quello che c'è

sempre stato. Fai sparire pure libri, giornali, tutto quello
che parla di gravidanza.

– Ho capito. E l'altra cosa?

– Quale altra cosa?

– Hai detto che dovevo fare due cose. La prima è sgom-
brarti la casa, la seconda?

Giuli si batté la mano sulla fronte. – Certo, la seconda! – Con aria cospiratrice le fece segno di avvicinarsi.
– Il medico di guardia che mi ha assistito stanotte era
Pietro Pancrazio, – si fermò e guardò Vanina, che non
sembrava particolarmente colpita dalla notizia. – Hai
capito chi è?

– Non proprio.

– Il collega di Adriano, quello con cui si divideva il sonno all'università.

– Il Pietro con cui studiava?

– Lui.

– Ah. E allora?

– Come «E allora»!

– Voglio dire, qual è il problema? Che potrebbe fare
questo Pietro?

Giuli si stupí della domanda. – Per esempio raccontarlo
a Adriano? – suggerí.

Vanina scosse la testa.

– Ma che fa', babbii? Un medico è tenuto al segreto
professionale.

– Vani, un medico quando si trova a parlare con un altro medico capace che al segreto professionale non ci pensa
piú, e io non voglio che Adriano sappia questa cosa. Devi
dirgli di non parlarne con nessuno. Per piacere, Vani! –
era accorata. Evidentemente quel pensiero la faceva stare
talmente male da prendere il sopravvento.

– Non vuoi che lo sappia Luca, casomai, – corresse Vanina. – Ti scanti che possa venirgli qualche sospetto?

Giuli non rispose, ma era ovvio che fosse cosí.

Alla luce di quanto accaduto, tenerlo all'oscuro era stata la decisione piú saggia.

Vanina si alzò in piedi. – Amuní, dimmi dove sono le chiavi di casa tua.

Alle 7 Vanina aveva portato a termine i suoi compiti. Aveva scovato il dottor Pietro Pancrazio che, da persona seria qual era, aveva liquidato la questione prima ancora che Vanina finisse di argomentarla. Era andata a casa di Giuli e aveva sbaraccato la stanzetta degli ospiti, dove l'avvocata aveva depositato tutto quello che il suo shopping compulsivo l'aveva spinta a comprare negli ultimi giorni. In totale: una sorta di passeggino dal design avveniristico, della stessa marca della sedia ergonomica dondolante che Marta Bonazzoli teneva alla sua scrivania, con seggiolone analogo. Uno sterilizzatore, due copertine, quattro lenzuolini, tre completi da neonato che chissà quanto le erano costati. E poi libri e giornali sulla gravidanza a tignitè. Vanina aveva fatto due viaggi, riempito il bagagliaio della Mini e parte del sedile posteriore. Giuli non le aveva detto cosa fare di quella roba, e non le parve il caso di chiamarla per domandarglielo. L'unica era portarsela a casa e chiedere asilo a Bettina, che spazio ne aveva assai.

Arrivò a Santo Stefano alle 7.30. Aprí il cancelletto di ferro e diede un'occhiata in giardino. La vicina era lí, avvolta nel solito piumino modello donnina Michelin, che innaffiava con i due gatti alle calcagna.

Vanina salí la rampa di scale col primo carico in mano e Bettina le venne subito incontro, meravigliata.

– Vannina, ma lei già fuori era?

– Purtroppo sí, – rispose, depositando in cortile un sacchetto col logo del miglior negozio per bambini di Catania, pieno di masserizie di ogni tipo che la vicina occhieggiò con curiosità. Quando Vanina tornò indietro col terzo e ultimo carico, la trovò che fissava il seggiolone perplessa.

– Ma chi su 'sti 'mmarazzi per picciriddi? – chiese Bettina, con la faccia di chi non osa chiedere di piú ma ha già il film in testa.

A scanso di equivoci Vanina mise subito le mani avanti.

– Sono di Giuli.

La vicina sorrise. Come aveva fatto a non pensarci subito? Del resto, che l'amica della dottoressa Guarrasi fosse incinta, Bettina l'aveva sgamato in cinque minuti l'ultima volta che le aveva offerto il suo ineffabile vino e gazzosa e l'avvocata aveva rifiutato optando per la gazzosa sola.

– Bettina, ho bisogno del suo aiuto: devo riporre questa roba da qualche parte.

La vicina non la fece finire di parlare.

– E che problema c'è? Stanze vuote ne ho macari troppe! Trasisse.

La accompagnò in una cameretta inutilizzata, con un vecchio tavolo da cucina come unico pezzo d'arredamento. Vanina recuperò gli 'mmarazzi e li depositò lí.

Bettina rise. – Tutti 'sti regali ci accattò, all'amica sua?

Vanina la guardò senza rispondere, scosse la testa.

La vicina sul principio rimase interdetta, poi a poco a poco capí. Si rabbuiò. Inutile, aveva settant'anni piú che passati, ma ancora certe storture della vita non aveva imparato ad accettarle.

– Mi raccomando, deve rimanere un segreto, – disse Vanina.

Bettina annuí, rimase in silenzio finché Vanina non ebbe richiuso la porta della stanzetta. La riaccompagnò in giardino.

– Mi dispiace assai.

Lo diceva col cuore.

10

Il commissario Patanè si sentiva rinato. Dieci ore di sonno s'era fatto, cose che manco cinquant'anni prima, nel pieno della giovinezza. Il dolorino al fianco era sparito e la fame gli era tornata, piú lupigna di prima. Forse ogni tanto, all'età sua, una giornata di stenti serviva? Il ricordo del semolino che Angelina gli aveva propinato la sera prima cacciò via subito quell'idea malsana. Per esorcizzare la mala iurnata precedente e per festeggiare il recupero della perfetta forma fisica, si vestí di tutto punto, si andò ad assittare al solito bar e si fece fuori una raviola di ricotta e un caffè. Il geometra Bellia era ancora latitante, e non rispondeva al telefono, il che non deponeva bene. Anche al ragioniere Sferlazza, altro storico compagno di giocate a carte, la cosa non quadrava per niente. Ma Patanè quella mattina non aveva voglia di angustiarsi. L'unica sua aspirazione era aspettare che arrivasse l'ora per poter andare a piazzarsi felicemente nell'ufficio della Guarrasi, che gli aveva presentato preciso invito a farlo tutte le volte che voleva. Tanto oramai nessuno si stupiva piú di vederlo assistere a interrogatori, o partecipare a riunioni di squadra, sopralluoghi e macari arresti.

Cincischiò fino alle 9. Lesse la «Gazzetta Siciliana» dalla prima all'ultima pagina, necrologi compresi, con particolare attenzione alla cronaca nera dove si parlava del ritrovamento dei due cadaveri al cimitero di Santo Stefano. Le fotografie della dottoressa Azzurra Leonardi e di monsignor Antonino Murgo prendevano un quarto di pagina. Patanè rimase a guardarle per cinque minuti buoni. Com'era che quelle due facce messe vicine gli parevano cosí ben assortite?

Vanina varcò il portone della Mobile quando tutta la squadra era già in piena attività. Né piú né meno di quello che succedeva quotidianamente, quando il suo ritardo era dovuto a una sveglia ignorata o disattivata nel sonno. A nessuno parve strano, perciò, vederla percorrere il corridoio alle 9 passate. Neppure a Macchia, che bloccato sulla sua poltrona monumentale – quella sí adatta alla sua stazza – a tutto pensava tranne che ai ritardi della Guarrasi.

Passo sostenuto, Persol ancora sul naso e cartoccio del *Bar Santo Stefano* in mano, Vanina raggiunse il suo ufficio e si chiuse dentro. Manco il tempo di scartare il pacchetto che Spanò aveva già bussato e s'era infilato attraverso la metà funzionante della porta. Al primo sorso di cappuccino era comparsa Marta, e a battezzare il cornetto Nunnari e Fragapane. Si piazzarono intorno a lei, muti, ognuno con dei fogli in mano.

– Picciotti, stranguglio mi fece 'sta colazione, – sbottò la Guarrasi, fissandoli dal basso della poltroncina di fortuna rimediata la sera prima in un ufficio vacante della Narcotici. La scrivania sembrava piú alta di dieci centimetri.

– Ci scusi, capo, se vuole torniamo piú tardi, – fece Spanò.

Vanina lo guardò storto. – Manco fosse la prima volta, – fece segno a tutti di accomodarsi, – sedetevi, almeno, che se no mi pare di essere un pesce rosso con i picciriddi intorno che lo taliano mentre mangia.

Si sparpagliarono per la stanza. Spanò e Marta sulle sedie di fronte a lei, Nunnari in piedi in un angolo, Fragapane sul divanetto.

La Guarrasi indicò Spanò. – Forza, ispettore, inizi lei.

– Ieri sera cenai con mio cugino Peppuzzo, che di mestiere fa l'operatore del 118 e alla dottoressa Leonardi l'accanusceva bene. Doveva vedere come s'angustiò quando gli dissi che era morta! A chiangiri si mise, – si fermò, per sottolineare la drammaticità.

– Non ne dubito, Spanò. Vogliamo andare avanti? – Vanina finí il cappuccino e si accese una sigaretta.

– Certo, capo. Perciò: Azzurra Leonardi era una dottoressa di chidde serie. Mai una distrazione, mai uno sbaglio. Una capace di accollarsi macari lavoro che non le competeva pur di non perdere tempo prezioso. Di carattere era un poco pizzuta, e non sempre andava d'accordo coi colleghi o con gli infermieri. Peppuzzo un paio di volte ha assistito a telefonate della dottoressa col marito e, a quanto pare, era pizzuta assai macari con lui. Solo una volta, ma mio cugino non si ricorda quanto tempo fa, la sgamarono che parlava al telefono con un tono che manco pareva lei. Zucchero e miele, va'. Con chi parlasse restò un mistero glorioso. Due cose, però, Peppuzzo disse che erano sicure. Primo: non parlava col marito, perché due minuti prima gli aveva riattaccato il telefono in faccia in malo modo. Secunnu: chiunque fosse, doveva essere uno con cui la dottoressa era in confidenza. Ma in confidenza assai, non so se mi spiego.

– Perciò aveva un brutto carattere, – concluse Vanina. Manfredi non era stato cosí categorico, ma magari con lui non aveva mai avuto motivo di inalberarsi.

– Con i pazientucci e con i genitori, però, era sempre gentile, – precisò Spanò.

– E probabilmente aveva una relazione con qualcuno...
o con qualcuna. Altro?

– No, questo per il momento è tutto.

– Grazie, Spanò. Marta, tu che mi conti?

La Bonazzoli aveva un fascio di fogli in mano.

– Ho cercato informazioni sugli ex compagni di classe
che la Leonardi aveva incontrato quella sera alla festa. Cosí
saprai già qualcosa sulle persone che interrogherai –. Le
passò il materiale raccolto. Venti nomi, venti professioni,
venti stati di famiglia, venti liste di «precedenti penali» che
andavano dallo zero assoluto di Ilaria Gilardo, la padrona
della casa in cui si era tenuta la rimpatriata, alla multa per
eccesso di velocità di Umberto Mammana, commerciante.
Solo uno, tale Liborio Bullà, era piú compromesso: all'età
di diciannove anni, nel corso di una rissa fuori da una discoteca, aveva sputato addosso a un carabiniere.

– Nunnari, novità dai computer? – chiese Vanina.

– Niente. La dottoressa lo usava assai. Navigava su Internet, taliava serie tv, accattava cose e soprattutto prepa-
rava conferenze. Mi lessi le mail, ma notizie interessanti
non ne trovai.

– E quello del monsignore?

– Ancora non arriniscii a sbloccarlo. Piú tardi, se non
riesco io, chiedo a un amico mio della Postale.

– Sui tabulati telefonici abbiamo novità?

Fragapane si fece avanti. – Mi segnai tutti i nomi delle
persone con cui la Leonardi e 'u parrinu avevano parlato negli ultimi giorni. Glieli scrissi sopra i numeri stessi.

Vanina sorrise per l'appellativo «parrinu». Se l'avesse
sentito Vassalli sarebbe svenuto all'istante.

– Monsignore, – lo corresse. Prese in mano i tabulati
che Fragapane le porgeva. Le ricordavano il suo libro di
greco, con gli appunti scritti a matita rigo per rigo per cer-

care di memorizzare il minimo indispensabile. Un caos in cui alla fine non capiva piú niente lei stessa. Per fortuna il vicesovrintendente era uno ordinato e i nomi si leggevano perfettamente. La sera prima di morire la Leonardi aveva ricevuto varie telefonate. L'ultima persona con cui aveva parlato era Teresa Marini, l'infermiera del reparto di Pediatria d'urgenza. La telefonata risultava in entrata, era durata quattro minuti e mezzo ed era finita alle 23.07.

– Marta, vai all'ospedale Vittorio Emanuele e fatti due chiacchiere con questa Marini. Per aver chiamato la Leonardi alle undici di sera doveva avere un motivo importante. Un'urgenza magari. Cerchiamo di capire se, una volta uscita dalla festa, Azzurra non avesse in mente di passare dall'ospedale. Almeno capiamo che direzione prese.

La Bonazzoli annuí. – Ah, riguardo alla macchina della Leonardi, una squadra sta scandagliando tutte le strade tra Nicolosi e Ragalna. Ma capirai: è come cercare un ago in un pagliaio.

Vanina allargò le braccia. Alla possibilità di ritrovare la macchina in tempi brevi non aveva mai creduto. Anzi, sapeva benissimo che se occultata a dovere un'auto poteva pure sparire per sempre.

Tornò su Fragapane. – Notizie dalla Scientifica ne abbiamo? L'amico suo Pappalardo niente le disse? – La sera prima, nel trambusto della caduta di Macchia, s'era scordata di informarsi.

– Disse che si sarebbe fatto sentire stamattina, il tempo di lavorare un poco sopra a quello che trovò e preparare i campioni da mandare subito a Palermo per l'analisi del Dna.

– Chi camurría, – fece Spanò, le mani incrociate davanti alla panza, che durante le feste di Natale era aumentata di volume e debordava piú del solito dalla cintura dei jeans.

La Guarrasi lo guardò interrogativa. – Che cosa, Spanò?

– Il tempo che si perde cu tutti 'sti spostamenti. Per un tinto esame del Dna, duecento chilometri ad andare e duecento a tornare.

– Certo ca 'u signuruzzo dà il pane a cu nunn'avi i denti! – Si voltarono tutti verso la mezza porta aperta, da cui proveniva il commento. Il commissario Patanè se ne stava sull'uscio, cappello ancora in testa e mani dietro la schiena. Dritto e sorridente. – L'avessi avute io tutte 'ste mavaríe scientifiche, fino a Roma glieli avrei portati i reperti da analizzare!

Vanina rise mentre Spanò lo aiutava a togliersi il cappotto.

Patanè entrò e si fermò a metà della stanza.

– Dottoressa, ma unni s'assittò? – indicava perplesso la poltroncina della Guarrasi.

Vanina evitò di affondare il coltello nella piaga di Marta, che ogni cinque minuti guardava verso la porta di Tito con aria preoccupata.

– Storia lunga, commissario, – allungò il braccio e afferrò la sedia alla sua destra. – Venga a sedersi accanto a me.

Patanè capí che non era cosa di insistere. S'accomodò.

Adriano Calí aprí la mezza porta e si fermò a studiare l'altra metà, che restava immobile.

– E che fu? Si scassò?

– Cosí pare, – rispose Vanina.

Il medico entrò riempiendo l'ufficio del suo profumo, una fragranza introvabile in Italia che gli spediva un amico parigino, *naso* di mestiere. E che fece subito a pugni con le sigarette che la Guarrasi, Spanò e Patanè s'erano accesi appena la Bonazzoli aveva abbandonato il campo assieme a Nunnari e a Fragapane.

Cappotto smilzo con interno imbottito, basco griffato che nell'intenzione dello stilista doveva simboleggiare la coppola del nonno siculo ma nel risultato finale non le somigliava manco da lontano, pantaloni con il risvolto e stivaletti Church's bordeaux.

– Buongiorno a tutti!

Afferrò una sedia e si piazzò accanto a Spanò.

– Guarrasi, ma che ti tagliarono il piede della poltrona?

Vanina lo guardò storto. Patanè annuí vistosamente, come a dire «lo notai anch'io», i due si scambiarono un'occhiata complice. L'unico a fingere indifferenza era Spanò, che sotto il baffone se la rideva come non aveva potuto fare la sera prima.

– Va bene, ve lo conto, – cedette Vanina. Tanto Marta a quel punto doveva essere già in moto, sulla strada per l'ospedale Vittorio Emanuele, e Tito non si muoveva dalla sua stanza. Raccontò la scena e l'ispettore diede il suo contributo. La reazione fu prevedibile.

Al quinto minuto consecutivo di sghignazzamenti, la Guarrasi si mise d'autorità.

– Perciò! La vogliamo finire?

Patanè, Spanò e Calí si asciugarono le lacrime.

– Scusi, capo, – fece l'ispettore, abortendo la risata nel naso con un rumore gracchiante.

Vanina scosse la testa.

– Ma vedi tu 'sti tre!

Fissò Adriano come se lo volesse congelare.

– Calí, non dovevi darmi notizie dell'autopsia?

Quando l'aveva chiamata, due ore prima, Vanina era ancora sotto la doccia, reduce dalla spedizione in casa di Giuli. Tanto s'era compenetrata nel dramma della sua amica, che il nome di Adriano tra le telefonate perse sul momento l'aveva fatta sobbalzare. L'aveva richiamata lui prima ancora che lo facesse lei. Aveva finito con le due autopsie a notte inoltrata, troppo tardi pure per una nottambula come Vanina, perciò aveva aspettato la mattina per chiamarla.

– Cominciamo da Azzurra Leonardi, – partí Adriano. – Confermo che è morta nella notte tra il 26 e il 27, l'orario preciso scordatelo perché è impossibile risalirci. Però aveva ancora residui di cibo nello stomaco, quindi non doveva essere troppo tardi. Aveva varie ecchimosi, anche sul volto. La causa del decesso è stata lo strangolamento, eseguito con le mani. Ho trovato frammenti di cute frammisti a tracce ematiche sotto le unghie.

– Quindi l'assassino dovrebbe avere ancora addosso i graffi, – lo interruppe Vanina.

– Di sicuro al momento ce li avrà ancora. Se passa troppo tempo si cicatrizzano, ma abbiamo comunque il suo Dna. E non solo da lí.

– Che vuoi dire?

– Che prima di morire la Leonardi ha avuto un rapporto sessuale.

– Una violenza?

– Non direi.

Vanina rifletté sulla cosa. – Col suo assassino? – chiese, piú a sé stessa che a Calí.

– E che ne so io, questo lo devi scoprire tu. Però, se i frammenti di cute sotto le unghie corrispondono al liquido seminale, è probabile che sia cosí.

Patanè corrugò la fronte, si grattò il mento, meditativo.

– Cosa non le quadra, commissario? – chiese Vanina.

– Ma chi ni sacciu... Mi pare strano assai che uno ammazzi una donna che... insomma va': che c'è stata. Di solito i bastardi che ammazzano le donne lo fanno perché hanno detto di no. Non so se mi spiegai.

– Si spiegò benissimo. E infatti non quadra neanche a me, – fece Vanina.

Adriano proseguí. – Sulla Leonardi non c'è altro da dire. Ah, sí: aveva bevuto. E non poco.

– Questo non mi stupisce, – replicò Vanina. – Era reduce da una festa.

– Ben oltre il consentito, se doveva guidare.

– Perché, i tuoi amici mondani si pongono problemi a spararsi quattro Mojiti se devono guidare dopo una delle tante feste a cui partecipano?

– Figurati! Chiedi alla nostra De Rosa quanti Cosmopolitan si fa fuori in una serata, – scherzò Adriano. – Anche se ultimamente non drinka piú granché. Dice che ha la gastrite. Tu ne sai qualcosa?

– Francamente non ci ho fatto caso. Torniamo alla Leonardi? – divagò Vanina. Un verme si sentiva, nei confronti di Adriano. Ma che avrebbe dovuto fare? Riferirgli che il suo compagno l'aveva tradito, e per di piú con una donna? E magari aggiungere che la donna era una delle sue migliori amiche e che era pure rimasta incinta? Avrebbe chiuso con entrambi: lui e Giuli. Per un fatto che non la riguardava avrebbe perso i due amici piú importanti che aveva.

– Con la Leonardi ho finito. Passiamo a monsignor Murgo. La causa della morte è la stessa: è stato strangolato, anche in questo caso con le mani. Tutte le fratture che ha sono sicuramente post mortem, perché non c'è l'infarcimento emorragico dei tessuti molli e dei muscoli. Due sono costali, piú una al livello del cranio occipitale.

– Anche quella del cranio post mortem.

– Assolutamente sí. La dura madre è integra e non è iniettata di sangue.

Vanina scambiò un'occhiata con Spanò, poi con Patanè.

– Perciò è plausibile che sia stato trascinato giú per le scale.

– Sí.

– Questo significa che l'assassino non se lo caricò in braccio, – ragionò Patanè.

– Lo trascinò, avvolto nel tappeto ma con la testa che usciva, – continuò Vanina.

– Oppure era un tappeto di chiddi leggeri, come si chiamano?

– Kilim, – suggerí Spanò. Una cultura s'era fatto appresso a Rosy, la sua ex moglie, che era fissata. Ora quei tappeti arredavano la casa dell'avvocato Enzo Greco.

Vanina annuí.

– Tu che dici, Adri?

– Che scoprire come fu e come non fu non è competenza mia.

– Minchia, Calí, quanto sei camurriuso!

Patanè e Spanò sorrisero.

Adriano alzò la mano, palmo in su. – Parla idda!

La prima a presentarsi nell'ufficio della Guarrasi, in leggero anticipo, come a voler fare da battistrada ai suoi amici, fu Ilaria Gilardo. Quarant'anni, non alta, capelli scuri lisci a caschetto, orecchini di perle, lineamenti regolari ma senza tratti particolarmente attraenti. Professione: dirigente scolastica; stato civile: vedova. Niente figli.

Guardava con curiosità il commissario Patanè. Vanina, come al solito, lo presentò come un suo collaboratore. E come al solito lo vide ridere con gli occhi.

– Azzurra l'altra sera è arrivata per ultima, si figuri che avevamo già messo la carne sul barbecue. Disse di aver avuto un'urgenza in ospedale. Fu una degli ultimi ad andarsene. A mezzanotte eravamo rimasti in quattro, –

sorrise, – fece la battuta che eravamo tutti single, perché tanto non avevamo nessuno a cui dare conto. Nel suo caso era cosí, nel mio invece... – si rabbuiò. – Ma questo non c'entra nulla.

– Lei è vedova?

La donna rimase spiazzata – Sí. Lei come lo sa?

Vanina sorrise e allargò le braccia.

– Certo, che sciocca che sono! Immagino abbiate preso informazioni su di me.

– Senta, dottoressa Gilardo, per caso ricorda se Azzurra fece cenno al fatto di dover tornare in ospedale, una volta uscita da casa sua?

La donna rifletté sulla domanda scuotendo la testa lentamente, come chi sa già la risposta.

– Non mi pare proprio. C'era già stata prima di venire da me.

– E quando se ne andò era sola?

– Sí: sola arrivò e sola ripartí. Un paio di amici si offrirono di scortarla fino a casa, ma lei rifiutò categoricamente. Li prese in giro, disse che si sapeva difendere, – fece un sorriso amaro, – e invece... povera Azzurra.

– Che tipo era, la dottoressa Leonardi?

– Mah, sa, non la frequentavo da tanti anni. A scuola era una leader.

– In che senso?

– Una che primeggiava in tutto. Ottimi voti, sempre vestita alla moda, stuoli di ragazzi che le correvano dietro. L'ha mai vista... viva?

– Soltanto in foto.

– Bella, vero?

– Bella, sí. E con i ragazzi come si comportava?

– E come si comportava? – Ilaria sorrise. – Cosí!

– Cosí come?

– Cosí: giocava. E alla fine della fiera non si metteva con nessuno. Alcuni dicevano che aveva un fidanzato, ma che lo teneva segreto. Secondo me non si voleva legare.

– E dopo il liceo non la frequentò piú?

– No. Ognuno prese la sua strada. Alle rimpatriate precedenti Azzurra non venne mai.

Vanina percepí una nota di ironia.

– Perciò l'altra sera era la prima volta? – tirò fuori una sigaretta e la sollevò, come a chiedere se dava fastidio. La Gilardo fece segno che non c'era problema.

– Sí, era la prima volta, – rispose.

– E come mai?

La donna alzò le spalle.

Gli altri sedici (qualcuno era già fuori Catania per il Capodanno) si presentarono alla Mobile tutti insieme. Nunnari li fece entrare nella sala d'attesa al piano terra e li accompagnò su due alla volta, uno nell'ufficio della Guarrasi e uno in quello di Spanò.

Tre degli otto che interrogò Vanina, due donne e un uomo, non avevano passato con Azzurra Leonardi nemmeno dieci minuti. O almeno, cosí dicevano. Si erano salutati, perfino baciati e abbracciati, ma la conversazione era finita lí. Erano arrivati presto e se n'erano andati presto.

Due, invece, erano nel gruppo di quelli rimasti fino a tardi.

Bullà Liborio, l'unico «pregiudicato» della situazione, e Ortone Vincenzo. Erano quelli che avevano proposto ad Azzurra di scortarla fino a casa.

– Azzurra cosí era, pure a sedici anni, – fece Bullà. Capelli rasati a zero per nascondere la calvizie, maglione girocollo aderente sul petto palestrato. Altezza imponente.

Volto irregolare, ma non sgradevole. – Sazio non ne dava
a nessuno. Confidenza solo se lo decideva lei. D'altronde,
se lo poteva permettere.

– E con chi era piú in confidenza?

– Tra quelli presenti l'altra sera?

– Ovvio, signor Bullà.

– Certo, scusi. Mah, alcuni non li aveva mai taliati manco da lontano, – un sorrisetto idiota gli si dipinse in faccia. – Con me una volta ebbe pure una storia, – comunicò, compiaciuto.

A Vanina venne voglia di pigliarlo a male parole. Indurí lo sguardo.

– Interessante, – fece, asciutta.

– In che... senso? – balbettò Bullà.

La Guarrasi si limitò a scrutarlo in silenzio, finché non
vide la prima perla di sudore sul cranio rasato.

Lo mandò via solo dopo avergli fatto confessare che
quella sera con Azzurra Leonardi ci aveva provato.

Vincenzo Ortone, di professione fisico nucleare ricerca-
tore all'Università di Catania, era l'esatto opposto dell'ex
compagno di scuola. Chierica con riporto, occhiali sul naso, ingoffato in un maglione di due taglie piú grande con
sotto una camicia che gli stava larga sul collo. Pareva dieci anni piú vecchio dell'età che aveva. Il Fabris del film
Compagni di scuola, tanto per rimanere in tema.

Con lui Azzurra Leonardi non aveva avuto una storia,
ma erano stati compagni di banco per metà dell'ultimo
anno. Dopo la maturità non si erano piú rivisti. Alla festa
erano stati a chiacchierare parecchio.

– Le raccontò qualcosa della sua vita? – chiese Vanina.

– Mi disse solo che era separata e che aveva due figli.
Piú che altro lei parlò del suo lavoro e io del mio.

– Ha ricevuto telefonate, mentre eravate insieme?

– Qualche telefonata la ricevette. Ora che ci penso, alla prima rispose ma staccò subito. Le successive, addirittura, le rifiutò.

– E lei non ricorda se si trattava di un uomo o di una donna?

Quello scosse la testa.

Dopo di lui fu la volta di Valentina Fiscetto. Un metro e novanta, bionda, capello corto. Faccia simpatica. Ex pallavolista di professione e allenatrice di una squadra locale. Con la Leonardi, quella sera, aveva condiviso una canzone al karaoke e la poltrona durante la proiezione dei filmati.

– Dottoressa Guarrasi, posso dirle come la penso?

– Deve.

– Non credo che scoprirà niente su Azzurra interrogando noi. A parte Ilaria Gilardo e Stefania Tuma, che sono amiche da sempre, gli altri non si vedevano da vent'anni. Non ti metti certo a raccontare i fatti tuoi a gente che non vedi da cosí tanto. Abbiamo passato una bella serata, ci siamo divertiti, abbiamo rievocato i tempi del liceo. Poi ognuno a casa sua. Se anche questa rimpatriata fosse servita per riallacciare vecchie amicizie tra ex compagni, di sicuro Azzurra non sarebbe stata tra questi.

– Perché ne è cosí sicura?

Valentina esitò. La guardò negli occhi. – Devo essere sincera?

– Se non vuole che la incrimini per falsa testimonianza, – scherzò Vanina. Quella donna le piaceva. Sguardo limpido, modi spicci.

La Fiscetto sorrise. – Allora non ho scelta! – Tornò seria. – Azzurra non avrebbe mai riallacciato vecchie amicizie per il semplice motivo che non gliene fregava niente. Come non gliene fregava niente quand'eravamo a scuola.

Non si confidava con nessuno. L'unico con cui ogni tanto parlava era il povero Ortone.

– Perché povero?

– Perché la adorava, mentre lei lo sfruttava solo per farsi passare i compiti di matematica.

– Il signor Ortone era un secchione?

Valentina meditò sulla risposta. – Non direi un secchione. Un genio, piuttosto, soprattutto in Matematica e in Fisica. Infatti s'è scelto la facoltà che s'è scelto.

– E Azzurra si confidava con lui?

– Confidava! Non esageriamo. Diciamo che qualcosa ogni tanto gli raccontava. Gliel'ho detto: Azzurra i fatti suoi non li faceva sapere a nessuno. Manco il diario teneva.

– Cioè non aveva un diario scolastico?

– Dottoressa, noi secondo me siamo coetanee, giusto?

– Giusto.

– Lei se lo ricorda a cosa serviva il diario?

Eccome se se lo ricordava. La sua Smemoranda piena di fotografie, frasi, pensieri a volte anche intimi. A diciassette anni il concetto di privacy era molto relativo.

– Certo.

– Ecco, Azzurra per principio non lo teneva. Diceva che tanto non serviva a nulla, che se una cosa non può essere nascosta tanto vale raccontarla, invece di scriverla su un diario, mentre se deve rimanere segreta, allora il diario è l'ultimo posto dove andrebbe scritta.

– Molto concreta.

Valentina non commentò, ma parlava con gli occhi.

– Perciò se Azzurra avesse avuto storie con qualcuno della classe, nessuno l'avrebbe mai saputo, – concluse Vanina.

– Trazze con ragazzi? Ma quelle le sapevamo. Erano babbiate, e Azzurra ne parlava. Storie serie però non gliene ho sentite raccontare mai.

– E come mai?

Valentina sorrise.

– Vale lo stesso ragionamento del diario.

Vanina e Spanò finirono gli interrogatori in contemporanea verso l'ora di pranzo.

Gli ultimi due ex compagni della Leonardi che la Guarrasi aveva sentito insieme a Patanè non avevano granché da dire. L'unica notizia utile era arrivata in seconda battuta dal Bullà, che era rientrato da lei appena tutti se n'erano andati per riferire un dettaglio di cui s'era ricordato. La Leonardi era partita da Nicolosi che era già in riserva. Se poteva interessare, a parere del Bullà, per prima cosa era passata da un distributore.

Uscendo per andare da Nino, con Spanò e Patanè al seguito, Vanina s'affacciò nella stanza dei carusi.

– Lo Faro? – chiamò.

L'agente emerse dalla montagna di scartoffie dietro cui era seppellito. Si alzò in piedi.

– Qua sono, dottoressa.

– Che sono tutte 'ste carte?

– Cose da firmare, me le diede il dottore Macchia per riordinarle. Veda che ce ne sono pure per lei, dottoressa.

– Ca pazienza, che dobbiamo fare. Pranzasti?

Lo Faro annuí con convinzione. – Un panino mangiai, assieme a Fragapane. Con la frittata. L'ha preparato Finuzza, sua moglie. Buonissimo era.

– Me ne compiaccio. Ora però stammi a sentire: prenditi una macchina e sali a Nicolosi. Parti dalla casa di Ilaria Gilardo e fermati in tutti i distributori di benzina della zona. Vedi se hanno telecamere di sicurezza e casomai fatti dare i filmati.

– Va bene, dottoressa. Ci devo andare da solo?

– No, con Fragapane. Ora lo avverto io.

Passò nell'ufficio dei veterani e aggiornò il vicesovrintendente.

– Attenzione a quello che combina Lo Faro, – si raccomandò.

– Stassi tranquilla, dottoressa, ca 'ddu caruso sta migliorando assai –. Fragapane aveva preso Lo Faro sotto la sua ala protettiva, e ora iniziava a vedere i risultati.

– Lo so. Ma un occhio in piú non guasta.

– Chistu mai!

Lungo il corridoio incontrarono Marta, piena di sacchetti di carta.

– Ora stai tornando dal Vittorio Emanuele? – fece Vanina.

– No, sono rientrata piú di un'ora fa, ma tu stavi interrogando tutte quelle persone. Ne ho approfittato per andare a prendere qualcosa da mangiare per Tito che si muove con difficoltà.

Patanè scosse il capo, dispiaciuto.

– Ma viri tu per una fissariata che può succedere!

Vanina sbirciò nei sacchetti. A occhio, parevano provenire da un ristorante vegano in cui la poliziotta l'aveva portata una volta, e dove bisognava ammettere che non si mangiava affatto male. Lo stesso in cui una volta Nunnari, sempre portato lí da Marta, aveva rischiato lo shock anafilattico perché ignorava di essere allergico alla soia.

– Ma non era meglio una porzione di pasta al forno, che quel mischino si deve tirare su il morale? – obiettò.

– C'è anche la pasta al forno, – assicurò Marta. Vegana ma c'era.

– Vabbe'. Piuttosto, che ti disse l'infermiera sulla telefonata? – chiese Vanina.

– Niente di che. Ha sentito la Leonardi per via di un bambino ricoverato. Mi ha raccontato altri dettagli sulla dottoressa.

– Cose che possono aspettare o devo ritardare il pranzo?

– Assolutamente roba che può aspettare.

– Ti disse se la Leonardi era passata in reparto quella sera?

– No, la Leonardi aveva smontato alle 14 e non s'era piú vista.

Vanina se l'aspettava.

– E perciò all'amica sua, la Gilardo, 'a dottoressa ci cuntò 'na fissaria, – commentò Patanè appena salirono in macchina. Spanò aveva insistito per prendere un'auto di servizio, anche se a quell'ora dalle parti di Nino trovare parcheggio era come vincere un terno al lotto.

– È altamente probabile, commissario.

– Ora però bisogna scoprire unni si nn'iu prima di apprisintarsi alla festa, – ragionò Patanè.

– Dove non è difficile, basta tracciare la cella a cui era agganciato il suo telefono a quell'ora. Resta da capire che fece –. Stava per chiamare Nunnari quando il cellulare squillò.

Era Pappalardo.

– A lei sto aspettando, da stamattina. Dove si perse?

– Mi scusi, dottoressa, ma non sa che s'inventò il dottore Manenti stamattina. Tutto il laboratorio mi fece smontare.

– E Muzio, niente disse?

– Il dottore Muzio oggi non c'è. È a Palermo.

E quella cosa fitusa di Manenti subito se n'era approfittato.

Pappalardo proseguí: – Dovetti aspettare che se ne andasse per mettere mano al rapporto. Intanto volevo anticiparle qualche cosa. Posso parlare?

Spanò aveva appena trovato un posto e stava parcheggiando, tra gli applausi di Patanè. – Pappalardo, ha pranzato? – fece Vanina.

– Ma quale, dottoressa! Manco un minuto mi fermai.

– Allora la invito io, ci raggiunga da Nino –. Il sovrintendente capo non se lo fece ripetere.

Il solito tavolo era occupato. Nino gliene preparò uno appartato nella sala accanto, quella cui si accedeva da una scaletta interna.

Si sedettero, e nell'attesa che arrivasse il quarto si buttarono su due sfilatini di quel pane casereccio magnifico che Nino andava a prendere chissà dove.

Vanina si allontanò un momento per chiamare Giuli. Dopo l'ultimo messaggio di quella mattina, in cui le diceva di aver eseguito tutto alla lettera, non s'era piú informata su come stava. Uscí in strada, cosí nel frattempo poteva accendersi una sigaretta.

Giuli non rispondeva. Vanina si preoccupò, riprovò. Al terzo tentativo l'avvocata rispose. La voce impastata dal sonno.

– Oh, Vani. Avevo tolto la suoneria e m'ero addormentata.

– Come stai?

– Fisicamente bene.

– E complessivamente?

Giuli non rispose subito. – Boh, – disse.

– Io sono appresso a un caso, ma mi raccomando se hai bisogno chiama.

– Non ti preoccupare, non c'è problema.

Vanina la salutò.

– Vani? – la richiamò Giuli.

– Dimmi.

– Hai visto Adriano?

– Sí.

– Non sa niente, vero?

– Ma come potrebbe mai saperlo, Giuli! Stai tranquilla. L'unica cosa che lo preoccupa è la tua gastrite che ti impedisce di bere alcolici, – sdrammatizzò Vanina.

– Tanto ormai m'è finita –. Voleva essere un commento scherzoso, ma la voce era triste.

Pappalardo si abbandonò sulla sedia, esausto. Mentre ordinavano recuperò il tempo perduto dando fondo alle immancabili olive portate da Nino.

Patanè, per festeggiare il ritrovato benessere, ordinò involtini di carne e caponata, come Vanina. Partí verso la sala d'ingresso, dov'era il bancone degli antipasti, e tornò con due piatti pieni. Parmigiana, zucchine gratinate, peperoni fritti. Se li divisero facendosi fuori felicemente altri due sfilatini di pane casereccio. Peccato solo non poterci bere sopra un vino di quelli giusti.

– Allora, dottoressa, intanto le dico le cose piú importanti, – attaccò Pappalardo. – Nella cappella dei Murgo non c'era niente di rilevante. Gli oggetti che erano stati messi intorno ai cadaveri, a mo' di altarino, non presentavano impronte. Perciò l'assassino, o chi assemblò tutta la scenografia, lavorò coi guanti. La serratura della cappella è stata scassinata, ma anche lí non ci sono impronte. Sul vialetto c'erano tracce di pneumatici, ma purtroppo si sono confuse con quelle del mezzo usato dal custode.

– Buco nell'acqua totale, – concluse Vanina.

– Parrebbe cosí. Però ci rifacciamo con quello che trovammo in casa del monsignore.

– Ohhh, ogni tanto una buona notizia.

Dovettero aspettare che Nino li servisse e si allontanasse, prima di ricominciare.

– Perciò, Pappalardo, c'erano cose interessanti?

L'assistente roteò la forchetta col rigatone alla norma come a dire «a tinchitè».

– Di tutto trovammo, dottoressa: impronte digitali, tazzine usate, mozziconi di sigaretta, un berretto di lana che non penso appartenesse al monsignore. Nei cassetti arriminati non c'era niente di significativo, ma in quel caso l'assassino non usò guanti. Nessuna serratura era stata forzata, invece sul campanello c'era un'impronta bella chiara.

– E questo ci dice due cose, – commentò Vanina, rivolta a Patanè e Spanò. – Primo: il monsignore conosceva l'assassino cosí bene da riceverlo in casa. Secondo: l'assassino ha agito d'istinto, senza badare alle tracce che lasciava. E di conseguenza, terza osservazione...

– 'St'assassino è tanticchia sprovveduto, – l'anticipò Patanè.

Vanina si limitò a confermare con un cenno del capo.

– Senta, Pappalardo, sulle scale che trovò?

L'uomo si rimproverò da solo. – Virissi che mi stavo scordando! – posò la forchetta. – Sulle scale c'erano piccolissime tracce di sangue. Mi ci volle la pazienza di Giobbe per recuperare un campione ma ci riuscii. Ah, e sulla ringhiera c'erano impronte a tinchitè. Ma non sopra, sui laterali. Impronte di una mano intera, come se qualcuno ci si fosse appeso.

– Per esempio per farsi forza mentre trascinava un cadavere?

– Può essere benissimo. Comunque, la prima cosa che faccio appena torno in ufficio è raffrontare le impronte che abbiamo trovato in casa del monsignore con quelle rilevate al *Grand Hotel della Montagna*. I campioni per il Dna feci in tempo a mandarli a Palermo stamattina prima che Manenti cominciasse a sdilliriare che gli strumenti andavano puliti, e poi spostati e poi... vabbe', niente –. Pappalardo non andò oltre, ma Vanina gli lesse in faccia che avrebbe voluto insultarlo, il vicedirigente dei miei coglioni.

– Quanto tempo pensa che ci vorrà per avere i risultati? – gli chiese.

Lui fece spallucce. – E che ne so, dottoressa! Quelli, mischini, fanno del loro meglio per sbrigarsi, ma sono oberati. Lei lo sa meglio di me.

Lo sapeva eccome. Il giorno prima che lei ripartisse per Catania, quelli della Catturandi di Palermo avevano scovato un probabile covo dove il latitante Salvatore Fratta detto Bazzuca, unico superstite a piede libero tra gli assassini di suo padre, doveva aver trascorso qualche giorno. Probabilmente era il nascondiglio in cui il boss s'era rifugiato alcune settimane prima, dopo aver ricevuto la soffiata che aveva vanificato l'azione della Mobile palermitana, ormai sulle sue tracce. La Guarrasi aveva eccezionalmente preso parte a quell'azione, lasciando per quasi un mese il suo lavoro a Catania, ma non era servito a nulla: Fratta era riuscito a fuggire. Tutto il materiale trovato nel nuovo covo appena scoperto ora di sicuro era nelle mani della Scientifica, che ci stava lavorando con il fiato sul collo del vicequestore Corrado Ortès, dirigente della Catturandi nonché capo della squadra blindata addetta alla caccia al latitante.

Vanina sperava con tutta sé stessa che quelli della Scientifica trovassero qualcosa che aiutasse a scovare Fratta e a sbatterlo dentro assieme ai compari che gli avevano tenuto il sacco negli ultimi sei anni – tanto era passato dalla falsa notizia della sua morte, cui Vanina non aveva mai creduto – consentendogli pure di fare carriera. Capomandamento,

era diventato, quel nuddu miscatu cu nnenti che era. Male
doveva essere combinata, cosa nostra palermitana, se una
negghia come Fratta era diventata un pezzo da novanta.

– Dottoressa, si sente bene? – la riscosse Patanè, preoccupato.

– Eh? – gli rispose, confusa. Come aveva fatto a perdersi cosí appresso a quei pensieri?

– Benissimo, grazie, – assicurò.

Pappalardo ripeté quello che Vanina non aveva sentito.

– Stavo dicendo che al limite, se lei reputa, potrebbe
chiamare l'amica sua che lavora alla Scientifica di Palermo. Quella è in gamba assai!

Era in gamba assai, Paola, sí. In gamba e sommersa dal
lavoro fin sopra i capelli. Non le andava di scocciarla ogni
volta con le sue richieste. Eppure, aveva ragione Pappalardo: se le cose fossero andate troppo per le lunghe le sarebbe toccato disturbarla.

La Guarrasi e Patanè s'erano messi comodi e s'erano spazzolati mezza tavoletta di cioccolato a testa. Spanò era nella stanza accanto con Nunnari, a ricostruire il percorso che aveva fatto il telefono della Leonardi prima di fermarsi nella zona di Nicolosi in cui si trovava la casa della Gilardo.

Vanina aveva appena ricevuto la telefonata di Vassalli, agitatissimo dalle pressioni che la Curia aveva iniziato a fargli affinché il caso si risolvesse al più presto. Quello che Vanina chiamava «l'effetto giornali» s'era innescato, e viaggiava a velocità inversamente proporzionale al numero di ore di sonno del pm.

– E se interrogassimo tutti gli operai dell'hotel? Come mai non ha scandagliato quest'ipotesi, dottoressa? – se ne uscí Vassalli.

– Ma dottore, francamente, mi pare assai improbabile che un operaio vada ad ammazzare una persona proprio nel cantiere in cui lavora.

– E invece magari lo fa proprio perché noi non lo riterremmo possibile. Non ci ha pensato?

– Certo, dottore, però… monsignor Murgo col *Grand Hotel* che c'entra?

Il magistrato non seppe rispondere.

Annaspava. E non era un buon segno.

Vanina gli assicurò che avrebbe «scandagliato» anche quell'ipotesi e si sorbí altri dieci minuti di raccomandazioni.

Chiuse il telefono alzando gli occhi al cielo.

– Cose da santiare in aramaico! – sbuffò.

Patanè la capiva, e anche molto bene. Ai tempi in cui era lui a capo della Omicidi, Catania era nel pieno della sua stagione imprenditoriale. Di personaggi che bisognava trattare coi guanti ce n'erano, ma per fortuna raramente il suo campo d'azione li riguardava.

– Commissario, vediamo se ci siamo fatti la stessa idea, – attaccò Vanina, accendendosi una sigaretta. – Secondo me la Leonardi aveva una relazione. Un amico, un amante, qualcuno con cui è stata prima di andare alla festa. Questo spiegherebbe anche un altro particolare, che non torna né a me né a lei.

– Che l'assassino l'ammazzò dopo averci... – Niente, non c'era che fare: certi argomenti al commissario veniva difficile trattarli con una femmina. Pure se la femmina in questione era una sbirra piú sbirra di lui, e non si sognava minimamente di imbarazzarsi manco davanti al piú esplicito dei linguaggi.

– Scopato, – lo aiutò Vanina.

Patanè rimase spiazzato per un attimo, la vide ridersela sotto i baffi e si lasciò andare.

– Mi inibii.

– S'era capito.

Si fecero una risata.

– Mi gioco qualunque cosa che le tracce sotto le unghie della Leonardi non corrisponderanno al liquido seminale, – fece Vanina.

– Macari io.

– Per sí e per no, lavorerei su quest'ipotesi pure senza aspettare i risultati degli esami.

– Ca lavoriamoci. Però qua cose che non quadrano per niente ce ne sono a iosa, – si grattò il mento. – La prima, fondamentale: che ci traseva Azzurra Leonardi con Murgo? Perché se uno vuole analizzare la faccenda partendo dal ritrovamento dei cadaveri, quello principale parrebbe l'omicidio del monsignore, visto e considerato che la cappella era sua. Però a essere ammazzata per prima fu la dottoressa. Seconda cosa: che ci faceva la Leonardi di notte al *Grand Hotel della Montagna* col suo assassino? Dove lo incontrò? E dove finí la sua macchina? Assai sono le questioni, dottoressa.

– Che casino. Oh, ma mai che mi capitasse un'indagine normale!

Patanè sorrise. – E se lei si occupa delle indagini normali, poi quelle piú inturciniate chi le risolve?

– Bella consolazione.

Spanò ricomparve con Nunnari.

– Allora, capo, la faccenda è complessa. Purtroppo il cellulare della Leonardi è stato spento per circa un'ora. Quando si riaccese era quasi a Pedara e poi arrivò a Nicolosi.

– Quindi non sappiamo nel frattempo dove s'è fermata.

– No. C'è un buco di un'ora e passa.

– A meno che non abbia fatto qualche cosa di tracciabile, tipo bancomat, – ipotizzò Nunnari.

L'espressione degli altri tre bocciava da sola l'idea.

– Tu controlla, ma difficile mi pare, – fece Vanina.

Il sovrintendente caracollò verso la porta negli anfibi, che a giudicare dalla rigidità dovevano essere nuovi nuovi e scomodi come scarponi da sci, si mise di profilo e la oltrepassò in apnea. Appena uscí, entrò la Bonazzoli.

Spanò s'era appena seduto.

– Che le parve degli interrogati di oggi, dottoressa? – chiese l'ispettore.

A pranzo Pappalardo aveva polarizzato l'attenzione, e alla fine non avevano avuto modo di parlarne.

Vanina puntò i gomiti e incrociò le mani davanti al mento.

– Mah. Direi che la Leonardi non aveva molta confidenza con gli ex compagni di scuola.

Spanò annuí. – E macari io ho avuto 'st'impressione. Le persone che interrogai conoscevano poco della sua vita privata. Due di loro manco sapevano quanti figli aveva.

– L'unica cosa su cui tutti concordano è che se ne andò da sola e, a quanto pare, doveva fare benzina. Aveva fatto tardi perché prima di arrivare era dovuta passare in ospedale.

Spanò annuí di nuovo, in modo piú vistoso. – E pure quelli che interrogai io dissero la stessa cosa.

Vanina guardò la Bonazzoli, seduta accanto a Spanò. – Però sappiamo che non è cosí, vero, Marta?

– Verissimo, – confermò la ragazza, – l'infermiera con cui ho parlato stamattina ne è certa. Se la Leonardi fosse passata dal reparto, lei l'avrebbe saputo. Tant'è vero che hanno parlato al telefono piú volte, durante la serata, per la terapia di un bambino ricoverato.

– Perciò se la dottoressa si spsterticò a cuntare a tutti 'sta minchiata, scusate il termine, significa che durante quel tempo fici qualche cosa che non si può dire, – ipotizzò Patanè, scambiando un'occhiata con la Guarrasi, che concordò.

– Però scusatemi, quello che è accaduto prima ci interessa poco. A noi serve sapere quello che è successo dopo, casomai, – osservò Marta.

Vanina assentí. – Vero è. Ma è pure vero che dobbiamo cercare di capire perché l'hanno ammazzata. E per farlo dobbiamo infilarci nella sua vita e studiarla, fino a

scoprirne il lato nascosto. La crepa –. Fissò la poliziotta.
– Se una persona viene assassinata, intendo una persona
normale, non un criminale, al novantanove per cento il
movente si trova lí: nel punto opaco, quello che nessuno
conosce. Che si tratti di soldi o di sentimenti, là bisogna
ricercarlo, nella crepa.

Patanè guardava Vanina compiaciuto. Quella picciotta
diceva pari pari le stesse cose che tante volte aveva detto
lui ai suoi uomini. Compreso Spanò, che infatti lo fissava sornione.

Marta rifletté. Del resto, il metodo Guarrasi era sempre quello: scavare nel passato delle vittime per capirne
il presente. Ogni volta finivano appresso a piste vecchie
di decenni.

– Ora contami quello che ti disse l'infermiera, – la esor-
tò Vanina.

– Be', sul principio niente di che. Elogi professionali,
manifestazioni di cordoglio, ma nulla di concreto. Quando ho iniziato a farle domande piú dirette sulla vita privata della Leonardi, però, ho visto che nicchiava. Le ho
ricordato che stava parlando con un ispettore di polizia
che indagava su un omicidio.

– Tecnica sempre efficace, – interruppe Spanò.

Vanina lo zittí con un'occhiata, e con un'altra invitò
Marta a continuare.

– A poco a poco ha iniziato a raccontare che la dottoressa di sicuro aveva una storia, ma doveva trattarsi di
qualcuno al di fuori dell'ospedale perché qualche volta
l'aveva sentita parlarci al telefono e da quello che diceva
si capiva che non potesse essere un collega. Considerato
che la Leonardi era separata, l'infermiera non si era stupita granché. Però, e questo secondo me ci può interessare, nell'ultimo periodo la Leonardi era spesso nervosa.

Riceveva telefonate strane, che certe volte chiudeva subito dopo aver risposto. Si rabbuiava quasi al punto da sembrare spaventata.

– Telefonate minatorie? – ipotizzò Spanò.

Marta alzò le spalle.

– Non lo sappiamo.

La Guarrasi s'era appoggiata allo schienale della mini poltroncina e girava su sé stessa a destra e a sinistra, gomiti sui braccioli, mani sempre incrociate e indici uniti sulle labbra in atteggiamento meditativo. Tra lei, Patanè che si grattava il mento con lo sguardo perso, e Spanò che si arrotolava il baffo con aria assorta, piú che un ufficio di polizia pareva di essere in un pensatoio.

– Nunnari, – chiamò Vanina.

Il sovrintendente arrivò in un lampo infilando la porta dritto per dritto e, di conseguenza, incastrandosi come un gatto pasciuto che cerca di passare tra due sbarre troppo strette. Per uscire da quella situazione forzò l'altra anta che, senza preavviso, si sbloccò proiettandolo sulla scrivania della capa. La lampada di vetro verde, di quelle in auge ai tempi di Patanè, che Spanò le aveva procurato in sostituzione di quella travolta dal Grande Capo, oscillò pericolosamente. Solo i riflessi pronti della Bonazzoli evitarono che finisse pezzi pezzi come la prima.

– Minchia, Nunnari, a calci ti piglio la prossima volta!

– Scusi, capo… lei mi chiamò, io per fare prima… mi scordai che la porta era scassata…

– E la scassasti del tutto.

Spanò cercò di riavvicinare i battenti, ma quello che prima era irrimediabilmente chiuso adesso era altrettanto irrimediabilmente aperto.

– Per lo meno ora ci passiamo tutti, – fece, divertito, accennando alla stanza di Macchia. Poi guardò Marta:
– Scherzo, Bonazzoli.

Vanina batté le mani. – Basta con le cazzate e lavoriamo, forza. Nunnari?

– Agli ordini, capo.

– Piglia i tabulati della Leonardi, seleziona le telefonate in entrata che sono durate pochi secondi e vedi da chi provengono. Fragapane scrisse tutti i nomi.

– Signorsí, capo. E quando ho scoperto chi è che faccio?

– Lo inviti a cena.

Il sovrintendente rimase spiazzato. Non replicò.

– E che ci devi fare, Nunnari? Me lo riferisci, no?

– Ahhh, ho capito! – sorrise, sollevato e ripartí verso la stanza dei carusi.

– Nunnari, – lo chiamò ancora Vanina.

Quello si mise di nuovo sull'attenti.

– Controlla pure la localizzazione del numero la sera in cui la Leonardi è stata ammazzata.

Manfredi Monterreale chiuse la porta dell'ambulatorio dietro l'ultima pazientina della giornata, si lavò le mani e uscí. Attraversò il reparto e salí al piano superiore. Scorse da lontano Nando Rossello, il collega da poco trasferito dal Vittorio Emanuele con cui aveva appuntamento, e lo raggiunse a lunghe falcate. A quell'ora del pomeriggio il corridoio era deserto, ma la faccenda era delicata, ora piú che mai, e non era il caso di renderla pubblica. Monterreale però era amico del vicequestore che si occupava del caso, e Rossello se la stava facendo sotto dalla paura. S'infilarono in una stanza che fungeva da luogo di ricreazione, dove confluiva l'intero reparto in occasioni particolari come compleanni, lauree o specializzazioni da festeggiare, torte ricevute in regalo da condividere. Appena furono dentro, Rossello chiuse la porta a chiave e raccontò a Manfredi quello che da tre notti non lo faceva dormire.

L'agente Lo Faro si fermò davanti all'ufficio, incerto se bussare sullo stipite della porta a vetri, spalancata che pareva divelta, o cercare di farsi vedere prima di entrare.

Tanto perse tempo a pensarsela che non s'accorse della Guarrasi che usciva dalla stanza di Macchia.

– Lo Faro, – lo chiamò.

Il ragazzo si voltò di scatto. – Eccomi, dottoressa.

– Che fai là impalato?

– Stavo per bussare da lei.

– E che ci bussi, – replicò Vanina entrando nel suo ufficio, vuoto, e facendogli segno di seguirla, – non lo vedi che è tutto aperto? – Spalancò i vetri del balconcino e si andò a piazzare sul divanetto. Si accese una sigaretta.

– Ma che è successo alla porta? Non era mezza chiusa?

– Ha subito un trattamento speciale e ora è del tutto aperta.

Il ragazzo non indagò oltre, ma l'espressione era perplessa.

– Ve lo siete fatto il giro dei benzinai?

– Sí, dottoressa. Quelli piú vicini alla zona sono sei. Sette se ne consideriamo un altro un poco piú distante, uscendo da Nicolosi.

– E voi ve li faceste tutti e sette, spero.

– Tutti, dottoressa. Abbiamo recuperato i filmati delle telecamere. Uno solo non le aveva, ma sinceramente mi pare un poco troppo scarso perché la dottoressa ci si fermasse di notte.

– Bravo. Ora passali nel computer e poi vattene a casa. Domani mattina chiedi alla Bonazzoli modello e targa della macchina di Azzurra Leonardi e ti guardi di ognuno l'ora che va da mezzanotte all'una del 27 dicembre. Tutto chiaro?

– Chiarissimo, dottoressa.

– Fragapane dov'è?

– Nel suo ufficio, glielo chiamo?

– E perché? Mi contasti già tutto tu.

All'agente quella manifestazione di fiducia non parve vera. Raggiunse il suo tavolo con le ali ai piedi. La dura realtà gli piombò addosso sotto forma di una montagna di scartoffie.

Patanè se n'era andato da mezz'ora e il report a Macchia era già stato fatto, perciò a Vanina non restava che aspettare la risposta di Nunnari sui tabulati, poi poteva smontare pure lei. Sedersi sul divanetto non era stata una grande idea. Una botta di stanchezza l'aveva assalita di colpo e le aveva ricordato che era in piedi dalle 4.30, per un totale di sole due ore di sonno. Era andata avanti tutta la giornata a cioccolata e caffè, ma adesso era arrivata al limite. Si alzò con fatica e raggiunse l'ufficio dei carusi.

Spanò e Nunnari fissavano il computer in trance.

– Perciò, 'sto nome l'abbiamo trovato? – li spronò.

– Non proprio, dottoressa, – rispose l'ispettore.

– Non ci sono le telefonate brevi?

– Sí, sí, ci sono. Solo che sono tutte fatte da una sim ricaricabile intestata a Brocca Giuseppe.

– Ah, quindi il nome lo sappiamo?

Nunnari si voltò lentamente, guardò Spanò.

– Sí, ma non è il massimo.

Vanina iniziò a innervosirsi.

– Che significa non è il massimo, Spanò? Che ha di strano?

L'ispettore la guardò serio.

– Che è morto, dottoressa. Da due anni.

12

Vanina era ancora seduta sulla scrivania di Nunnari, gli occhi sui tabulati telefonici di Azzurra Leonardi, a ragionare su quella novità. Che non era buona, non era buona per niente. La sim intestata al morto era tipica di un certo ambiente criminale che lei conosceva bene. Inutile, piú cercava di tenersi alla larga dal suo ex campo d'azione, e piú, *di pizzo o di chiatto* – come si diceva a Catania –, quel mondo fangoso le capitava tra i piedi.

Spanò si allisciava il baffo a ritmo cadenzato, scuotendo la testa.

– Secondo me ci deve essere una spiegazione. Chi sacciu, magari un nipote che usa la sim del nonno morto.

– Per fare telefonate minatorie a una che poi viene trovata morta strangolata? – obiettò Vanina. Lei il fetore di mafia lo sentiva forte.

– Ma che ci traseva la dottoressa Leonardi con la mafia?

– Spero niente, ma a me 'sta storia della sim puzza assai. Cerchiamo di approfondire.

– Domani mattina mi consulto con l'ispettore Torre, della Criminalità organizzata, e vediamo se per caso il nome gli dice qualche cosa.

Vanina scese dalla scrivania. Quella scarica di adrenalina aveva neutralizzato la stanchezza. Mentre recuperava giubbotto, sigarette e masserizie varie, squillò il telefono. Temé che fosse Paolo. Non aveva ancora risposto al messaggio che lui le aveva mandato un'ora prima. Con tutto il trambusto di Giuli, poi la giornata di lavoro, non aveva avuto un attimo di tempo per fermarsi a pensare alla novità che le aveva raccontato la sera precedente. L'Addaura, il villino. Il carico di sentimenti che Vanina aveva letto in quell'intenzione l'aveva spiazzata. Era come se Paolo stesse iniziando ad andare avanti senza aspettarla. Come se l'esito dei due concorsi, con la nomina a procuratore aggiunto a Palermo, avesse smosso qualcosa e ora lui non avesse piú nulla da attendere per rimettere in piedi anche la sua vita privata. E la cosa la spaventava non poco.

Non era Paolo, era Manfredi Monterreale. Capace che aveva raggranellato altre informazioni su Azzurra Leonardi.

– Ehi dottore, che mi conti?

La voce che sentí non era la solita, allegra. E non era nemmeno quella finta sostenuta di un paio di giorni prima. Era grave.

– Vanina, scusami se te lo chiedo, potresti raggiungermi al Policlinico?

– Certo. Ma perché, che fu? – si preoccupò.

– C'è una persona che deve raccontarti una cosa.

– Una cosa importante per l'indagine?

– Direi di sí. Però… vieni sola.

Vanina s'infilò il giubbotto con una mano, sempre con una mano si sistemò la fondina.

– Arrivo –. Uscí dall'ufficio senza manco tentare di chiudere la porta. Tanto di corsa andava che finí quasi addosso al Grande Capo, che si scansò con difficoltà.

– Guarra', all'anima… – si autolimitò Tito.

Se la prima scarica di adrenalina aveva neutralizzato parte della stanchezza, la seconda l'aveva rimessa in piedi

alla grande. Certo, alla fine l'avrebbe scontata tutta, ma
per dormire c'era tempo.

Salire al Policlinico a quell'ora era un po' come navigare
lungo un fiume in piena. Scooter, minicar, auto strombazzanti, bus urbani. La città già era dinamica di suo, in piú
le feste natalizie: dire che in giro c'era tutta la popolazio-
ne di Catania e dintorni era riduttivo. Imitò la Bonazzoli
e consultò Google Maps.

La via piú veloce era quella che passava per viale Vittorio Veneto per poi svoltare a sinistra e percorrere un lungo
tratto di circonvallazione a passo d'uomo. Si rassegnò e si
accese una sigaretta. Non aveva voglia di canzoni, perciò
selezionò un concerto per violino che le aveva mandato
per Natale il maestro Tommaso Escher, un'amicizia preziosa nata da un'indagine di qualche mese prima, che l'a-
veva portata addirittura al Conservatorio di Santa Cecilia,
a Roma. Brahms, Paganini e Bach.

La musica la aiutò a passare il tempo finché non raggiunse il cancello principale del Policlinico.

– La Pediatria? – s'informò con l'usciere, piazzato accanto al cancello.

– Che deve fare? – chiese l'uomo, tra lo scocciato e il
diffidente.

– Mi aspetta il dottor Monterreale.

– Qui dentro possono entrare solo i dipendenti, il parcheggio per gli esterni è piú avanti, – le fece segno di arretrare.

Vanina guardò il piazzale davanti, completamente vuoto.

– Non penso ci siano problemi di parcheggio a quest'o-
ra, – obiettò. Ci mancava pure che per andare a interrogare una persona le toccasse farsi un chilometro a piedi,
al buio.

– Non può entrare lo stesso, – rispose quello, continuando a indicarle l'uscita senza manco guardarla in faccia.

Vanina non replicò piú. In effetti, le regole sono regole. E le eccezioni pure. Tirò fuori il tesserino e glielo mise davanti agli occhi.

– Vicequestore Giovanna Guarrasi, squadra Mobile.

– E lo poteva dire prima! – Le indicò il padiglione.

Vanina partí scuotendo la testa. Ma vedi tu. Lasciò l'auto davanti all'ingresso. Per sicurezza mise sul cruscotto, in bella vista, una paletta marchiata Polizia di Stato che si ritrovava nel cassettino laterale.

Girò mezzo padiglione, salendo e scendendo da una parte e dall'altra, finché un ausiliario gentilissimo, mosso a compassione, non la guidò fino all'ambulatorio di Monterreale, che si trovava dalla parte opposta rispetto al pianerottolo deserto dov'era finita lei.

Manfredi le andò incontro, si abbracciarono come facevano sempre.

L'altro medico s'era alzato in piedi. Le tese la mano.

– Ferdinando Rossello. Grazie di essere venuta, dottoressa. Forse sarebbe stato piú corretto che venissi io in questura, ma...

– Non si preoccupi, non c'è problema, – tagliò corto Vanina.

Si sedette su una delle due sedie di formica, davanti all'uomo, mentre Manfredi si appollaiò su un lettino lí accanto.

Incrociò le braccia. – Allora, mi dica.

Quello si schiarí la voce. – Dunque, dottoressa, circa un anno fa arrivò in pronto soccorso al Vittorio una bambina di tre anni, in condizioni gravissime. Pressoché morta. Si era sporta da un balcone ed era precipitata. Codice rosso, precedenza assoluta. Io e Azzurra, che eravamo di guardia, cercammo di fare il possibile – e pure l'impossibile, mi creda – per rianimarla... ma fu inutile. La bambina morí

quasi subito. Aveva traumi alla testa, al torace, fratture
scomposte ed esposte... le risparmio i dettagli, dottoressa.
Era evidente che nessuno avrebbe potuto salvarla. Evidente per tutti, tranne che per i genitori...

– Che se la presero con lei e con la dottoressa Leonardi, – lo anticipò Vanina.

– Esatto. Io subii un'aggressione in piena regola, con
tanto di mani alzate e minacce fisiche, Azzurra invece
ebbe uno scontro verbale. Ovviamente ci denunciarono.

Vanina lo fermò: – Non risultano procedimenti penali
a carico di Azzurra Leonardi.

– Infatti non ce ne sono. Il giudice ha disposto l'archi-
viazione.

– E i genitori non si sono opposti? – chiese Vanina. Una
domanda retorica.

Rossello esibí un sorriso stanco. – Certo che si sono opposti. C'è stata anche una specie di udienza. Ma responsa-
bilità a carico mio o di Azzurra non ne potevano emergere
manco a cercarle col lanternino.

– Le credo, – concluse Vanina.

Nando tirò un respiro sofferto.

– La decisione del giudice risale a circa dieci giorni fa.
Da allora per me e per Azzurra iniziò l'incubo.

La Guarrasi non si stupí. Dove stesse andando a parare
il discorso l'aveva capito subito. Se lei era là, significava
che il procedimento era chiuso per la giustizia ufficiale, ma
non per quella personale dei parenti coinvolti. E infatti.

– Come andò? – gli chiese.

– L'intera famiglia della bambina si scatenò, compresi
zii e cugini. Ogni giorno Azzurra e io ci ritrovavamo qualcuno fuori dall'ospedale che ci insultava. Proprio il giorno
di Natale poi iniziarono le minacce, le telefonate minatorie.
Azzurra ricevette anche intimidazioni a sfondo sessuale.

Ci spaventammo, soprattutto per i nostri figli. Piú volte siamo stati sul punto di denunciare la cosa. E quando in reparto si sparse la voce che Azzurra era scomparsa... – si fermò, si mise una mano davanti agli occhi. – Mi scusi, dottoressa, è che non dormo da giorni.

– Perché non ci ha avvertiti subito?

– Perché... perché una delle minacce piú frequenti diceva di non azzardarci ad avvertire gli sbirri, scusi il termine ma quello usavano. Persone pericolose sono, dottoressa.

Vanina lo guardò negli occhi. Un aleggiante odore di fogna aveva iniziato a diffondersi.

– Dottore Rossello, come si chiamano i genitori della bambina?

Il medico esitò un momento.

– Il padre si chiama Vizzino, la madre... Zinna.

Il tanfo saturò l'aria.

– Capisco, – fece Vanina.

– È gente di San Cristoforo, credo che siano legati...

Vanina lo zittí con gli occhi.

– Dottore Rossello, ho detto che capisco.

Nando si lasciò andare sulla spalliera della sedia, come uno che si è tolto un peso e ora è esausto.

– Senta... – attaccò Vanina, e istintivamente tirò fuori una sigaretta.

Manfredi la guardò male.

– Oh, scusate –. Se la tenne comunque tra le dita, spenta. Le serviva per concentrarsi. Riprese: – Volevo chiederle: in questi due giorni è successo qualcosa?

– In che senso?

– In seguito alla scomparsa di Azzurra ha notato dei cambiamenti? Le telefonate minatorie, le minacce, sono continuate o si sono fermate?

L'uomo ci pensò. - Il primo giorno mi hanno chiamato, e ieri sera pure. Oggi no.

- L'ultima volta che ha sentito la sua collega, lei le ha raccontato di minacce particolarmente violente?

- Quelle a sfondo sessuale, gliel'ho detto.

- E quando fu?

Rossello chiuse gli occhi come per ricordare meglio. - E quando fu... - ci rifletté, - o a Natale o a Santo Stefano.

- Era il padre, il Vizzino, a fare le telefonate ad Azzurra?

Nando scosse la testa, fece un sorriso sghembo.

- No, dottoressa. Vizzino dopo quella prima aggressione al pronto soccorso, dopo le denunce, si mise di lato e lasciò il campo al resto della famiglia. Forse ci sbagliavamo, ma paradossalmente lui è quello da cui Azzurra e io eravamo meno spaventati. Non so perché.

Lo sapeva lei, perché.

- Dottore, avete fatto male a non avvisarci subito, - lo rimproverò.

- Lo so, dottoressa, - fece Rossello, costernato. - Non faccio che colpevolizzarmi, da due giorni. Anche quando Azzurra è sparita mi sono bloccato come un cretino. Forse in fondo al cuore speravo che non le fosse successo niente. Un idiota, - si autoderise. Poi tornò serio. - Può succedere, sa, che uno cerchi di scotomizzare la realtà perché gli fa troppa paura. E io paura ne avevo assai. Poi ho letto che il cadavere di Azzurra era stato ritrovato, e la paura è diventata terrore, - uní le mani e si coprí la bocca, ondeggiando il capo. - Con monsignor Murgo, per di piú!

Vanina saltò sulla sedia.

Voglia di tornarsene in ufficio e buttarsi a capofitto nella pista che si stava delineando, non ne aveva per niente. Un'anomalia, per lei. Di norma, quello sarebbe stato il momento in cui avrebbe scassato i cosiddetti a tutta la squadra costringendo i suoi a fare le ore piccole. Avrebbe disturbato la quieta serata di Vassalli sganciandogli addosso la novità, che su di lui avrebbe avuto un impatto piú devastante di una bomba atomica. Invece si apprestava a tornarsene a casa, con al seguito Manfredi che voleva scortarla in moto fino a Viagrande e conoscere la famosa *putía* di Sebastiano, da cui lei traeva sostentamento quasi sempre, specie in serate come quella, in cui Bettina era fuori casa e non poteva farle trovare «casualmente» qualcosa di preparato.

Vanina la causa di quell'anomalia la conosceva benissimo. Inutile prendersi in giro con la panzana che era sveglia dalle 4.30 e che era troppo stanca per lavorare ancora. Vero era, la giornata era stata massacrante e la notte prima aveva dormito sí e no due ore, ma la questione fondamentale era un'altra. La sola idea di infilarsi in quel mondo fituso da cui aveva deciso di tenersi lontana anni prima la atterriva. Gente come gli Zinna, meno se la trovava davanti e meglio era. A costo di rinunciare all'indagine e sbolognarla al vicequestore Giustolisi, il dirigente della sezione Criminalità organizzata che Macchia avrebbe fatto carte false per sostituire con lei, se lei non avesse rifiutato sempre categoricamente quest'ipotesi.

Bastava questo a rallentarla.

Con qualcuno però, almeno per riordinarsi le idee, doveva parlare. Calcolò che per arrivare a Viagrande ci volevano come minimo altri dieci minuti. Il tempo c'era.

Tirò fuori il telefono e chiamò Patanè. Fece il numero di casa, era tardi per sperare che il cellulare fosse ancora acceso.

Novantanove volte su cento a quel punto doveva passare attraverso le forche caudine di Angelina, che alla fine, obtorto collo, avrebbe ceduto la cornetta al marito. E infatti.

Vanina decise di giocare di ruffianeria. – Buonasera, signora Angelina cara, come sta? – partí senza presentarsi, che ormai non ce n'era piú bisogno.

La donna non si fece infinocchiare.

– Buonasera. Bene, – rispose, asciutta.

– Il commissario è in casa?

– E unni avissi a essiri, a quest'ora?

Come dire che non era buona creanza telefonare alle 20.45. Ma Vanina quella sera di forze ne aveva poche, e ingaggiare un duello verbale era assolutamente fuori discussione. Che Angelina fosse gelosa del marito ottantatreenne, a settantaquattro anni suonati, troppo normale non era.

– Potrebbe passarmelo?

– Veramente s'appinniccò davanti alla televisione, – rispose l'altra, la voce scocciata. – Se è cosa urgente, però, lo vado a svegliare.

Comunicazioni urgenti per Patanè in teoria non ce ne potevano essere, e questo la moglie lo sapeva bene. Qualunque cosa lei dovesse dirgli, era puramente a titolo personale.

Ma Vanina con lui voleva parlare.

– Abbastanza urgente, signora, – sparò.

La sentí sospirare, ciabattare lungo il corridoio, borbottare, poi di nuovo sospirare. Repertorio completo.

– Gino? – chiamò.

Il commissario arrivò al telefono in meno di un minuto, a riprova del fatto che non s'era appinniccato, anzi era piú che sveglio e pimpante.

– Dottoressa, che fu? Novità ci sono?

Gli raccontò per filo e per segno quello che le aveva detto Rossello.

– Minchia perciò di mezzo ci sono macari gli Zinna!

– Disgraziatamente sí.

Patanè rifletté per un attimo.

– Scusi se glielo dico, dottoressa, ma lei 'ste cose pare che se le tira addosso.

– Che ci posso fare, commissario. Qua sono, se il caso andrà in quella direzione capace che mi toccherà occuparmene, anche se mi viene l'orticaria solo a pensarci.

– Io sono sempre con lei.

– E io ne sono felice. Ora è pronto per sapere che c'entrava in tutto ciò monsignor Antonino Murgo?

– Ma perché, pure questo sappiamo? – fece Patanè euforico.

– Pure questo. Monsignor Antonino Murgo sostituí per qualche mese il cappellano del Vittorio Emanuele, quando questo si infortunò. Il destino volle che il giorno in cui arrivò la picciridda in fin di vita lui fosse presente. Si prodigò per assistere i genitori, soprattutto in seguito alla notizia che non c'era stato niente da fare. Dopo, quando quelli iniziarono ad attaccare la Leonardi e il suo collega, lui si mise in mezzo per placare le acque.

– E finí che i malacarne degli Zinna se la pigliarono macari con lui, – indovinò il commissario.

– Ovvio. Però Murgo non arretrò: continuò a cercare di sedare gli animi e rimase vicino ai medici. Rossello non lo conosceva bene, la Leonardi invece l'aveva incontrato molti anni prima, all'ultimo anno delle superiori.

– E ora come procediamo? Se la vede lei oppure passa la palla? – chiese Patanè.

– Intanto verifichiamo se l'ipotesi è plausibile, poi… poi vediamo.

Vanina chiuse con il commissario e chiamò Spanò, che era di turno.

Manfredi, che l'aveva seguita fino a Viagrande, entrò con Vanina nella *putía* di Sebastiano. Si guardò intorno incantato, pareva Alice nel Paese delle meraviglie.

– Ma vedi che m'ero perso! – mormorava, esplorando una vetrina di formaggi e salumi che raramente gli era capitato di vedere tutti insieme. L'universo intero del Dop, dell'Igp e di tutte le specialità regionali a partire da Bolzano fino a Ragusa.

Sebastiano non finiva di spiegare e Manfredi di calare la testa estasiato.

– Dottoressa, arrivò il latte fresco che piace a lei, – comunicò Stella, la sorella di Sebi.

– Quello calabrese che mi ha fatto provare l'altra volta? – s'informò Vanina.

– Quello. Assieme mi portarono pure le mozzarelle.

Vanina prese una confezione di entrambi.

– E m'arrivò un caciocavallo di quelli giusti, – aggiunse Sebastiano.

Si fece incartare un pezzo anche di quello. Piú un pezzo di salame Sant'Angelo e un etto di mortadella «speciale». Manfredi la imitò.

– La vuole la parmigiana? La nonna la preparò oggi pomeriggio.

L'espressione di Vanina parlava da sola.

– Ma come la conosco oramai? – fece Sebi. Aveva ragione.

Tra formaggi, salumi, parmigiana e pane di San Giovanni caldo, uscirono dalla *putía* carichi che pareva dovessero riempire di provviste un bunker di guerra.

– Che dici, ce le mangiamo insieme tutte 'ste vettovaglie? – propose Monterreale.

Vanina si sentí in difficoltà. Non voleva deludere lo sguardo speranzoso dell'amico, ma non vedeva l'ora di buttarsi sul divano e chiudere quella giornata.

– Perdonami, Manfredi, ma sono in piedi dalle 4.30 e la stanchezza mi sta cappuliando.

Il medico non replicò. La salutò col solito sorriso, quello che da solo riusciva a metterle allegria, infilò i sacchetti nei bauli della sua moto Bmw d'epoca, e riprese la via per Aci Castello.

Mentre usciva da Viagrande per entrare a Santo Stefano, due paesi senza soluzione di continuità, Vanina si ritrovò a chiedersi quanto ci avrebbe guadagnato la sua vita in termini di serenità e allegria, se solo fosse riuscita ad accogliervi in pianta stabile Manfredi Monterreale. Evitò di registrare la risposta che si diede.

Due minuti piú tardi, manco a farlo apposta, arrivò il solito messaggio serale di Paolo. Puntuale come sempre, a ricordarle quanto labile fosse la volontà umana.

La porta finestra di Bettina era sprangata e le luci del giardino dalla sua parte erano spente. L'indomani mattina il figlio e la sua famiglia sarebbero ripartiti per Torino, e sicuramente se n'erano andati a cena da qualche parte per salutarsi degnamente senza far faticare la povera donna, che va bene il piacere di spignattare, ma sempre settantacinque anni aveva.

Vanina si conzò il tavolino della cucina e tirò fuori tutto quello che aveva comprato. Recuperò la bottiglia di vino che aveva aperto la sera prima. Si sedette a tavola e si sparò buona parte delle provviste in preda a una fame che manco avesse digiunato per giorni. Sempre cosí era: meno dormiva e piú mangiava. Un meccanismo di compensazione che, aggiunto alle feste natalizie, le stava facendo recuperare in qualche giorno i pochi chili che aveva perso, suo malgrado, mentre era sotto scorta.

Ignorò il divano, andò verso la mensola dov'era sistemata la cornice con la foto di suo padre. Lo interrogò con gli occhi come faceva ogni volta che per qualche motivo si ritrovava a combattere con la stessa feccia contro cui aveva combattuto lui prima di venirne schiacciato. Lo interrogò su Paolo.

Il responso, come al solito, non le piacque.

«Non si scappa mai dai problemi, nica mia. Ricordatelo».

L'unico insegnamento di suo padre che Vanina aveva disatteso.

13.

L'ispettore capo Carmelo Spanò arrivò in ufficio prima del solito. Il messaggio perentorio che la Guarrasi aveva inviato alle 7 all'intera squadra, Lo Faro compreso, la diceva lunga: «Ore 8 spaccate tutti nel mio ufficio». A lui, ma a lui solo, aveva mandato un secondo messaggio: «Abbiamo novità». Per spingere il vicequestore a svegliarsi cosí presto, le novità dovevano essere belle grosse. Spanò era stato preso dall'agitazione. E nel giro di mezz'ora era arrivato alla Mobile.

L'unico già in ufficio era Salvatore Fragapane. Per ingannare l'attesa, se ne andarono al chiosco.

– Si viri ca semu anziani, ah. Tutti e due qua a capo di mattina, svegli dall'alba. Come i vicchiareddi, – constatò il vicesovrintendente.

– Tu parra pi ttia, che sei prossimo alla pensione. Io all'alba dormivo che era un piacere. Mi svegliò il messaggio della Guarrasi.

Salvatore si fece una risata. – Sí, ca certo. A cu ciu cunti! Ma se sono almeno due mesi che t'arricampi in ufficio allo stesso orario mio. Io mattiniero lo sono stato sempre, ma per te... sulu 'a vicchiania può essere! – fece roteare il caffè nella tazzina e lo bevve d'un sorso. – Oppure i pinseri.

Spanò finse di non aver sentito. Ma talè a chistu: la vicchiania! Va bene che tutto era relativo e che erano circondati da giovani, ma sempre cinquantasei anni aveva. All'età sua c'era gente che metteva su famiglia per la prima volta. E forse era il caso che pure lui tornasse sulla piazza, fintanto che aveva l'età per poterlo fare. Tanto, Rosy ormai non la recuperava piú. Era stato cosí da subito, da quando se n'era andata di casa per stare con l'avvocato, ma poi l'ispettore ci aveva aggiunto il carico da undici, con appostamenti e malecomparse che a momenti gli erano costati una denuncia. Semmai ci fosse stata una sola possibilità che la sua ex moglie avesse un ripensamento, lui l'aveva resa vana con tutte le minchiate che aveva combinato per gelosia negli ultimi mesi.

– I pinseri, – ripeté, senza accorgersene.

Il clacson della Guarrasi li fece saltare in aria.

– Meno male che dovevate aspettarmi in ufficio! – gridò dal finestrino.

Spanò e Fragapane guardarono l'ora simultaneamente: mancavano dodici minuti alle 8. E che era successo?

Vanina parcheggiò e li raggiunse.

– Dottoressa, un caffè? – le propose l'ispettore.

– No, grazie, Spanò, – camuffò il cartoccio del *Bar Santo Stefano* con il giornale che aveva appena comprato. Le pareva brutto che il gestore del chiosco lo vedesse. – Anzi, me ne vado nel mio ufficio se no poi finisco a fare la parte del pesce rosso come l'altro giorno, con tutti voi intorno che mi guardate mangiare.

Gli uomini la seguirono.

– Dottoressa, mi dica solo una cosa: notizia grossa è? – partí Spanò, appena entrarono nel portone.

Vanina prese le scale. – Se le cose si confermano per come sembrano, e riusciamo a provarlo, abbiamo risolto il caso.

Spanò e Fragapane si piantarono al centro della rampa.

– Piddaveru dice? – chiese il vicesovrintendente.

La Guarrasi non rispose, andò avanti gradino per gradino. Lenta. Percorse il corridoio fino in fondo e si infilò nella sua stanza. La porta era chiusa, quando la aprí si accorse che anche l'altra anta funzionava.

– E che fu? – si stupí.

Dalla stanza dei carusi fece capolino Nunnari.

– Tu sei stato? – domandò al sovrintendente. Quello negò, indicando con la testa Lo Faro che era appena uscito appresso a lui.

– Lo Faro, tu l'aggiustasti? – chiese Vanina.

Il ragazzo annuí. – Sí dottoressa. Ero di turno, non avevo che fare...

– Bravo!

Entrò nell'ufficio e si bloccò per la seconda volta. Una poltrona girevole precisa identica a quella che era crollata sotto il peso di Macchia se ne stava dietro la scrivania come se niente fosse accaduto.

Si voltò verso l'agente, che sorrideva passando il peso da una gamba all'altra.

– E questa dove la pigliasti?

– Nel ripostiglio del secondo piano.

– E chi ce la portò là una poltrona? – S'avvicinò, la esaminò. – Per giunta nuova nuova.

– Prima era nell'ufficio del capo. Il dottore Panizza la lasciò che l'avevano appena comprata, poi arrivò il dottore Macchia...

– E gli dovettero accattare il modello king size, – lo anticipò lei.

Il ragazzo assentí, imbarazzato.

La Guarrasi andò subito a provarla. La poltroncina da banco di scuola elementare era lí vicino, messa di lato. Le parve ancora piú bassa e inadeguata.

– Complimenti, Lo Faro. Una gran cosa hai fatto, davvero, – si sentirono voci lungo il corridoio, – ora chiudetemi quella porta, che forse riesco a fare colazione prima che mi sgami Macchia.

Manco ebbe il tempo di cominciare che la porta si riaprí e il Grande Capo s'affacciò.

– Guarra', che novità tieni?

Vanina rimase col panzerotto in bocca. Zucchero a velo fino alle sopracciglia e baffo di cioccolata. Gli fece segno di aspettare.

Ingoiò il boccone e si aiutò con un sorso di cappuccino.

– Buongiorno, Tito. Come stai?

Macchia avanzò nella stanza con l'aria di un preside in visita in una classe scolastica quando è assente il professore. Camminava molto meglio del giorno prima.

– Bene. Come vedi mi riprendo subito, – si sedette davanti a lei, con cautela.

Vanina gli offrí un pezzo di panzerotto, tanto per non sentirsi in imbarazzo.

– Allora? 'Sta riunione alle 8 del mattino?

Da quando Tito s'era trasferito a casa di Marta, Vanina era rovinata. Prima ancora che lei potesse raccontargli le novità, se lo vedeva spuntare già ampiamente edotto e in cerca di delucidazioni. Stavolta però non poteva sapere niente, perché lei a Marta niente aveva detto. E infatti la curiosità se lo stava mangiando vivo.

Gli raccontò per filo e per segno quello che aveva scoperto la sera prima.

Tito si strofinò la barba.

– Azz, Guarrasi. Qua la cosa si complica. Vassalli lo sa?

– Ancora no.

– E che aspetti a comunicarglielo?

Vanina lo fissò.

– Aspetto di capire come dobbiamo muoverci. Dopo, sarà tardi.

Tito si allungò in avanti verso di lei, con una smorfia di dolore.

– Nel senso che lui se la farà sotto e ci metterà i bastoni fra le ruote, o nel senso che tu non potrai piú uscirtene?

Una sintesi perfetta. E che poteva dirgli?

– Nel senso che prima ne parliamo noi e ci facciamo un'idea, poi lo comunichiamo ufficialmente a Vassalli. Sperando che quando ci sarà da controllare telefoni, interrogare figli di pezzi da novanta e fare appostamenti in pieno San Cristoforo non gli venga la paralisi alla mano.

Macchia tirò fuori mezzo Toscano, lo avvicinò alle labbra.

– Perciò tu non ti defilerai quando sarà il momento di avere a che fare con gli Zinna, – desunse.

Vanina gli offrí l'accendino. Tito la guardò storto, poi accettò. S'accese una sigaretta anche lei.

– Perché, tu me lo permetteresti?

Macchia fece un sorriso di cortesia. – Scordatelo. Quelli della sezione Criminalità organizzata hanno già abbastanza da fare e questo non è un caso da prendere sottogamba. Piú tempo passa, piú la Curia ci starà col fiato sul collo. Dunque, cara Guarrasi, sfodera la tua creatività poliziesca e vedi di cavare qualche cosa di concreto.

Si guardò intorno.

– Ma il commissario Patanè come mai non è ancora arrivato? – se la rise.

– Guarda che il commissario Patanè vale piú di te e me messi insieme.

Macchia si alzò con fatica.

– Lo so –. Stavolta era serio.

– Allora, picciotti, qua dobbiamo ricominciare tutto da capo. Ogni indizio va rivisto pensando che possa essere collegato a quella famiglia.

Vanina era seduta sulla scrivania, il resto della squadra era schierato davanti a lei, a eccezione di Macchia che, non pago dell'esperienza recente, s'era piazzato sulla nuova poltrona della Guarrasi e ne stava testando la solidità. L'unico oltre al capo a non essere meravigliato dalle novità era Carmelo Spanò. Che come il vicequestore qualche cosa di simile l'aveva temuto dal momento in cui avevano scoperto l'intestatario defunto della sim dalla quale provenivano le telefonate che la Leonardi rifiutava.

– Lo Faro, iniziasti a taliarti i filmati dei benzinai? – chiese Vanina.

– Sí, dottoressa, tutti me li sono guardati.

– La identificasti la macchina della Leonardi?

– No.

– No nel senso che non si leggeva la targa ma può darsi che fosse la sua, o no che nessuna macchina simile si fermò a fare rifornimento?

– No nel senso che a fare rifornimento in quei distributori tra mezzanotte e l'una non si fermò praticamente nessuno. Solo un Fiorino che appartiene a un fornaio di Nicolosi, per il resto niente.

Vanina ci rimase di sale. – Niente proprio niente?

– Zero.

– Cose da pazzi, i distributori meno battuti dell'hinterland siamo andati a pigliare.

– Considera che a Nicolosi quella sera nevicava, – suggerí Marta.

Anche quello era vero.

– Vabbe', Lo Faro, tu comunque la mappa di quelli in cui sei stato dammela, – fece Vanina.

– Certo, dottoressa.

Poi si rivolse a Spanò. – Ispettore, lei faccia una cosa: indaghi con la massima discrezione sulla ditta che gestisce i lavori del *Grand Hotel*. Veda se per caso, in qualche modo, pure alla lontana, c'entrano gli Zinna. Dobbiamo capire perché l'assassino di Azzurra l'abbia portata proprio lí.

– Tra mezz'ora ho appuntamento con Torre, della Sco. L'avevo chiamato per la sim. È uno che sa il fatto suo, intanto scopriamo se a lui risulta qualche cosa.

Macchia concordò: l'ispettore Torre era uno in gamba.

– Dopodiché mi vado a spulciare bene tutto quello che riguarda la ditta che esegue i lavori. Da qualche parte un fascicolo ci sarà di sicuro, – concluse Spanò.

– Si faccia aiutare da Fragapane, che nel recuperare informazioni cartacee è imbattibile, – Vanina guardò il vicesovrintendente, che assentí.

– Scusatemi, ma il *Grand Hotel* non può essere stato scelto per caso? – obiettò Marta. – È un luogo isolatissimo, per di piú in mezzo alla neve.

Vanina storse il naso.

– Eh, ma è pure un luogo che bisogna conoscere, soprattutto per fare quello che suppongo abbia fatto l'assassino di Azzurra.

– E cioè? – chiese Macchia.

Vanina si voltò verso di lui.

– L'assassino sapeva dove nascondere la macchina, tant'è vero che Scimemi non la vide. Sapeva che dalla parte del salone ci sono dei finestroni che dànno su una terrazza, dalla quale si accede facilmente a un bosco. Io credo che Azzurra sia stata uccisa nel salone. Quando Scimemi è

entrato l'assassino si è rifugiato in terrazza. Poi, appena
quello è scappato via, è rientrato di corsa, ha trascinato
fuori il cadavere, l'ha caricato nella sua macchina e s'è nascosto tra gli alberi. Insomma, si è mosso come uno esperto del posto.

– E fu cosí che aveva ragione Vassalli! – ipotizzò Bonazzoli, un po' per scherzo, un po' seria.

– Su cosa?

– Sugli operai. Mettiamo che davvero l'impresa sia col-
lusa con gli Zinna, di solito la manodopera viene assunta
in base alla vicinanza alla famiglia, no? E per commettere
un omicidio ingaggiano uno scagnozzo fidato. Quindi, per
esempio, uno degli operai?

L'ipotesi era compatibile con i meccanismi criminali
tipici di quell'ambiente, ma a Vanina non quadrava. E a
giudicare dall'espressione di Tito, non quadrava nemmeno a lui.

La modalità con cui erano avvenuti i due omicidi, e in
particolare la sceneggiata del cimitero, raccontavano altro. Se anche ci fossero entrati gli Zinna, non si sarebbe
trattato di un delitto di mafia per come lo si intendeva di
solito. In pratica, sarebbe stato un delitto commesso dalla
mafia ma per ragioni estranee agli affari mafiosi. Per una
questione personale. Un'offesa. Un affronto da vendicare
personalmente. C'era una differenza sottile, che solo chi
conosceva bene le dinamiche della criminalità organizzata
riusciva a cogliere. O perlomeno, cosí la pensava Vanina.

– Nunnari, – proseguí, – traccia i movimenti del numero intestato al defunto, e verifica dove si trovava quando faceva le telefonate alla Leonardi. Soprattutto la sera
della festa.

Il sovrintendente si limitò ad annuire. La presenza del
Grande Capo già di per sé bastava a inibirgli la sindrome

del marine. Se poi era simultanea a quella di Marta Bonazzoli, ce n'era abbastanza per ridurlo a un pezzo di legno.

– Ovviamente della macchina di Azzurra ancora nessuna notizia, vero? – chiese la Guarrasi, tanto per conferma.

– No, dottoressa, nessuna, – rispose Spanò. – E se ad
ammazzarla fu per davvero qualcuno di quella risma, non
penso che la ritroveremo piú.

Vanina concordava con lui.

Si fece accompagnare in procura dalla Bonazzoli. Siccome il cielo era grigio e minacciava pioggia, onde evitare di ritrovarsi inzuppate fino alle mutande, decisero che
non era cosa di motocicletta. La stessa decisione che quella mattina aveva preso piú o meno l'intera Catania. Nel
tempo che ci volle per spostarsi dalla caserma davanti alla
Mobile, dov'era parcheggiata l'auto di servizio, a piazza
Verga, il vicequestore sbrigò una decina tra messaggi e telefonate. Chattò con Giuli, che stava bene e quel pomeriggio sarebbe stata dimessa. Chiamò sua madre, per comunicarle ufficialmente che di passare il Capodanno a Palermo
non se ne parlava. Rispose in modo evasivo all'invito di
Adriano: il cenone di fine anno che lui e Luca organizza-
vano per pochissimi intimi nella loro casa di Noto. L'anno precedente, il suo primo a Catania, c'era andata con
Giuli. Pareva il giorno prima, invece era passato tutto il
2016 col suo carico di novità da non dormirci la notte. In
cima alla lista l'incontro con Paolo Malfitano, dopo anni
di lontananza, davanti al carcere dell'Ucciardone. Un caso? Uno scherzo del destino? Quale che fosse la spiegazione, il risultato era la vita scombinata che facevano da
allora. Quattro mesi di piglia e lascia da parte di Vanina,
che Paolo sopportava nella speranza che, poco per volta, i
sentimenti prevalessero sulle paure e la loro storia ripartis-

se da dove si era interrotta prima che l'attentato alla vita del pm la mandasse in mille pezzi.

Tra i messaggi della mattina ce n'era uno proprio di Paolo.

«Ieri sera non mi hai risposto. Che cos'è: l'effetto Addaura?» Non si firmava piú, tanto nel telefono che le aveva regalato il suo numero gliel'aveva fatto trovare già memorizzato. Primo della rubrica.

Un messaggio sferzante. E, in tutta franchezza, Vanina non poteva dargli torto. Appena le aveva raccontato che voleva comprare il villino, lei aveva smesso di richiamarlo. Era bastata una conversazione di pochi minuti perché le notti passate insieme a Palermo e i pochi passi avanti fatti negli ultimi tempi svanissero, fagocitati dalla paura.

Gli rispose: «No, è l'effetto morti ammazzati tra i piedi».

Arrivarono in Procura dopo cinquanta minuti. Invece di dirigersi subito verso la stanza di Vassalli, Vanina preferí salutare prima Eliana Recupero. La pm, fresca di nomina a procuratore aggiunto – lo stesso concorso che Paolo aveva perso a Catania e vinto a Palermo –, stava traslocando nel suo nuovo ufficio.

– Dottoressa Guarrasi, ispettore Bonazzoli... venite, venite, – le invitò, intabarrata che pareva stesse partendo per la Lapponia.

Vanina entrò con lei.

– Ma che le diedero, una stanza ancora piú fredda di quella di prima? – la prese in giro.

– Non ne parliamo, per favore: dalla padella alla brace. Anzi, dall'igloo alla grotta di ghiaccio. Lei piuttosto: ho letto di questo doppio omicidio. Mi intriga assai.

– Aspetti a dirlo: secondo me tra un minuto si pentirà di essersi incuriosita.

La Recupero si appoggiò alla scrivania ingombra. Braccia conserte, capelli corti ormai definitivamente sul biondo cenere, meditativa.

– E cioè?

Il vicequestore le raccontò ogni cosa, esattamente come aveva intenzione di fare dal momento in cui aveva chiesto a Marta di accompagnarla lí. Uno solo era il risvolto positivo di quel probabile coinvolgimento mafioso: con buona pace di Vassalli, che di sicuro non avrebbe sentito la sua mancanza, Vanina si sarebbe trovata a lavorare con un pm della Dda, possibilmente con la Recupero. Eliana ascoltò le sue parole senza stupirsene granché.

– Vuole sapere se il genero di Zinna è persona capace di ammazzare qualcuno? – chiese.

– Sarebbe un piccolo passo avanti, certo.

– No. Agatino Vizzino è solo un mischino, nullafacente, che capitò male: mise incinta Assuntina Zinna e se la dovette sposare. Sa come sono quelle famiglie, no?

– Certo: molto... tradizionaliste, diciamo cosí.

– Per usare un eufemismo.

– Mentre gli altri familiari?

Eliana roteò la mano.

– Non ne parliamo.

Vanina uscí da lí con qualche nozione in piú sulla mafia catanese di San Cristoforo, e con un piano plausibile per bypassare quel bradipo di Vassalli e fare riferimento alla Recupero. Perché ciò avvenisse, per scomodare la Dda, il coinvolgimento degli Zinna doveva essere chiaro ed evidente. E una tale condizione non sarebbe stata raggiunta senza aver prima «scandagliato», per dirla alla Vassalli, tutto l'ambiente circostante. La sfida era quella: evitare che lui si mettesse di traverso finché le circostanze non avrebbero «spinto» Eliana Recupero a occuparsi del caso.

Si fece il segno della croce e andò dal pm.

14.

Vassalli pareva in preda a una crisi ipercinetica. Si alzava, camminava, si risedeva, spostava fogli, si aggiustava la giacca. E sudava, apriva la finestra, si sventolava con una frenesia da camminata a Ferragosto sotto il picco del sole, nonostante fosse il 30 di dicembre e le condizioni atmosferiche del suo ufficio non differissero dall'igloo della Recupero.

La Bonazzoli lo guardava perplessa. Vanina aspettava che si quietasse da solo. Tanto, prima o poi doveva darle conto per forza. Il pm si sedette in via definitiva.

– Questo Ferdinando Rossello è persona affidabile? – se ne uscí.

– Affidabilissima, dottore.

– E siamo certi che non si sia suggestionato dopo aver saputo che la collega era stata uccisa, e non abbia quindi ricostruito i fatti in maniera poco obiettiva?

Vanina lo fissò cercando di capire dove volesse arrivare.

– Non credo. Comunque l'unico modo per esserne sicuri è verificare punto per punto quanto ci ha riferito. Iniziando dai tabulati della famiglia Vizzino, ampliata ai vari congiunti che s'erano uniti nella persecuzione ai danni dei due medici.

Vassalli si asciugò la fronte. – Stiamo parlando di una delle famiglie criminali piú importanti della Sicilia orientale, – si spaventava pure a dirlo.

La Guarrasi scrollò le spalle. – Coi criminali lavoriamo, dottore. Gente che ammazza altra gente.

– Dottoressa Guarrasi, non finga di non capire. Proprio lei poi, con la sua storia... dovrebbe sapere bene a cosa mi riferisco.

Quelle parole le arrivarono dritte al petto. Detestava i colpi bassi, e detestava che qualcuno si mettesse a rivangare il suo passato, specie se quel qualcuno non solo non la conosceva, ma per di piú se ne sbatteva altamente. Era già abbastanza contrariata per la piega che stava prendendo l'indagine, costringendola a ficcare naso e mani nella fogna, ci mancavano pure le allusioni di quell'uomo da niente.

Prese un respiro e contò fino a dieci.

– Sí, certo, a pensarci bene la faccenda si potrebbe complicare non poco, – sparò, come se ci stesse ragionando.

– Se dovessimo trovare gravi indizi di colpevolezza a carico di qualcuno di loro, non so come si configurerebbe la questione.

Vassalli si fece attento. – Che vuole dire?

– No perché, riflettevo, in quel caso la faccenda potrebbe pure diventare competenza di altri. Potrebbero anche decidere di toglierci l'indagine.

– In effetti... – fece Vassalli, speranzoso.

– Eh, già. Se dai tabulati e dai tracciamenti dei familiari di Vizzino coinvolti nelle minacce emergessero chiari elementi indiziari a carico degli Zinna, noi saremmo costretti a coinvolgere i colleghi della Criminalità organizzata. E lei la Dda.

Vassalli meditò in silenzio. Vanina misurò il tempo che avrebbe impiegato la sua ipotesi a insediarsi nella mente del pm, aprendola all'idea che quasi quasi trovare qualche indizio concreto proprio sugli Zinna potesse essere la sua salvezza.

– Va bene, dottoressa Guarrasi, procediamo. Ma solo con le indagini telefoniche, per adesso, – accordò. –
Andiamo per gradi e vediamo cosa salta fuori, poi ci re-
goliamo. Non si faccia prendere dalla solita fretta, – la
guardò come si guarda una mina vagante, da cui non sai
cosa aspettarti. – E mi raccomando: niente iniziative
compromett... azzardate, senza prima avermi consultato. Faccio finta di non sapere che è entrata in casa del
monsignore senza la mia autorizzazione, ma altre alzate
d'ingegno non ne tollererò.

Vanina gli avrebbe volentieri sbattuto il muso contro la
scrivania. Chi ce l'aveva portato a fare il magistrato uno
come quello? Pubblico ministero per giunta. Uno che si
scantava pure dell'ombra sua. Invece gli sorrise. Marta,
che la conosceva bene, intercettò l'occhiata gelida della
Guarrasi e capí. Sembrava un sorriso di commiato, ma
valeva come un vaffanculo.

Il commissario Patanè era uscito di casa due volte. Due
volte era entrato nell'ascensore e due volte era tornato
indietro. Qualcosa non andava. Il dolorino al fianco era
ricomparso, e dalle 6 del mattino andava e veniva a pia-
cimento suo. C'erano momenti in cui gli pareva di stare
benissimo, e momenti in cui quella specie di crampo si
ripresentava di colpo. Un fissa era stato a addubbarsi di
tutta quella cioccolata, il giorno prima. Per non parlare
del pranzo da Nino, dove non s'era negato manco la torta di ricotta e pistacchio. E ora era al punto di partenza.
Rispetto a due giorni prima, però, il dolore era un poco
cambiato. Si era spostato piú in basso, meno laterale, ma
forse piú fastidioso.

Si guardò bene dal comunicare la cosa ad Angelina, altrimenti gli sarebbe toccato discutere un'ora sull'oppor-

tunità che se ne andasse o no alla Mobile, a «iucare a fare
lo sbirro», con tutto il corollario di litanie che all'età sua
uno si deve riguardare invece di andare sempre appresso
a una carusa che gli poteva venire figlia, e macari nipote.
Un mix esplosivo di tutte le sfumature di gelosia che la
mente umana fosse in grado di partorire: da quella per il
marito, che passava giornate sane assieme a una fimmina
giovane e macari di bell'aspetto, a quella per il lavoro di
commissario, che lui aveva amato sopra ogni cosa e che
ora, proprio grazie alla suddetta fimmina, era tornato a
svolgere spesso e volentieri. Meno male che almeno non le
era piú passato per la testa di pedinarlo come in passato.

La prima volta che rientrò, Patanè disse che aveva dimenticato le chiavi della macchina. La seconda volta il
cellulare. Poi finse di volersi rifare il nodo della cravatta.

– Ma pirchí, che t'era venuto tanto buono, – obiettò
Angelina, con l'espressione diffidente. Lo sapeva lei perché ogni giorno s'allicchittava e si profumava che pareva
la réclame dell'acqua di colonia.

Patanè si cambiò la giacca, che la giornata era fresca e
quella che aveva indossato gli pareva troppo leggera. Poi
le scarpe, che stava iniziando a piovere e lui s'era messo
quelle di suola. Con la scusa di allacciarsi i polacchini con
la para di gomma, si piegò in avanti e provò a vedere se il
fastidio peggiorava o migliorava. In quel momento preciso
il dolorino sparí e il senso di benessere tornò.

Patanè scattò in piedi. Raccattò cappotto, cappello,
chiavi, telefono, e si lanciò verso la moglie. Le schioccò
un bacio sulla fronte, preso dall'euforia le mollò una pac-
ca sulla natica. Lei lo guardò alloccuta. Ma che gli era pi-
gliato quella mattina, a Gino?

L'ascensore era occupato. Per non perdere tempo, il
commissario infilò le scale. Anca a parte, problemi a farsi

quattro rampe, per giunta in discesa, ancora non ne aveva. Ebbe sí e no il tempo di arrivare al primo pianerottolo, il dolore si ripresentò di colpo violentissimo, peggio di una pugnalata. Gino si piegò sul fianco destro. A stento riusciva a respirare e un senso di nausea si faceva sempre piú forte. La testa gli furriava.

– Angilina! – riuscí a chiamare, con tutto il fiato che aveva, prima che la vista gli si oscurasse del tutto.

Vanina attraversò corso Italia, davanti al Palazzo di Giustizia, e si piazzò sul marciapiede al lato di piazza Verga. Aveva spedito Marta a recuperare l'auto di servizio mentre lei smaltiva la collera con un paio di sigarette. Per non sprecare tempo, mentre aspettava chiamò Nunnari e lo avvertí che a breve, sempre che Vassalli non avesse qualche ripensamento, i telefoni di tutti i componenti della famiglia Vizzino sarebbero stati tracciabili.

Appena chiuse, la chiamò Spanò.

– Dottoressa, posso parlare?

– Dica, ispettore.

– Fragapane e io ci andammo a taliare tutte le carte esistenti sulla ditta che sta curando la ristrutturazione dell'albergo. L'impresa è pulitissima, e gli Zinna non ci trasono manco da lontano.

– Ma siamo sicuri?

– Sicurissimi. Per ulteriore conferma chiamai macari a mio zio, che ha fatto l'elettricista per una vita e conosce le aziende di tutta Catania e dintorni.

E figuriamoci. Ma quant'era numerosa 'sta famiglia Spanò?

– E che le disse?

– Che l'ingegnere a capo dell'impresa, Fontana si chiama, è pirsuna per bene e seria. L'albergo è stato acquistato da un tizio di fuori, che siccome lo conosceva e si fidava, gli commissionò la ristrutturazione.

– Buco nell'acqua, perciò, – concluse. Entrò al volo nell'auto di servizio, che aveva accostato davanti a lei.

– Parrebbe di sí, – fece Spanò, – però, se lei è d'accordo, io un controllino su tutti gli operai che lavorano all'albergo lo farei lo stesso. Giusto per togliere di mezzo ogni dubbio.

– E facciamo 'sto controllino, – disse Vanina salendo in macchina. – Il fatto che la pensata venga da Vassalli non significa che per forza debba essere una fissaría –. Lei continuava a non esserne convinta, ma a quel punto forse aveva ragione Spanò: meglio un riscontro in piú che uno in meno.

– Era l'ispettore? – chiese Marta.

– Sí.

– E allora? Ci sono tracce degli Zinna nei lavori dell'albergo?

– Manco mezza. Ditta serissima, gestita da persone al di sopra di ogni sospetto.

– Notizia sicura?

La Guarrasi calò la testa. – Confermata da radio Spanò.

– Allora è garantita.

Marta girò attorno al Palazzo di Giustizia e svoltò per via Giuffrida, che dopo il semaforo diventava via Ventimiglia. La imboccò alla velocità con cui normalmente si imbocca la tangenziale.

– Vedi che non andiamo in ufficio, – l'avvertí Vanina.

La ragazza d'istinto rallentò. – E dove andiamo?

– A San Cristoforo, alla parrocchia di don Rosario.

Don Rosario Limoli era una conoscenza recente, legata all'ultimo caso di omicidio che avevano risolto. Un prete che gestiva, in pieno quartiere di San Cristoforo, una comunità di recupero per ragazzi salvati dalla tossicodipen-

denza e dalla microcriminalità. Un missionario in zona di
guerra. Uno che a Vanina era piaciuto appena l'aveva sentito parlare la prima volta.

– Perché proprio da don Rosario? – chiese la Bonazzoli.

– Conosce il quartiere come le sue tasche, saprà chi sono
i Vizzino. Ed è un prete, perciò magari può darci qualche
altra notizia su monsignor Murgo.

La ragazza annuí.

– Due piccioni con una fava, insomma.

– Se va bene. Se va male, ci siamo fatte una passeggiata a San Cristoforo.

Dall'espressione di Marta traspariva quanto poco l'idea
la entusiasmasse. A Vanina venne in mente che il commissario Patanè a quell'ora era di sicuro già nel suo ufficio.
Doveva chiamarlo e dirgli di raggiungerla da don Rosario.
Fece il numero.

Il cellulare suonava a vuoto. Santo cristiano, 'sto telefonino ce l'aveva per sport. Provò sul fisso, casomai non
fosse ancora uscito. Non rispose nessuno.

Rifece il numero di Nunnari e gli chiese se per caso il
commissario era lí.

– No, dottoressa, non si è visto.

Se lo figurò a girare torno torno alla Mobile in cerca
di parcheggio, santiando in catanese arcaico. Il telefonino infilato nella tasca del cappotto, con la suoneria al minimo perché non s'era accorto di aver toccato il tasto per
abbassarla. Chiamò ancora al cellulare. Lasciò squillare a
lungo e ritentò di nuovo. Al terzo tentativo ebbe successo. Vanina non gli diede manco il tempo di dire pronto.

– Commissario, lei co 'sto telefono ha un rapporto troppo conflittuale.

Dall'altra parte non arrivò alcuna risposta, solo un
respiro.

Poi: – Angelina sono.

Vanina ebbe una brutta sensazione. Avvertí la solita botta di nausea, quella che l'assaliva quando la paura prendeva il sopravvento e le faceva perdere le coordinate.

– Tutto bene? – chiese.

Il respiro della donna divenne piú marcato. La sentí singhiozzare.

Vanina sbiancò. – Signora Angelina! Che è successo? Dov'è il commissario?

– Al Vittorio Emanuele, – la voce s'indurí, si alzò il tono. – Mezzo morto!

Chiuse. E non rispose piú.

La Bonazzoli compí una manovra da ritiro patente, s'infilò controsenso in una stradina e sbucò nella parallela. Chiocciola accesa sul tetto, zigzagò tra le macchine in fila e spuntò in via di Sangiuliano. Bloccata.

– Metti la sirena, – ordinò la Guarrasi.

Marta la guardò stupita. Lei odiava la sirena.

Vanina era pallida, tesa, quasi in affanno. Cercava un numero nella rubrica del telefono e continuava a sbagliare nel digitare il nome, come nei peggiori incubi mattutini.

Finalmente riuscí ad avviare la chiamata.

– Manfredi! – quasi gridò.

– Oh, Vanina, che fu?

– Il commissario Patanè! L'hanno portato al Vittorio Emanuele. Non so perché...

– Calmati. Che è successo?

– Non lo so, Manfredi, sua moglie mi ha detto che... aiutami, per favore.

– Non ti preoccupare, chiamo subito il Vittorio e mi informo.

Vanina si abbandonò sullo schienale. Meccanicamente tirò fuori una sigaretta, se la mise tra le labbra. Prese l'accendino. Lo guardò come se non sapesse cosa farne. Si sfilò la sigaretta e la buttò fuori.

– 'Fanculo.

Marta si girò verso di lei.

– Guarda che potevi fumarla.

– Non l'ho buttata per te. Non ne avevo voglia.

La ragazza allungò la mano sulla sua.

– Dài, vedrai che non sarà niente di grave.

Vanina si voltò verso il finestrino, strinse la mano di Marta.

Mezzo morto, aveva detto Angelina. Anzi, gliel'aveva urlato, come se la colpa fosse sua.

Il pronto soccorso dell'ospedale Vittorio Emanuele era un porto di mare. Barelle ovunque, sale d'attesa strapiene. Di Angelina nessuna traccia. Vanina si sentí presa dai turchi. Si fece strada tra la gente che affollava il banco del triage.

– Unni va lei? – la fermò un tizio. Mano sanguinante, braccio legato al collo con la cintura dei pantaloni. – In fila s'ha mettiri.

Lo rassicurò che doveva chiedere solo un'informazione. La fermò il secondo, rassicurò anche quello. Al terzo tirò fuori il tesserino.

– Sbirra è, – sentí mormorare, dietro di sé. Le era andata bene. In quella zona, sbirro era il piú benevolo degli epiteti che un poliziotto poteva beccarsi.

Marta la raggiunse mentre parlava con un infermiere, che non sapeva nulla. Chiese ad altri tre, finché riuscí a farsi dire qualcosa.

– Patanè Biagio, sí. In chirurgia d'urgenza l'hanno portato.

Il reparto, per fortuna, era nello stesso padiglione del pronto soccorso. Per raggiungerlo, però, ci vollero tutti i santi del paradiso. Scale, ascensori, corridoi deserti che si dimostravano un vicolo cieco. Vanina e Marta tornarono indietro due volte. Alla fine, per pura fortuna, azzeccarono l'ascensore giusto.

Angelina se ne stava seduta su una panca verde rivestita di formica, le mani incrociate sotto il seno, la testa abbassata. Sembrava che dormisse, invece aveva un rosario in mano.

Quando vide arrivare le due poliziotte si raddrizzò.

Vanina corse verso di lei.

– Signora Angelina, che è successo? Che ha il commissario?

La donna alzò le spalle.

– A terra lo trovai. Stinnicchiato. Arrivammo qua che ancora non si svegliava.

– Ma ora come sta?

– Vivo è, – fu la risposta, lapidaria. Peggio di una coltellata. «Vivo è» poteva dare adito a molte interpretazioni, da quella letterale, ovvero che non era morto, alla più sottile e contorta che indicava il solo mantenimento dei parametri vitali.

Il fatto che fosse in chirurgia d'urgenza significava che qualcosa si poteva ancora fare.

– Lo stanno operando? – chiese.

Angelina rispose con un'altra alzata di spalle.

Vanina rimase sbalordita. – Ma manco questo le dissero? – Non era normale che nessuno le avesse spiegato nulla.

– Che ne so… – Restarono sedute, in silenzio. La mente di Vanina inseguì le eventualità più funeste. Il commissario era morto e ancora nessuno era uscito a comunicarlo alla moglie? Oppure era in condizioni cosí gravi da non potersi piú riprendere? Appena ieri stava cosí bene! Però due giorni prima... La sensazione che Vanina aveva avuto, la mattina in cui lui aveva rifiutato per due volte la cioccolata. Problemi di stomaco, aveva detto. Il mal di stomaco non poteva essere anche sintomo di infarto? Sí, ma allora che c'entrava la chirurgia d'urgenza? Sperò che Manfredi la richiamasse presto.

Angelina aveva ripreso a litaniare il rosario. Al decimo «ora pro nobis» Vanina stava iniziando a sdilliriare. Possibile che se ne stesse cosí inerme?

– Signora Angelina, chiediamo notizie?

La donna non si smuoveva. – Debbo terminare il rosario. Debbo pregare.

Pareva in stato confusionale. E di sicuro non era felice che lei e Marta fossero lí.

Ma pazienza, se lo sarebbe fatto piacere. Vanina non si sarebbe mossa finché qualcuno non le avesse comunicato come stava il commissario.

– Ora ci penso io, – tagliò corto Vanina. Si alzò per andare verso una porta con i vetri opachi, con su scritto «Chirurgia d'urgenza».

Angelina si risvegliò di colpo. – Che fa lei? – disse, a voce alta.

– Come che faccio? Mi informo. Non è possibile che nessuno ci dica nulla.

– Ma a chi lo dovrebbero dire? A lei? E pirchí? Che gli viene lei, a Gino, eh? Nenti gli viene. Tutta 'sta preoccupazione, 'sta costernazione. Ci puteva pinsari prima, invece di portarselo in servizio manco fosse un collega suo. Ci faceva comodo che Gino ci arrisolveva i casi? All'età che ha, ancora a lavorare appresso ai morti ammazzati. Oppure a farle da guardia del corpo, se qualcheduno la minaccia.

A ottantatre anni ancora a girare con la pistola. Macari a fumare ricominciò.

Vanina incassò ammutolita la valanga di recriminazioni e accuse sparate a raffica senza prendere fiato.

Marta fissava Angelina con un'espressione a metà tra il pietoso e l'incredulo.

La donna se ne accorse.

– Macari lei, che ci fa qua? Lo so bene che a mio marito ci piace assai. Meno male che ha ottantatre anni, se no a 'st'ura...

– Signora Angelina, lei straparla, – la interruppe Vanina.

– Io dico la verità: se Gino muore, sulla coscienza ce l'ha lei.

Diretta, spietata. Se Gino muore...

Vanina si dovette sedere.

In quel momento il telefono prese a vibrare.

– Manfredi, – rispose.

– Vanina, scusami se t'ho fatto aspettare, ma c'è voluto un po' prima di riuscire ad avere notizie. Il commissario è ricoverato nel reparto di chirurgia d'urgenza. Ho parlato col collega che lo sta seguendo. Stai tranquilla, è tutto a posto: ha una colica renale. È svenuto per il dolore, la moglie ha chiamato l'ambulanza e l'hanno portato al Vittorio. Il calcolo è incuneato nell'uretere, per questo il dolore è così forte, ma sperano che lo espella da solo. La signora è già stata avvertita... Vanina, ma mi stai sentendo? – S'era persa alla parola colica renale. Fissava Angelina con lo stesso sguardo che riservava ai criminali piú recidivi.

– Una colica renale, – ripeté.

Vanina e Marta si smarrirono di nuovo. Al terzo giro si ritrovarono dal lato opposto rispetto al pronto soccorso, su una terrazza che guardava il giardino, con una doppia scalinata monumentale. Vanina si sedette sul primo gradino e s'accese una sigaretta.

– Roba da matti, – fece Marta, sollevata, – ti rendi conto che la signora t'ha tenuto sulla graticola di proposito?

– Mi rendo conto che se non fosse stata una donna anziana, moglie di una persona a cui voglio un bene dell'anima, un vaffanculo a caratteri cubitali ad Angelina non gliel'avrebbe levato nessuno. Ma siccome quello che mi interessa di piú è che il commissario non abbia nulla di grave, va bene cosí.

– Quando puoi andare a trovarlo?

– L'orario di visita, oggi pomeriggio, è dalle 18 alle 19, – sorrise. – Sono due giorni che non faccio che perdermi per ospedali. Questo è il terzo.

– Se ti può consolare, anch'io. Ieri con Tito al Cannizzaro, oggi qui... – Ci pensò: – Scusa, ma perché tre? A parte il Policlinico dove sei stata?

Vanina avrebbe voluto mordersi la lingua. Come una scimunita stava per tradire Giuli.

– Da nessun'altra parte. Solo che ieri sera, prima di trovare Manfredi, mi girai due padiglioni.

La risposta parve soddisfacente.

– Ma quant'è malmesso quest'ospedale, si vede che stanno per chiuderlo, – disse Marta, guardandosi intorno mentre scendevano lo scalone.

Vanina s'avviò lungo un vialetto. La macchina era lontana, tanto valeva farsela giardino giardino. La decadenza di quel vecchio nosocomio in semidisarmo l'affascinava assai. Come tutte le cose antiche, che evocavano altre epoche. Immagini ottocentesche di corsie infinite, monache che passavano tra i letti. Un immenso, monumentale lazzaretto.

15

La parrocchia di don Rosario Limoli, come l'ospedale Vittorio Emanuele, era uno di quei posti in cui il tempo pareva essersi fermato a qualche decennio prima. Un cortile dove i carusi giocavano a pallone, una sagrestia che pareva un laboratorio di opere creative, la canonica – che per fortuna non era piccola – trasformata in una sorta di casa dello studente.

Vanina e Marta bussarono a un portoncino laterale alla chiesa.

– Chi è? – si sentí. Una voce femminile.

– Sono il vicequestore Guarrasi.

La porta si aprí subito.

– Dottoressa, ispettore!

Chanel Di Martino, diciannove anni, di mestiere commessa ma aspirante poliziotta, era una fan sfegatata di Vanina. Votata alla causa di don Rosario, nonostante con la droga, personalmente, non ci avesse mai avuto a che fare.

– Chanel, come stai?

– Bene, dottoressa, – sorrise esibendo il solito brillantino sul dente. Le fece entrare.

– Che ci fai qui a quest'ora?

– Do una mano al sagrestano che, mischino, si slogò una caviglia.

– Ma al lavoro non ci vai?

La ragazza fece una smorfia.

– Prima dovrei trovarmelo, un lavoro.

– Perché? Non mi dire che il negozio ti licenziò, – fece Vanina, stupita.

– No, non mi licenziò. È fallito.

– Ma come, cosí? Dalla sera alla mattina?

La ragazza alzò le spalle.

Vanina era dispiaciuta. Una iattura immensa, doveva essere, per una famiglia come quella dei Di Martino. Gente onestissima – non è che a San Cristoforo ci vivono solo delinquenti – ma con pochi mezzi. E poi l'università non è mai a costo zero, e di questo passo a Chanel l'idea che diventare commissaria di polizia fosse troppo al di sopra delle sue possibilità non gliel'avrebbe tolta nessuno.

– Cercate a don Rosario? – chiese Chanel.

– Sí.

– In aula è, venite che vi accompagno.

L'«aula» era una sorta di stanzone, esterno alla sagrestia e affacciato sul cortile, che i ragazzi avevano ristrutturato pezzo per pezzo rendendolo abitabile. E dove don Rosario, come un moderno don Milani in versione catanese, cercava di trasmettere ai suoi protetti quel po' di cultura che la scuola – per come l'avevano frequentata – non era riuscita ad assicurare loro. E sulle orme di altri sacerdoti, che per una missione del genere avevano sacrificato perfino la vita, li addestrava a difendersi dalle insidie del mondo che li circondava. A partire, a volte, dalle loro stesse famiglie.

Vanina e Marta s'infilarono di lato, senza disturbare. Don Rosario le vide, ma non interruppe la discussione e loro andarono a sedersi in fondo, su due sedioline che stavano in piedi per miracolo.

– Bonazzoli, occhio che ti finisce come il tuo zito, – bisbigliò la Guarrasi.

La ragazza si avvicinò senza voltarsi.

– Stai attenta tu, piuttosto. Io sono allenata, se questo treppiedi dovesse cedere mi reggerei tranquillamente sui quadricipiti. Tu invece... – fece un sorrisino.

Vanina la guardò storto. Vedi tu 'st'impunita. Ma era la sacrosanta verità: tanto sportiva era Marta, quanto pigra e vergognosamente sedentaria era lei.

Don Rosario affrettò le conclusioni, perse altri cinque minuti e congedò i ragazzi. Poi andò incontro alle due poliziotte con uno di quei sorrisi splendidi di cui madre natura l'aveva dotato, affabile come sempre. Le fece passare in sagrestia. Si sedettero intorno a un tavolo di legno scuro, antico, completamente fuori contesto in quell'ambiente spartano che le opere d'arte e di manifattura dei ragazzi ravvivavano, rendendolo un allegro caos.

– Allora, ditemi come posso aiutarvi.

– Senta, padre, lei ha saputo del duplice omicidio su cui stiamo indagando?

– E come non saperlo? Ne parlò persino il tg regionale.

Nella confusione degli ultimi giorni, a Vanina quel servizio era sfuggito.

– Perciò sa anche che una delle due vittime era monsignor Murgo.

Don Rosario perse il sorriso. – Certo che lo so. Ci rimasi malissimo, mi creda. Doppiamente male. Che brutto periodo, dottoressa!

– Lo conosceva personalmente?

– Sí, molto bene. Una persona di valore, don Nino, oltre che un esempio per molti giovani sacerdoti. Coltissimo, impegnato nel diffondere i valori cattolici. Ma quelli veri, dottoressa, quelli autentici. Tanto che qualche anno fa la Santa Sede gli concesse il titolo di cappellano di Sua Santità.

– Lei lo sa che per un periodo, di recente, era stato cappellano al Vittorio Emanuele?

– Certo. Si offrí lui di ricoprire l'incarico per alcuni
mesi, fintanto che il sacerdote in servizio lí non si rimet-
teva. Andai pure a trovarlo, – don Rosario sorrise, – e lui
ricambiò la visita. Quello che faccio qua gli piacque al punto che si offrí di aiutarmi. Ogni tanto veniva a parlare con
i carusi, raccontava delle missioni in Africa... – fece una
pausa. – Che morte assurda.

– Senta, don Rosario, lei ha idea se monsignor Murgo
ultimamente fosse stato vittima di intimidazioni?

Il sacerdote cadde dalle nuvole. – Intimidazioni? Monsignor Murgo? E perché mai?

– Magari da parte di gente del quartiere. *Questo* quartiere, – specificò Vanina, indicando a terra con le due dita che
da cinque minuti buoni stringevano una sigaretta spenta.

– Di San Cristoforo? – fece don Rosario, sempre piú
basito. – No, no, – scosse la testa, – la gente di qui manco
lo conosceva. Lui viveva ad Acireale.

– Dimentica che era stato cappellano dell'ospedale, –
obiettò Vanina.

– Ma il cappellano di un ospedale che motivo c'è di mi-
nacciarlo?

– Magari era incappato nella gente sbagliata, – suggerí la
Guarrasi. Portarlo sulla strada giusta senza fare domande
troppo rivelatrici non era semplice. – Famiglie come quella
degli Zinna, per esempio. Lo sa come funziona, no? Senza volerlo uno fa qualcosa che li offende e si ritrova nella
peste senza manco sapere perché.

Don Rosario rimase a pensarci qualche minuto.

– Ma no, non credo proprio.

Vanina si rigirò la sigaretta spenta tra le dita, cercando altri argomenti che potessero avvicinarsi a quello che

voleva sapere lei. Prima ancora che potesse parlare, don Rosario fece una riflessione che la spiazzò.

– Poi, dottoressa, mi scusi: qualunque sia il motivo per cui ammazzarono monsignor Murgo, non doveva trattarsi di una cosa che coinvolgeva pure Azzurra?

– Perciò lei conosceva la dottoressa Leonardi? – gli chiese.

– Azzurra? Certo! E allora perché dissi che c'ero rimasto doppiamente male.

– E comè la conosceva?

– Dottoressa, lei lo sa quanti carusi minorenni intossicati fino ai capelli raccatto, strada strada? Secondo lei dove li porto?

Dal punto di vista delle indagini sugli Zinna, la visita a don Rosario era stata un mezzo buco nell'acqua. Però almeno a qualche cosa era servita: ora i rapporti tra Azzurra e Murgo erano piú chiari. Ed era piú chiaro anche il motivo per cui il monsignore s'era messo in mezzo per perorare la sua causa con Vizzino.

– Quindi la Leonardi, anni fa, era stata in Africa nella stessa missione di monsignor Murgo, – sintetizzò Marta, mentre tornavano in macchina.

– A quanto pare –. Vanina spense la sigaretta in un vaso e la gettò in un cassonetto che non doveva aver incontrato un camion della munnizza da almeno tre giorni, tanto era strabordante.

– Ma dimmi tu se è normale, – borbottò, salendo nell'auto di servizio. Non era un problema di quartiere. Negli ultimi giorni di scene come quella in giro per la città se ne erano viste a tignitè. Per non parlare di quante volte era capitato a Palermo. La storia era la stessa: ogni tanto gli addetti alla raccolta rifiuti si svegliavano una

mattina e decidevano che lavorare aggratis non era cosa
per loro. O li pagavano o la munnizza restava lí, a fete-
re lungo le strade.

– In ufficio? – chiese Marta.

Vanina guardò l'orologio. Scherzando e ridendo s'e-
rano fatte le due, e lo stomaco se n'era accorto. Poi, dopo lo scanto che le aveva fatto pigliare quella deficiente
di Angelina, come minimo ci voleva un pasto degno di
questo nome.

– No, da Nino.

Ci arrivarono in cinque minuti, ma trovarono chiuso.

– E che fu? – fece Vanina, contrariata.

Marta strinse gli occhi per leggere un foglio attaccato
alla porta.

– Chiuso per ferie dal 30 dicembre al 2 gennaio.

– Minchia, questa ci mancava. E ora dove andiamo?

La Bonazzoli ci rifletté.

– Ti fidi di me? – se ne uscí.

– In fatto di cibo, assolutamente no.

– Guarda che so quello che faccio. Ti fidi?

Vanina la soppesò con lo sguardo.

– Vedi che devo mangiare cose sostanziose, non te ne
uscire con verdurine, carne finta, formaggio che non è
formaggio...

– Ti fidi? – ripeté Marta.

– Ca fidiamoci.

Girò intorno all'isolato e tornò verso piazza Spirito
Santo. Parcheggiò.

All'angolo con la strada di Nino c'era un ristorante in
cui Vanina non era mai stata. Ambiente piacevole, arredi
siciliani accostati a installazioni piú moderne. Lo gestiva
una donna, simpatica e all'apparenza in gamba. All'arrivo
dell'alzatina piena di focaccine e panini particolari, Vani-

na aveva già ammesso di aver fatto bene a fidarsi. Il resto del pranzo non tradí la premessa.

– Perché non hai chiesto a don Rosario se conosce i Vizzino? – chiese Marta mentre aspettavano il caffè.

– Perché era chiaro che non sapesse niente del problema che Azzurra aveva avuto con loro. Se gliel'avessi chiesto, capace che lui, per darci una mano, si sarebbe messo alla ricerca di notizie. Per quanto bene possa conoscere il quartiere, il rischio che qualcuno degli Zinna percepisse movimenti c'era. E noi non possiamo permetterci mosse azzardate. Non senza prima aver definito come, e soprattutto con chi, dovremo gestire l'indagine.

– Ti riferisci alla Recupero?

– Esattamente.

– Ma come fai a essere cosí sicura che Vassalli mollerà?

Vanina la guardò risolente. – Un giorno gli do, Marta. Al primo indizio che coinvolge in qualche modo l'ambiente mafioso, schizzerà fuori dall'indagine correndo come se gli avessero acceso il fuoco dietro.

– Dottoressa, mi scusi, – la fermò Lo Faro lungo il corridoio.

– Che fu?

– C'è il signor Malachia Salvatore che la aspetta da due ore. Dice che è stato convocato per stamattina.

– E chi è 'sto Malachia?

– Sarebbe il sagrestano della chiesa…

Vanina non lo fece finire. – Il sagrestano di Sant'Oliva! – si ricordò di colpo. Niente, il malore del commissario Patanè l'aveva scombussolata assai.

Raggiunse il suo ufficio e aprí la porta.

– Lo Faro, fai una cosa: portamelo fra cinque minuti. Chi c'è di là?

– Nunnari, che sta aspettando di accedere alle informazioni sui telefoni che lei fece controllare, la Bonazzoli, che arrivò ora ora assieme a lei, e io.

– Mandami di nuovo la Bonazzoli, allora, – gli lesse in faccia la delusione, – ed entra pure tu assieme al sagrestano.

Lo vide partire di corsa e arrivare alla porta della stanza dove aveva relegato Malachia in scivolata.

– Lo Faro! – lo richiamò.

Quello si voltò lentamente, come un ragazzino colto in castagna.

– Se non la finisci di fare il deficiente ripartiamo da zero.

– Scusi, dottoressa.

Il tempo di liberarsi del giubbotto e di fumare la sigaretta postprandiale, e Lo Faro si ripresentò assieme a Marta e a un uomo che pareva arrivare dritto dritto da un'altra epoca. Età indistinta, bassa statura, capello liscio scuro leccato con riga laterale, naso prominente un po' ricurvo. Vestito marroncino con pantalone anni Quaranta. La versione triste di Renato Rascel.

– Ossequi, dottoressa. Totò Malachia, per servirla, – la salutò, in linea con l'epoca.

– Buongiorno, signor Malachia –. Lo fece accomodare e attaccò subito: – Lei è sagrestano della chiesa di Sant'Oliva da quanto?

– Bih, e che ci posso dire... da una vita.

– Da prima che arrivasse monsignor Murgo?

– Poco prima.

– Perciò sicuramente lo conosceva molto bene.

L'uomo sorrise. – Macari meglio di sua sorella, con rispetto parlando.

– Allora, mi racconta tutto quello che ricorda dell'ultima messa celebrata da monsignor Murgo?

– E che mi posso ricordare, dottoressa. Una messa come le altre fu.

– Ha notato se per caso c'era gente nuova?

– Sempre capita qualche persona nuova. In questo periodo, poi, ci sono macari i turisti che trasono nella chiesa per taliarsela e certe volte si fermano. La chiesa nostra è molto bella, – sottolineò.

Vanina non l'aveva mai vista.

– Lo immagino. Qualcuno di estraneo avvicinò il monsignore per parlargli?

– No, no. Solo so' soru e so' cugnato, che poi se ne andarono appresso a lui.

– E nell'ultimo periodo, era capitato che qualcuno estraneo alla parrocchia venisse in chiesa a parlare con lui?

L'uomo ci pensò. – Sí, chistu capitò. Tre volte. La prima volta erano un masculu e una fimmina, di Catania sicuro perché me lo ricordo. La sicunna volta invece fu uno... ca mi fici scantari.

– Perché la fece scantare?

– Pirchí aveva 'na facci... – esitò.

– Una faccia?

– Come ci posso dire... tagghiata, va.

– Tagliata nel senso di brutta faccia, o aveva uno sfregio per davvero?

L'uomo annuí piú volte. – Tagghiata per davvero.

– E che fece, quest'uomo?

– Nenti, disse ca si doveva confessare.

– E monsignor Murgo lo confessò?

– Certo ca lo confessò.

– E per caso dopo le sembrò turbato?

Il sagrestano la guardò incredulo. – Come lo sa?

Vanina sorrise. – Se no non facevo la poliziotta, signor Malachia.

– Vero è, – sorrise pure lui. – Sí, mi parse preoccupato.

– E questo quanto tempo fa è successo?

– Il masculo e la fimmina vennero qualche settimana fa. Quello con la faccia... strana, fu cosa piú recente.

– E la terza volta?

– Quale? – si confuse Totò.

– Lei disse che il fatto era successo tre volte.

– Ah, certo! Pirchí quello con la faccia strana tornò macari all'indomani.

– Sempre a confessarsi?

Quello piegò la testa indietro, in segno di diniego. – Nonsi.

– E che fece?

– S'assittò all'ultimo banco e non si susí fino a quando don Nino, cioè monsignor Murgo, non s'assittò accanto a lui.

– E come le parve, monsignor Murgo?

Malachia ci rifletté. – Siddiato, – rispose.

Uno con il volto sfregiato che s'inventa una confessione, poi si ripresenta in chiesa. Il monsignore prima preoccupato, poi infastidito, anzi seccato. A naso, era parecchio plausibile che si trattasse di uno degli Zinna.

– Senta, signor Malachia, un'ultima cosa, – tirò fuori la fotografia di Azzurra Leonardi, – lei ha mai visto questa donna?

– No, – rispose Totò. Subito.

– Dottore Rossello, buongiorno, sono Vanina Guarrasi.

– Oh, dottoressa, buongiorno. Ci sono novità?

Vanina aspirò la prima boccata della sigaretta che aveva acceso appena Malachia era uscito.

– Non ancora. Senta, ho bisogno di un'informazione: per caso si ricorda se tra i parenti di Vizzino che vi minacciavano c'era qualcuno con una cicatrice sul viso?

– Certo, e chi se lo scorda! Il piú laido di tutti era. Quello che disse ad Azzurra che le avrebbe «fatto la festa», – tacque. – I brividi mi vengono, se penso che ora Azzurra... – non concluse. Era una coincidenza un poco strana. Com'era strano pure che dal giorno in cui la notizia del doppio omicidio era uscita sul giornale Rossello non avesse ricevuto piú nessuna intimidazione.

Staccò col medico e vide che sul display c'erano due avvisi: un messaggio di Giuli, appena tornata a casa, e una chiamata di Patanè. Ma il telefono non ce l'aveva Angelina?

Vanina richiamò subito il numero del commissario.

– Dottoressa.

– Commissario, ma che combinò?

– Ah chi ni sacciu! Mai avevo sofferto di coliche renali. Madunnuzza santa, manco se lo può immaginare il dolore.

– Ma ora come sta?

– Meglio. Anzi, bene. Per come la vede il dottore il calcolo sarà stato già espulso. Nun fussi per la cucuzzata che detti quannu svinni, a 'st'ura mi facevano uscire.

A Vanina stava scappando una risata. Ma com'è che Patanè riusciva a farla divertire pure da un letto di ospedale?

– Piú tardi vengo a trovarla, – gli promise.

– Felice mi fa. Occhio, che qua un labirinto è. Capace che si perde.

Vanina rimase spiazzata. E che, Angelina manco gliel'aveva detto che lei era stata lí?

– Guardi che ci sono già venuta, commissario. Stamattina.

– Piddaveru? E nenti mi dissero? – fece Patanè, contrariato ma contento.

E chi doveva dirglielo? Sua moglie? Nemmeno se le tagliavano un braccio.

– Vabbe', come fu e come non fu non importa, – risolse. Non era il caso che il commissario si pigliasse collere.
– Ci vediamo piú tardi.
La stessa cosa scrisse a Giuli.

Aveva appena bussato alla porta di Macchia e stava entrando nel suo ufficio, quando rischiò di venire travolta dalla valanga Nunnari in corsa verso di lei.
– Minchia, Nunnari, a terra mi stavi buttando!
– Scusi, capo, – si mortificò il sovrintendente.
– Che volevi?
– I tabulati arrivarono!
– Volete entrare o vi fermate sulla porta? – li richiamò Macchia, che assisteva alla scena piazzato sulla sua poltrona. Col cuscino ergonomico che Marta gli aveva imposto, pareva perfino piú alto.
Vanina entrò e Nunnari le andò dietro.
– Che tabulati sono? – chiese il Grande Capo.
– Quelli dei Vizzino e di Giuseppe e Carmelo Zinna, fratelli della signora.
– Guarra', Vassalli è stato cosí celere? – si stupí.
– Non vede l'ora di sapere se questi illustri signori possano entrarci qualcosa, – rispose Vanina, sorniona.
Entrambi fissarono Nunnari, che se ne stava impietrito davanti alla scrivania.
– Nunnari, vogliamo fare notte? – lo spronò Vanina.
– No… certo… scusate, – armeggiò con i fogli. Macchia lo invitò a sedersi.
– Ecco, – fece Nunnari finendo di sistemarsi, – i numeri dei Vizzino e di Giuseppe Zinna compaiono nei tabulati telefonici della Leonardi, del dottore Rossello, e del monsignore. Fino a circa due settimane fa. Dopodiché spariscono quasi del tutto e compare invece il nu-

mero della sim intestata all'uomo deceduto. Ma non in tutti e tre.

– Compare solo in quello di Azzurra, – indovinò Vanina.

– Il grosso delle volte sí. Tranne due, che chiamò anche il dottore Rossello.

– Quindi non ha mai contattato Murgo, – concluse Macchia.

Nunnari scosse il capo. – No. Tant'è vero che noi fin dall'inizio non trovammo numeri in comune. Se lo ricorda, dottoressa? Però, in compenso, Giuseppe Zinna ha agganciato un paio di volte la cella di Acireale.

– Quando?

Nunnari controllò.

– Il 21 e il 22 dicembre, tra le 18.45 e le 19.30.

– Corrisponde con quando Murgo ricevette la visita dello sfregiato, – commentò Vanina. Guardò i fogli stampati e l'occhio le cadde subito su un dettaglio.

– Invece la sim intestata al morto la sera del 26 ha agganciato la cella di Nicolosi.

– E io questo volevo dirle, – replicò Nunnari. – Vede? La sim agganciava Nicolosi in entrambe le telefonate che fece alla Leonardi quella sera. E poi rimase in zona. Finché non scompare il segnale.

– Possiamo azzardare finché non trovò Azzurra Leonardi? – suggerí Macchia.

– A che ora sparisce dal tracciamento? – chiese Vanina.

– Alle 00.12 del 27 dicembre.

– Poco prima che il telefono della dottoressa diventasse irraggiungibile.

Macchia meditava.

– Sai cosa tornerebbe davvero utile? Scoprire dov'è la sua macchina. Ci aiuterebbe a ricostruire il percorso; non trovi, Guarra'?

– Chi l'ha fatta sparire potrebbe aver lasciato tracce al suo interno, – aggiunse Vanina, – ma la vedo difficile, Tito.

– Eh, lo so. Nunnari, si vada a informare con la squadra che la sta cercando. C'è anche l'agente Spada di mezzo, chieda a lui.

– Subito, capo –. Il sovrintendente si confuse come al solito, non seppe se guardare Vanina o Macchia.

Nel frattempo bussarono alla porta.

Spanò aprí a metà. – Buonasera, c'è la dottoress... – Vide la Guarrasi e si fermò.

– Venga, Spanò, – fece Macchia.

L'ispettore entrò e si sedette al posto appena lasciato da Nunnari, che si dileguò.

– Ispettore, porta novità? – chiese Vanina.

– Niente di sostanziale. Cercai gli operai del cantiere e mi passai il tempo a chiamarli, uno per uno. Hanno tutti alibi di ferro. E Scimemi, il custode dell'albergo, mi contò vita, morte e miracoli di ciascuno, – fece la faccia di chi non nutre grandi speranze. – Se volete sapere come la penso, francamente non ci perderei tempo.

– Era probabile che fosse cosí, – commentò Macchia.

– Lei, dottoressa, che concluse? Ci andò da don Rosario?

Vanina aggiornò entrambi, sia su quanto aveva saputo da don Rosario, sul monsignore e su Azzurra, sia sull'interrogatorio di Malachia.

– Quindi, in poche parole: Murgo conosceva la Leonardi, per difenderla s'era inimicato perfino uno degli Zinna. Quello che resta complicato ricostruire è la dinamica dei due omicidi, – ricapitolò Macchia.

Anche Vanina era della stessa idea. – Intanto cerchiamo di capire questo con la faccia tagliata chi è.

Tito allungò la mano sul telefono. – Chiamo Giustolisi. Alla Sco gli identikit dei mafiosi ce li hanno sempre a portata di mano.

– Non ce n'è bisogno, dottore, – lo fermò Spanò.

– Perché?

– La facci tagghiata, tra i parenti di Vizzino, ce l'ha uno solo: Giuseppe Zinna. Pizzo e prostituzione sono il suo business. Droga no, pirchí nel nucleo familiare se ne occupa so' frati Carmelo.

– E lei tutte 'ste cose come le sa? – chiese Vanina.

– Me ne andai a mangiare alla mensa insieme a Torre, della Sco, e ci fici quattro domande sui Vizzino-Zinna.

– E bravo ispettore, – esclamò la Guarrasi, compiaciuta. Un braccio destro come Spanò faceva fare sempre bella figura.

– Giuseppe Zinna compare nei tabulati telefonici e ha agganciato la cella di Acireale nei giorni in cui Murgo ha ricevuto le visite del tipo con la faccia sfregiata, – sintetizzò Macchia. – Le coincidenze stanno diventando assai.

Vanina seguiva invece i suoi ragionamenti. – Dinamica a parte, – sottolineò.

– Dinamica a parte, sí. Però, lo sai meglio di me, talvolta la dinamica si capisce solo all'ultimo.

E pure quello era vero.

Tito si rigirò il sigaro spento che teneva in bocca. Sorrise stringendolo tra i denti.

– Guarra', ora non ti resta che andare da Vassalli e raccontargli queste novità.

Vanina guardò l'orologio. Erano quasi le 17.30, di lí a poco si apriva l'orario di visita al Vittorio, e lei non voleva tardare nemmeno di mezzo minuto.

– Dopo, – rispose, alzandosi, – ora, se non ti dispiace, passo a trovare Patanè in ospedale –. Diede per scontato che Marta avesse raccontato l'episodio di quella mattina a Tito, e che Spanò l'avesse saputo da qualche parente gazzettino. E invece.

– Patanè in ospedale? – domandarono all'unisono.

Erano preoccupatissimi.

16.

Patanè non sapeva che fare per ammazzare il tempo. Il suo compagno di stanza, un uomo sulla sessantina affetto da ulcera perforata che santiava dalla mattina alla sera perché non lo facevano mangiare, non era una gran compagnia. Ogni cinque minuti Gino scendeva dal letto, afferrava il bastone della flebo e si faceva una passeggiata. Se gli andava bene riusciva a percorrere tutto il corridoio, se gli andava male veniva recuperato dall'infermiere/infermiera di turno e riportato indietro. Pezzo pezzo, era finita che s'era furriato l'intero reparto. Era appena riuscito a svoltare l'angolo per andare a curiosare nelle ultime stanze, quando il corridoio si animò di persone incappottate, cariche di sacchetti e sacchettini. Guardò l'ora e vide che s'erano fatte le 18. Se non si spicciava, capace che Angelina entrava nella stanza e non lo trovava. Se due piú due faceva quattro, per come l'aveva pigliata, come minimo le sarebbe venuto uno stinnicchio. Che gli successe a Gino mio! Dove l'avete portato! Meglio accelerare il passo. Tanto piú che a momenti sarebbe arrivata pure la Guarrasi.

– Commissario! – lo rimproverò l'infermiera, una carusa graziosa assai da cui aveva fatto carte false per farsi prendere in simpatia. Carlotta si chiamava. – Ma lei fermo non ci sa stare, vero?

– Carlotta, mi dicisse una cosa, in tutta sincerità: pirchí mi n'avissi a stari fermo? Dolore non ne ho, in testa mi spuntò un bernoccolo ca pare l'Etna, ma per fortuna danno serio non me ne fici. Ho motivo per starmene curcato?

La ragazza lo guardò ridendo. – No.

– Ecco, appunto.

– Però, almeno per ora, se ne torni nella stanza, che vedo arrivare sua moglie e nel corridoio non ci potete stare.

Il commissario alzò gli occhi: Angelina stava entrando dalla porta a vetri a braccetto con... suo figlio? Ma che aveva fatto, quella santa cristiana? La vacanza a Francesco era andata a scummigghiare?

Flebo al seguito, li raggiunse.

– Papà, – fece Francesco, abbracciandolo, – ma che ci fai in giro?

– E che ci devo fare? Due passi per sgranchirmi un poco. Tu che ci fai qua, piuttosto? – rispose Patanè, entrando nella sua stanza. Si andò a piazzare sul letto e invitò il figlio a sederglisi accanto. Angelina prese una sedia di lato e la accostò.

– Come che ci faccio? La mamma mi chiamò stamattina che pareva stessi morendo, non ti risvegliavi piú.

Patanè guardò male Angelina. – Ca quale morendo! Una colica renale mi venne. E svinni per il dolore. Capita. Mi dispiace che tua madre ti abbia fatto scapicollare qua di corsa –. Cose da pazzi, una tragedia aveva cumminato quella santa fimmina.

Francesco era visibilmente sollevato.

– Ma ora come stai?

– Bene. Mi fecero l'ecografia e dice che il calcolo oramai è in vescica. In testa, ringraziando il Signore, non mi fici nenti e i femori sono tutti e due magnifici, che con la caduta potevano rompersi. Domani probabilmente me ne torno a casa.

– Meno male, va.

Invece di essere contenta, Angelina pareva contrariata.

– Angilina, gioia, ma che è 'sta funcia? – fece il commissario. Certe volte non arrivava a capirla.

– Nenti. Stanca sono.

Vanina raggiunse la stanza 3 e bussò sulla porta, aperta per metà. Avanzò nell'antistanza ed entrò. Il commissario era seduto sul letto insieme a un uomo sui cinquanta che pareva lui ringiovanito. Angelina, accanto a loro su una sedia, appena la vide ebbe un piccolo sobbalzo. Una cosa da poco, che notò solo lei.

Patanè fece per alzarsi. – Dottoressa Guarrasi!

– Commissario, stia fermo! – Lo raggiunse. Gli strinse entrambe le mani. Fece finta di accorgersi di Angelina solo in quel momento. – Signora Angelina, come sta? S'è ripresa dallo shock? – Le sorrise, guardandola negli occhi. Per la prima volta la vide intimorita. Forse perché stavolta l'aveva combinata grossa, ma grossa assai. Se Gino l'avesse saputo, l'avrebbe lavata. Era alla mercé della sua avversaria, a speranza del suo buon cuore.

L'uomo che era seduto accanto a Patanè s'era alzato in piedi e sorrideva.

– Mio figlio, – lo presentò il commissario.

– Francesco Patanè, – si strinsero la mano, – che piacere conoscerla. Mio padre parla spesso di lei, e con toni entusiasti.

– Ca certo! La mia dirigente è, – scherzò lui.

Il figlio rise. – Per davvero!

Vanina trascinò un'altra sedia e si mise accanto al commissario, dall'altro lato rispetto ad Angelina. Piú lo guardava e piú si risollevava. Era arzillo che manco pareva fosse stato cosí male.

Glielo fece notare.

– Vulissi virriri! – ribatté lui. – La colica, per fortuna, mi finí a mezzogiorno e mezzo. Sono le 18.35 e tutto 'sto tempo non fici altro che starmene curcato, a parte una piccola gita in radiologia perché mi dovevano fare la Tac alla testa, e comunque sempre curcato mi ci portarono.

– Ma se t'abbiamo trovato che furriavi reparto reparto, – obiettò il figlio.

A Vanina venne da ridere. Se lo figurava preciso, a curiosare dappertutto.

– Novità ce ne sono? – le chiese il commissario.

– Qualcuna.

Patanè si guardò intorno.

Francesco capí che il padre stava morendo dalla voglia di sapere di che si trattava.

– Mamma, che dici, ci facciamo un giro e torniamo tra cinque minuti? – propose.

Angelina lo guardò sbalordita. Manco suo figlio dalla parte sua aveva! Ma che doveva fare? Era legata mani e piedi. Se la Guarrasi parlava e raccontava la scena di quella mattina, ci sarebbero voluti tutti i santi del paradiso perché Gino la perdonasse. Annuí, in silenzio, e uscí con Francesco.

Vanina lanciò un'occhiata rapida al vicino di letto, che russava.

Avvicinò la sedia ancora di piú e raccontò per filo e per segno a Patanè quanto aveva scoperto fino a quel momento. Alla fine del resoconto si guardarono in faccia con la stessa espressione, irresoluta.

– Due cose non quadrano, – ragionò Patanè, – la prima è che monsignor Murgo aprí la porta e fece entrare in casa sua uno come a Giuseppe Zinna che, mi ci gioco la camicia, le due volte che s'era presentato da lui l'aveva minacciato. La seconda, altrettanto importante, è che uno come Zinna minchiate come quella di lasciare impronte stampate dappertutto non ne fa. Terzo...

– Ma non erano due? – fece Vanina, divertita. Il commissario, come al solito, stava dando voce a tutte le sue perplessità.

– Tre, – confermò Patanè, – sempre se raggiunannu raggiunannu non me ne vengono altre.

– Posso dirla io la terza?

– Certo. Viremu se è la stessa.

– Terzo: che bisogno aveva Giuseppe Zinna, persona avvezza a far sparire cadaveri dalla faccia della terra, di armare tutto quel teatro nel cimitero di Santo Stefano?

Patanè abbassò la testa due volte. Come si ragionava con lui non si ragionava con nessuno.

Angelina rientrò, con Francesco che parlava al telefono. Rimasero in silenzio per permettergli di finire la chiamata. L'antifurto satellitare della sua auto aveva rilevato una posizione irregolare, ma la macchina era là con lui. Quando chiuse, Vanina si alzò. Salutò Patanè stringendogli di nuovo le mani. Gli promise che l'avrebbe aggiornato. Salutò Angelina e il figlio, che le ripeté ancora quanto fosse contento di averla conosciuta.

Lentamente, la sigaretta accesa, Vanina tornò indietro giardino giardino. Raggiunse la Mini, che era riuscita a posteggiare all'interno dell'ospedale. In quel momento, l'antifurto dell'auto parcheggiata di fianco alla sua iniziò a suonare. Le tornò in mente la telefonata di Francesco, il satellite che aveva rilevato la posizione...

Cambiò espressione. Scimunita che non era altro, ma come non ci aveva pensato prima?

Prese il telefono e chiamò Nunnari.

Era già arrivata sotto casa di Giuli, quando il sovrintendente la richiamò.

– Nunnari, e allora?

– Ragione aveva, dottoressa. Non capisco com'è che nessuno ci pensò! La macchina della Leonardi ha un sistema di controllo satellitare collegato con l'assicurazione contro il furto. Solo che prima di domani mattina dubito che potremo sapere qualcosa.

– Va bene. Domani mattina, appena possibile, cerchiamo di ottenere il percorso che ha fatto la macchina quella notte dopo che è partita da Nicolosi. Ah, e anche quello che fece prima di arrivare alla festa.

– Signorsí.

– Ora rompi le righe e vattene a casa.

Lo immaginò sull'attenti.

Citofonò a casa di Giuli ed entrò.

Tornò a Santo Stefano in preda a un mal di testa di quelli seri. Giuli l'aveva bloccata due ore davanti a un computer, mentre comprava online una quantità incredibile di vestiti, scarpe e borse dai siti piú glamour ed esclusivi. «Lo *street style* parigino, Vanina. Chic che piú chic non si può». Tanto aveva fatto che l'aveva convinta a comprare qualcosa anche lei: un blazer pied de poule modello over «perfetto per lei». Alla fine era tornata all'attacco con il progetto del viaggio a New York di cui parlavano sempre.

Vanina non se l'era sentita di andarsene prima, aveva capito che tutta quella frenesia di shopping online e di prenotazione d'alberghi era solo un sistema di autodifesa. Fare per non pensare. Nessuno piú di lei poteva comprenderla.

A giudicare dal numero di 500 vecchio modello e di altre utilitarie d'epoca parcheggiate nello slargo sotto casa, Bettina doveva aver invitato l'intera cerchia di sue amiche. Anzi, il Ford Galaxy posteggiato all'angolo suggeriva che ci fosse il gruppo «piú uno».

E infatti.

Luci accese, vocio continuo. Dovevano aver finito di giocare a carte e ora stavano cenando con quello che ognuna aveva portato.

Vanina tentò di passare inosservata ma non ci riuscí. Il «piú uno», Gregorio Scavone, l'unico uomo di quella comitiva di over settantacinque accomunate dalla vedovanza, uscí all'improvviso dalla porta finestra della vicina e la sgamò.

– Dottoressa, buonasera!

– Buonasera, signor Scavone.

– Trasisse, – la invitò.

– Ma no, lasci stare... – stava iniziando a dire, quando Bettina comparve da dietro le spalle dell'amico suo.

– Vannina, perché non suonò?

Farfugliò qualcosa che aveva a che fare con la stanchezza e col mal di testa. In men che non si dica si ritrovò in mano una *truscia* piena di cibo di ogni genere piú una bustina di un antidolorifico miracoloso che la signora Luisa, palermitana come lei, prendeva per i dolori al ginocchio.

Si conzò il solito tavolino davanti alla televisione, e si spazzolò in dieci minuti tutto quello che Bettina le aveva confezionato. Alla fine sciolse la bustina dell'antidolorifico nell'acqua e la mandò giú. Per togliersi il saporaccio dalla bocca, fece il bis della millefoglie alla crema che aveva portato Scavone.

Mezz'ora piú tardi si sentiva rinata. Stava scegliendo un film da vedere quando il telefono squillò. Vanina lo fissò per qualche secondo prima di rispondere a Paolo.

Dieci minuti dopo aver preso sonno, il telefono squillò di nuovo. Vanina annaspò per rispondere subito, convinta che fosse ancora Paolo, ma sentí la voce di Marta.

– Vanina, scusami, non è che dormivi? – Effettivamen-
te erano «appena» le 23.50. Ma che c'era nella bomba che
le aveva dato Luisa?

– Non ti preoccupare. Che è successo?

– Sei sicura che non vuoi parlarne domani?

Vanina sbuffò. – Marta, gioia, quando fai cosí mi smuovi
i nervi. Ormai che ci siamo parliamone, no? Di che si tratta?

– Dei tabulati di monsignor Murgo.

Vanina aprí gli occhi, si tirò su.

– I tabulati di monsignor Murgo, – ripeté. – Ma dove sei?

– In ufficio, sono di turno.

– E che trovasti nei tabulati?

– Una roba strana, ma proprio strana.

– Cioè?

– Uno dei numeri che lo chiamano piú di frequente, anche a tarda sera, è una sim ricaricabile cui, non so perché,
non eravamo ancora riusciti a risalire. In realtà la compagnia telefonica aveva risposto, ma la risposta era finita in
una cartella…

– Marta, stringiamo, che dici?

– Okay scusami. Insomma, la sim appartiene ad Azzurra Leonardi.

17

Rimase un po' a letto, tentando il possibile per riprendere sonno, ma non era piú cosa. Si alzò, si intrusciò in un plaid, s'infilò un paio di stivaletti Ugg che usava nelle giornate di freddo e andò a fumare una sigaretta sul terrazzino affacciato sull'agrumeto. Per come l'aveva addobbato Bettina, con chilometri di lucine che s'arrampicavano sui tronchi, pareva un agglomerato di alberi di Natale. Oddio, alberi di Natale un po' inconsueti, lungi dall'assomigliare all'icona cui facevano riferimento, ma con uno stile tutto loro. Foglie larghe, tronchi forti, palle arancioni o gialle. Stile siculo.

Il fatto che le luci fossero accese indicava che la vicina era ancora in piedi, ad *arrinzittare* la cucina, che se non puliva tutto prima di andarsene a letto poi non le poteva sonno. Vanina allungò il collo per sbirciare e vide che la porta finestra era mezza aperta. Si avvolse meglio nel plaid. Chissà che temperatura c'era. Massimo sei gradi, a stare larghi. Il vento che s'era alzato in serata aveva spazzato via le nuvole, rendendo di nuovo visibile la *muntagna*. A giudicare dalla pioggia di quella mattina, lassú doveva aver nevicato assai. Meno male che Pappalardo aveva completato i rilievi sulla terrazza dell'albergo, che ora di sicuro doveva essere sommersa dalla neve. Pochi attimi di contemplazione vulcanica e la sua mente si distaccò dall'indagine. Prese i circuiti che voleva e, senza che lei gliene avesse dato il permesso, la catapultò dritta dritta all'Addaura. Ci rimase per cinque minuti buoni, girò tutta la casa centimetro per centimetro, la immaginò come l'aveva immaginata Paolo. Com'era prima. Come poteva tornare a essere. Si spostò in giardino: il tavolino di pietra, il vialetto lastricato con le pietre irregolari, la terrazza immensa sul mare. Sarebbe stato bello se la sua mente si fosse fermata lí. Se non fosse andata avanti, deviando verso le aperture, verso i cancelli bassi da cui chiunque sarebbe potuto passare indisturbato. E fargli del male. La solita, ineluttabile, paranoia.

Rientrò che non si sentiva piú le mani. Il plaid e gli stivaletti, in compenso, avevano tenuto. Il sonno era svanito del tutto. E non sarebbe tornato, tanto valeva farsene una ragione. Di recuperare il film che s'era scelta prima che Paolo la chiamasse non aveva voglia. Lo rimise al suo posto nella libreria. *Riusciranno i nostri eroi a ritrovare l'amico misteriosamente scomparso in Africa?* In quel periodo s'era amminchiata con Alberto Sordi, finiva sempre per scegliere i suoi film. In quello c'era anche Nino Manfredi, altra sua grande passione. E un bravissimo Bernard Blier. Nonostante ciò, non le andava di iniziarlo.

Suo padre pareva guardarla sornione dalla mensola. Dài, nica, che lo sai cosa vuoi fare, inutile che ci giri intorno. Oramai di dormire non se ne parla. Almeno non ti pare di aver sprecato il tempo.

Aveva ragione.

In dieci minuti era vestita, con tanto di fondina già indossata. Jeans grigi, dolcevita blu a trecce, cabàn blu e basco alla marinara regalato da Costanza. Si guardò allo specchio, prima di uscire, e le venne da ridere. Pareva uscita pari pari dal computer di Giuli. Vedi tu che aveva ragione l'amica sua: forse lei era troppo impegnata a fare la sbirra per accorgersene, ma per come si vestiva pareva per davvero un misto tra una newyorkese e una parigina.

Si tenne gli Ugg, che non avrebbe tolto manco sotto tortura.

Afferrò le chiavi della macchina e uscí.

A quell'ora di notte, piú che incrociare i dati dei tabulati telefonici o ristudiarsi quello che avevano già non si poteva fare, ma era meglio che starsene con le mani in mano.

Dalla stanza dei veterani fece capolino Spanò.

– Dottoressa, mi pareva di aver riconosciuto la camminata! Ma lei che ci fa qua?

– Che ci fa lei, piuttosto. Non era di turno la Bonazzoli?

– Non mi poteva sonno e mi ni vinni 'cca. La Bonazzoli invece, mischina, era stanca assai. Le dissi di tornarsene a casa, che qua ci restavo io. Ma non mi avvertí che lei stava venendo.

– Non lo sapeva –. Spanò la seguí nel suo ufficio, dove si sedettero uno di fronte all'altra. Si accesero una sigaretta ciascuno.

– Gliel'ha raccontato Marta quello che trovò nei tabulati del monsignore? – fece Vanina.

L'ispettore annuí. – Arrivai che lo stava riferendo a lei per telefono.

– Ma com'è possibile che Nunnari non se ne fosse accorto? Pure Fragapane, che si mise a scrivere nome per nome, possibile che non si accorse che mancava un numero?

– Possibile, dottoressa. La compagnia telefonica ci stese quarantotto ore e passa per comunicarci a cu apparteneva 'dda bbiniditta sim.

– E che è normale? – fece Vanina, contrariata.

– Con alcune compagnie sí.

– Lei che ne pensa, ispettore?

Spanò tirò una boccata di fumo. – Mah, dottoressa, cchi ni sacciu. Uno che può pensare, in questo caso?

– E che può pensare. A primo colpo, una cosa sola, – si capirono senza bisogno di parlare. – Inusuale per un sacerdote, ma non sarebbe né il primo né l'ultimo.

– Macari secondo me, dottoressa.

S'ammutolirono appresso ai propri ragionamenti, che non erano poi dissimili.

– Sa se per caso Nunnari concluse qualche cosa col dispositivo satellitare della macchina di Azzurra? Sempre che ce l'avesse, – si ricordò Vanina.

– Ah, sí, prima di andarsene. Fragapane lo aiutò. Accanusce a uno che travagghia alla compagnia con cui la Leonardi assicurò l'automobile. Una 500X bianca. L'assicurazione per il furto prevedeva un rilevatore satellitare per costare cchiú picca.

– Perciò domani sapremo dove si trova l'auto, e che percorso ha fatto in quell'ora di vuoto in cui il telefono era spento.

– Probabilmente.

– Scommettiamo che corrisponderà al posto in cui si trovava monsignor Murgo?

– E che scommettiamo a fare? – Per Spanò era fin troppo ovvio.

– Intanto dov'era monsignor Murgo lo possiamo vedere ora stesso, – propose Vanina, accendendo il computer.

L'ispettore trascinò la sedia accanto a lei.

Mentre il computer si avviava a Vanina arrivò un messaggio. Guardò il display stupita.

– Ma che gli diedero al commissario Patanè, che ancora a quest'ora è sveglio!

Spanò sorrise. – Andai a fargli visita che lei era appena uscita. Bonu l'attrovai! E che dice?

– Niente, chiede se sto dormendo –. Gli rispose di no.
Tempo trenta secondi e il telefono squillò.

– Commissario, ma lei che fa ancora sveglio?

– Lassamu stari, va', dottoressa, – bisbigliò. – Chistu ca
russa, o se s'arrusbigghia si mette a ghittari vuci, 'sta luci
azzurrina sempre addumata. Cose di nesciri pazzi. Ma un
povero mischino che ha bisogno piddaveru, comu s'avissi
a ripigghiari senza dormire?

Lui, manco a dirlo, era lí per caso.

Vanina sorrise. – Io invece sono in ufficio con Spanò.

– Chistu significa ca ci sono novità, – indovinò Patanè,
ringalluzzito.

Lo mise in vivavoce e lo aggiornò sulla sim.

– Talè, talè, talè ca allura non erano minchiate!

Vanina non capí.

– Cosa, commissario?

– Chiddu ca mi cuntò Carlotta!

– E chi è Carlotta? – fecero all'unisono la Guarrasi e
Spanò.

– L'infermiera. 'Na carusa simpaticissima.

A Vanina venne da ridere. – Sarebbe quella che ho intravisto oggi pomeriggio?

– Sí, idda.

– Solo simpatica, vero? – lo sfruculiò. Graziosa assai,
era, altroché!

Anche Patanè rise. – Vabbe', non sottilizziamo!

– Meglio, va'. E che le disse, questa Carlotta?

– Stasera, doppu che mi levò la flebo, ci siamo fatti una
partita a carte nell'infermeria. Lei lavora al Vittorio da otto anni. Parrannu parrannu, mi disse che aveva conosciuto
tutti e due i morti ammazzati trovati nel cimitero. Io la
lassai parrari. Nel periodo che c'era monsignor Murgo in
sostituzione del cappellano, Carlotta fu trasferita tempo-

raneamente alla Pediatria d'urgenza. Lavorò macari con la Leonardi. La dottoressa era bravissima, ma aveva un malocarattere, non dava confidenza a nessuno. Era sempre fredda, antipatica. Cosí con tutti, tranne che...

– Con monsignor Murgo, – lo anticipò Vanina.

– Esatto. Anzi, pare che quannu parrava con lui si sciogliesse. 'N'autra pirsuna addiventava. A 'sto punto Carlotta si fermò e non andò avanti. Perciò mi ci dovetti mettere io d'impegno a farle dire quello che aveva in punta di lingua, pure se ci pareva male cuntarmelo.

– E ci riuscí?

– Ca cettu, dottoressa. Che aveva dubbi?

– Assolutamente no!

Patanè si schiarí la voce, che a parlare piano gli si seccava la gola.

– Perciò: monsignor Murgo e Azzurra se ne andavano dall'ospedale sempre assieme. Se idda ritardava, iddu perdeva tempo in cappella. Se idda anticipava, anticipava macari iddu. Siccome Carlotta sicunnu mia è curtigghiara, ma curtigghiara assai, tanto fici che si trovò per caso sulla loro strada. Cosí s'addunò che non se ne andavano subito. Perdevano tempo nel giardino, passiavanu fino al parcheggio e parravano tra loro come due amici. Ma amici speciali, non so se mi spiego.

– Si spiega benissimo.

– Una volta un collega di Carlotta vide perfino che il monsignore saliva nella macchina con la Leonardi.

– Vabbe', abbiamo capito, – fece Vanina, mentre Spanò annuiva ritmicamente.

– Aspittassi ca ancora ce n'è, – continuò Patanè. – Dice che durante l'episodio della picciridda che arrivò mezza morta e la Leonardi e il collega suo non pottero fare niente per salvarla, quando i genitori reagirono male, Murgo era preoccupato assai. Un'ora ci rimase, a parlare con la madre, a sostenerla. E pare che lí per lí, dopo aver parlato con lui, i genitori si calmarono. Poi arrivarono i parenti, e finí a schifio. Gli alzarono le mani a Rossello. Murgo, che se n'era tornato in cappella, ricomparve correndo. Appena uno di quelli aggredí Azzurra, iddu si mise in mezzo. Dice Carlotta che era bravissimo a parlare con le persone, e soprattutto a dargli forza. Aveva la voce rassicurante, dice. Un talento di natura. Ma con quelli nun ci potti manco iddu, pirchí se ne andarono ittannu vuci.

Tutto come Vanina iniziava a immaginare.

– Alla fine Carlotta ammise che sicunnu lei tra Azzurra e Murgo ci doveva essere qualche legame. Non disse quale, ma si capí. Questo è quanto, – concluse Patanè.

– E non è per niente poco!

– Certo che non è poco! Ma se no che la disturbavo di notte e notte?

– Lei non mi disturba mai, commissario. Ma mi levi una curiosità: giocò a carte fino a quest'ora? – chiese Vanina, sbalordita. Spanò rideva.

– Ca quale! Tuttu chistu successe alle 21.30. Mi trattenni altri dieci minuti con Carlotta, poi me ne tornai in camera per chiamare a lei e mi resi conto che il telefonino era completamente scarico. Il tempo ca pigghiai il caricabatterie, che Angilina l'aveva impurtusiato accussí bbonu che prima di trovarlo dovetti arriminare nella borsa deci minuti. Poi trovai una presa libera, l'appizzai, appi a spittari che si ricaricava. E poi il tempo ca scrissi il messaggio…

– Si fece notte, – concluse Vanina, divertita dalle disavventure di Patanè con le *mavaríe* che la tecnologia metteva a disposizione e che lui maneggiava con fatica.

Lo salutarono ridendo.

– Cose da pazzi, fermo non ci può stare mai! – commentò la Guarrasi, chiudendo il telefono.

– Mai! Sempre cosí è stato, – rispose Spanò. Intrecciò le mani sulla pancia. – E perciò la prima cosa che ci venne di pensare era quella giusta.

– Parrebbe di sí.

– Con gli Zinna come ci muoviamo? – chiese l'ispettore, mentre Vanina apriva il sistema per il tracciamento dei telefoni.

– E come ci dobbiamo muovere, Spanò. Qualche indizio l'abbiamo acquisito, domani lo comunico a Vassalli e la cosa diventa di competenza della Dda.

Spanò sobbalzò. – Perciò pure noi ne restiamo fuori? – fece, preoccupato. La Guarrasi, vai a capire perché, quando c'era da passare qualche pista a quelli della Criminalità organizzata era sempre sollecita. 'Sta cosa l'ispettore non riusciva a spiegarsela.

– No, noi no. Macchia dice che al massimo chiederemo la collaborazione della Sco.

L'ispettore parve sollevato. Vanina evitò di mostrargli quanto invece per lei fosse tutt'altro che una bella notizia.

– Allora, vediamo qua che dicono i tracciamenti di Murgo.

Spanò inforcò gli occhiali.

– Fino alle 19.50 era ancora ad Acireale, zona Sant'Oliva. E ci sta, perché sicuramente aveva officiato la messa delle 19. Poi si muove: Aci Sant'Antonio, Santo Stefano, Viagrande, Trecastagni... e si ferma.

– Guarda caso, – fece Vanina.

– Guarda caso, – ripeté Spanò.

– Domani chiedo a Vassalli di autorizzare i controlli anche sulla seconda sim della Leonardi. Noi il telefono non l'abbiamo mai trovato, giusto?

– Della Leonardi? No. A questo punto non li abbiamo trovati, al plurale. A meno che non avesse la doppia sim in un unico telefono.

– Difficile mi pare.

– Perché?

– Perché se Azzurra aveva tutti i computer Mac, sicuramente aveva un iPhone. E gli iPhone, per ora, la doppia sim non la supportano. Lo so per certo perché la mia amica, l'avvocato De Rosa, ci provò in tutti i modi. Dice che forse nel 2018 uscirà il primo modello adatto. Forse.

– Perciò ne aveva due.

Cercarono di nuovo il tracciamento della sim intestata al morto. Che, come aveva detto Nunnari, a un certo punto si perdeva. Ultimo aggancio a Nicolosi. Silenzio totale, o quasi.

– Ispettore, guardi. In realtà il telefono ha agganciato una sola cella, per pochissimo. A mezzanotte e diciotto.

Spanò si appiccicò allo schermo.

– Sempre in zona Nicolosi siamo. Ma piú in periferia.

– Riesce a segnarsi il punto preciso?

– Sí, certo.

Vanina si alzò dalla poltrona.

– Amuní, – fece.

Spanò la guardò incerto.

– Amuní... dove?

– A farci un giro a Nicolosi.

– Ma adesso? – fece Spanò, sempre piú perplesso. L'una e cinquanta s'era fatta!

– Adesso, ispettore.

– Ma virisse ca oggi a Nicolosi nevicò. A 'st'ura ci sarà ghiaccio.

– Prendiamo la Jeep, – risolse Vanina, già col giubbotto addosso. – Anzi, facciamo cosí: lei prende la Jeep di servizio e io la mia macchina. Arriviamo a Santo Stefano, lascio a casa la Mini e proseguiamo con la Jeep.

L'ispettore si rassegnò.

– Dove andiamo di preciso, dottoressa? – chiese Spanò, appena la Guarrasi salí sull'auto di servizio.

– Nel punto che si è segnato poco fa, quello in cui si accese la sim.

– Ma è un punto un poco vago.

Vanina lo guardò. – Lo so pure io che è una posizione approssimativa, ma devo vedere cosa c'è.

Da Pedara in poi, la strada era innevata. Il termometro segnava meno uno. Eppure un po' di macchine passavano. Vanina si stupí.

– Il 30 dicembre è, dottoressa. Anzi, il 31, vista l'ora. La gente esce.

Già. La gente normale, quella che vive serenamente, esce. Adriano usciva, probabilmente era già a Noto. Manfredi usciva. Giuli, se non fosse successo quello che era successo, avrebbe avuto tre feste diverse tra le quali dividersi. Nicoletta, l'ex moglie di Paolo, era uscita, e aveva lasciato a lui la bambina.

Non come loro, anime in pena che s'erano ritrovate in ufficio di notte alla ricerca disperata di qualcosa da fare.

A Nicolosi, davanti a una villetta, Spanò rallentò.

– Questa è la casa della compagna di scuola, – indicò.

Vanina abbassò il finestrino per osservarla meglio.

– Perciò la Leonardi partí da qui, – ragionò. – Dov'è la zona incriminata che stiamo cercando?

Spanò fece un gesto vago con la mano, indicando a destra.

– Piú o meno là.

Ripartirono e lentamente s'avvicinarono al punto segnato.

Girarono intorno a una piazzetta, imboccarono una strada e s'imbatterono in un distributore di carburanti.

Rimasero zitti a fissare la colonnina del self service, imbambolati.

– Chi ci andò a fare il giro dei rifornimenti, dottoressa?

– Lo Faro, – rispose Vanina, sospirando, tra il rassegnato e l'avvilito, – e Fragapane.

– Salvatore è uno meticoloso, – fece Spanò.

– Lo so, ma magari alla mercé di Lo Faro pure lui perde un po' la bussola.

Scesero dall'auto e s'avvicinarono alle pompe. L'ispettore esaminò ogni angolo. Andò a osservare anche dalla parte del negozietto che vendeva oli da motore, spazzole tergicristalli e ricambi.

– Come non detto, dottoressa, – fece, tornando. – Ritiro i dubbi su Lo Faro e su Salvatore.

– Non ci sono telecamere, – lo anticipò Vanina.

– Manco una. Taliasse là sopra, – indicò un angolo sotto la tettoia. – Quella era una staffa per una telecamera.

– Peccato che restò solo la staffa.

Tornarono in macchina. Spanò azionò il riscaldamento al massimo. Vanina non se n'era resa conto, ma l'ispettore non era vestito in modo adeguato per la montagna.

– Senta, Spanò, facciamo un ultimo giro e poi mi riporta a Santo Stefano.

Lui attese di sapere dove la testa della Guarrasi l'avrebbe condotto in quella lunga notte.

– Dove andiamo?

– Al *Grand Hotel della Montagna*.

L'ispettore inchiodò. – Dove? – chiese di nuovo, incredulo. Non è che iniziava un accenno di sordità?

– Al *Grand Hotel della Montagna*.

Di fronte alla faccia sbalordita di Spanò, Vanina specificò che non avrebbero messo piede fuori dall'auto.

Quando rientrò a Santo Stefano erano passate le 3 del mattino.

Quella ricognizione sul campo, la nuova scoperta, l'avevano in qualche modo rasserenata. Si tolse i vestiti, infilò il pigiama, versò il latte nella tazza e ci inzuppò dentro un savoiardo fatto dall'amica di Bettina. Si trascinò in camera sua e, cosí com'era, si buttò sul letto.

18.

Vassalli era una pasqua. Indizi per rifilare l'indagine ai
colleghi della Dda ne aveva a sufficienza, ed Eliana Recupero era già in predicato di pigliarsela in carico. Con som-
mo gaudio della Guarrasi, che notoriamente con la magistrata andava d'accordo. Come si soleva dire: parlavano
la stessa lingua. Una lingua di cui Franco Vassalli ignorava
perfino l'alfabeto. Per quanto lo riguardava, meno aveva
a che fare con quelle due e meglio era.

Del resto, le indagini sulla criminalità organizzata non
erano, né mai sarebbero state, competenza sua.

Vanina arrivò in procura che il passaggio era già avve-
nuto. Il pm glielo comunicò simulando dispiacere per non
poter «portare a termine il lavoro iniziato», e augurandole
buon lavoro con la «brava collega Recupero».

Rinato pareva. Vanina non resistette alla tentazione di
sponzarci un po' il pane.

– Alla prossima, allora, dottore, – lo salutò. Una minaccia travestita da augurio.

La faccia pietrificata con cui l'altro dovette rispondere
che sarebbe stato felice di lavorare di nuovo con lei valeva
la scocciatura di esserselo sorbito tutti quei giorni.

Spanò occultò una risata sotto il baffone.

La Recupero li accolse nel suo ufficio ancora in fase
di trasloco. I fascicoli erano appoggiati ovunque in attesa

di essere sistemati a dovere, ma le piante erano già al proprio posto. Compresa la stella di natale.

– Dunque, per il momento con una buona dose di immaginazione, l'indiziato principale sembrerebbe essere
qualcuno che, con una sim intestata a un morto, avrebbe
chiamato piú volte la Leonardi. Sim che la sera del 26 si
trovava a Nicolosi. Questo qualcuno potrebbe essere Giuseppe Zinna, zio della bambina deceduta in pronto soccorso, che da una settimana e piú minacciava sia la dottoressa
sia monsignor Murgo. Motivo per cui quest'indagine è sul
mio tavolo, – sintetizzò la pm.

– Cosí sembrerebbe, – confermò Vanina.

La Recupero la guardò negli occhi, le puntò l'indice addosso per un attimo. – Brava dottoressa, mai abbandonare il condizionale –. Riappoggiò il gomito sulla scrivania.

Si intesero senza bisogno di parole.

La Recupero le avrebbe tolto le castagne dal fuoco fa-
cilitandole il lavoro, e lei, nel frattempo, avrebbe cercato
di appurare se davvero quella dei Vizzino-Zinna era l'unica pista percorribile.

Vanina la aggiornò anche sulle ultime scoperte.

Eliana andò subito al punto. – Quindi Murgo e la Leonardi erano amanti. C'è qualcuno a cui la cosa poteva dare fastidio?

Diretta ed efficace. Dritta al cuore della questione su
cui Vanina meditava dalla sera precedente.

Spanò alzò il dito chiedendo parola. – Il marito? – suggerí.

– Che però ha un alibi, a quanto pare, – puntualizzò
la pm.

– Possiamo svolgere ulteriori indagini per verificarlo,
però. Anzi, alla luce di quanto è venuto fuori, credo che
vada fatto, – fece Vanina. Il rischio di pigliare cantonate

era sempre dietro l'angolo, e una soluzione ovvia poteva passare inosservata per pura distrazione.

– Sí, sono d'accordo con lei. Piuttosto, le indagini della Scientifica che fecero? Si arenarono?

– Ho sentito il dottor Muzio stamattina. Mi ha assicurato che avrebbe sollecitato di nuovo Palermo. Spera di avere le risposte entro domani. Intanto, se lei è d'accordo, giusto per non perdere tempo, facciamo confrontare le impronte che l'assassino ha lasciato in casa del monsignore con quelle di Zinna che abbiamo nel database, – disse Vanina.

– Certo che sono d'accordo, ma in tutta franchezza: lei pensa davvero che possano corrispondere? – provocò la Recupero.

– No. Ma sono le uniche che abbiamo. Quelle di Vizzino, purtroppo, non sono schedate.

La Recupero aggrottò la fronte. – Perché dice quelle di Vizzino? – si puntò sui gomiti per avvicinarsi a lei.

Vanina fece lo stesso. – Per l'omicidio della Leonardi il sospetto principale può essere Zinna. Lui la minacciava apertamente, e anche in modo pesante. Sua sembrerebbe essere la voce che Rossello sentiva durante le telefonate minatorie che riceveva, tutte partite dalla sim intestata a un deceduto. Ma in casa del monsignore c'erano impronte digitali ovunque. Lei pensa sia possibile che un criminale scafato come Zinna commetta un errore cosí stupido? L'assassino del monsignore deve aver agito d'impulso, e sempre d'impulso deve aver poi portato via il cadavere. Ora, della famiglia in questione, chi è il personaggio coinvolto in prima persona che, semmai avesse compiuto un omicidio, non avrebbe avuto la freddezza per, diciamo cosí, gestirlo?

La Recupero si limitò ad annuire, era d'accordo con lei.

– Non torniamo in ufficio, – comunicò Vanina, telefono in mano e sigaretta già pronta per essere accesa.

– E dove andiamo? – chiese Spanò, alla guida dell'auto di servizio.

– A Nicolosi. Voglio parlare col benzinaio, – si accese la sigaretta. Lo guardò e continuò: – Come lei aveva già previsto.

Spanò si finse stupito. – Io? E... da che cosa lo deduce?

– Dal fatto che, invece della solita Giulietta, stamattina al parcheggio partí sparato verso la Jeep.

L'ispettore sorrise. – Vabbe', tirai a indovinare! La prima cosa che fece stamattina fu chiedere a Lo Faro e a Fragapane qual era il distributore che avevano trovato senza telecamere.

Mentre salivano verso i paesi etnei, Vanina ne approfittò per un paio di telefonate.

Adriano Calí le rispose con la voce impastata.

– Proonnto.

– Oh, ma che stavi dormendo? – Controllò l'ora: erano le 10.30.

– Un poco.

– Che significa un poco? Dormivi o non dormivi?

– M'ero appena svegliato. Hai deciso di venire stasera? – chiese, speranzoso.

– No, Adri, non ti chiamavo per questo.

– M'ero illuso. Dimmi.

– Tu sei sicuro sicuro che Azzurra Leonardi non sia stata violentata?

– Direi di sí. Perché me lo chiedi di nuovo? Il Dna dei frammenti cutanei sotto le unghie corrisponde a quello delle tracce di sperma?

– Purtroppo ancora non lo sappiamo.

Adriano ci pensò su. – Comunque, a meno che il rap-
tus omicida non sia scattato dopo un rapporto normale,
intendo dire consenziente, secondo me il Dna non corrisponderà.

– Ne sono convinta anch'io. Grazie, Adri, goditi la serata. Ci sentiamo per gli auguri.

– Anche tu divertiti, con quella pazza dell'amica tua che
non vuole venire qui perché dice che deve farti compagnia.

Vanina cadde dal pero. Ma che s'era inventata Giuli
per giustificare la sua assenza?

Chiuse con Adriano e chiamò Pappalardo.

– Dottoressa, a lei pensavo. Purtroppo continuo a non
avere niente di nuovo da dirle. A Palermo giurano che domani arriveranno i risultati.

– Senta, Pappalardo, abbiamo dato loro anche un campione per ricavare il Dna del monsignore, vero?

– Sí, glielo mandai.

– Bene. Appena abbiamo i risultati dobbiamo compa-
rarli tutti tra loro, capito?

– Va bene, appena arrivano li confrontiamo.

– Ora mi ascolti, prenda le impronte che trovò a casa
del monsignore e le confronti con quelle di Giuseppe Zinna, che dovrebbe avere nel database visto che il signore
qualche problemino con la legge l'ha già avuto.

– Subito, dottoressa.

Nunnari la chiamò che erano ancora a San Giovanni
la Punta, bloccati in una fila di macchine dirette ai centri
commerciali.

– Dimmi, Nunnari.

– Capo, si sieda, che le debbo comunicare due cose im-
portantissime.

– Piú seduta di cosí non potrei essere. In macchina sono. Forza, contami tutto, – lo mise in viva voce.

– Prima cosa: Spada mi chiamò un attimo fa, trovarono la macchina della Leonardi.

– Oh, finalmente. E dov'era?

– Nascosta nel bosco sotto il *Grand Hotel*, ma in un punto in cui non sarebbero mai potuti arrivare senza la localizzazione precisa.

– Chiama Pappalardo, digli di controllarla lo stesso. Anche se immagino che intorno sarà pieno di neve, perciò tracce non se ne potranno trovare. Hanno visto se per caso dentro c'è qualche cosa di interessante? I telefoni della Leonardi, per esempio?

– Non penso, dottoressa.

– E perché? Preferiscono contemplarla?

– No, è che dubito serva.

Vanina alzò gli occhi al tetto. – Nunnari, o ti spieghi meglio oppure…

– La macchina è completamente bruciata.

Rimase spiazzata, ci mise un attimo in piú a riprendere il filo.

– Cioè è stata incendiata?

– Sí, capo.

– Minchia che fregatura.

– Piddaveru. E meno male che era in una radura china china di neve e non presero fuoco gli alberi.

– Allora come stanno procedendo?

– Ora la prelevano e la portano in deposito. Appena riescono a raggiungerla con i mezzi, perché non è facilissimo. Dico a Pappalardo di andare a darle un'occhiata appena arriva?

– Ca diglielo. Per quello che può valere. La seconda cosa importantissima è un'altra fregatura?

– No, no. Anzi! Sappiamo il percorso che ha fatto la macchina della Leonardi in quell'ora che non eravamo riusciti a tracciare. Fece San Giovanni la Punta, Trecastagni, e là si fermò.

– Come Murgo, – commentò Spanò.

Vanina annuí.

– Dopo la mezzanotte, quando il telefono si spense?

– Dopo la mezzanotte... – Nunnari tergiversò poi cedette: – Ma lei non me lo disse di controllarlo, dottoressa.

– Perché tu testa per pensare non ne possiedi, vero?

Il sovrintendente rimase in silenzio.

– Vado a vedere subito e la richiamo.

– Ecco, bravo. Vai subito. Però prima mandami il punto preciso di Trecastagni in cui s'è fermata la macchina della Leonardi. E rimandami pure quello della cella che agganciò il monsignore.

– Signorsí, capo.

Se lo immaginò rotolare verso la sua scrivania.

– Mischino, come lo trattò, – fece l'ispettore.

Vanina si accese un'altra sigaretta. – Almeno impara a non fare il soldatino che esegue gli ordini e basta. Un poliziotto è.

L'ispettore ridacchiò.

– Ma a Mimmo fare il soldatino per davvero ci piacisse assai. Solo che non ha il fisico.

Tempo un minuto le arrivarono entrambe le posizioni.

– Coincidono? – chiese Spanò.

– Sí.

Vanina cercò la strada su Google Maps e la impostò.

Arrivarono a Trecastagni, attraversarono il paese e svoltarono per una strada larga che portava chissà dove.

Nel punto che interessava loro c'erano solo tre villette.

Spanò parcheggiò, scesero dall'auto e s'avvicinarono ognuno a un cancello diverso. Lessero i nomi sui citofoni. Un cane prese ad abbaiare a Vanina, talmente forte che il padrone uscí.

– Scusi, lei chi è? – fece, seccato. Spanò lasciò perdere il terzo cancello e si mise accanto al capo.

– Vicequestore Giovanna Guarrasi, squadra Mobile, e lui è l'ispettore Spanò. Il suo nome?

L'uomo s'ammansí di colpo.

– Torrisi, – rispose afferrando il cane per il collare. – Ubaldo.

– Possiamo farle qualche domanda o il suo pitbull ci sbrana?

– Aspetti un momento, che lo lego.

Tornò dopo un minuto e aprí il cancelletto pedonale.

– S'accomodi.

– Non è necessario, devo chiederle solo un'informazione. La sera del 26 dicembre per caso ha visto fermarsi qua davanti due macchine estranee? Una era una 500X bianca, l'altra... – Che macchina aveva monsignor Murgo?

– Una Citroën C3 nera, – le venne in aiuto Spanò.

– Una 500X bianca? Ma allora siete qui per la povera Azzurra?

Vanina e Spanò sobbalzarono.

– Lei la conosceva? – chiese la Guarrasi.

– Eccome no? Quella villetta là, l'ultima, appartiene alla sua famiglia. Prima ci venivano piú spesso. Da quando morí la mamma di Azzurra, il padre Armando non ci viene quasi piú, e di conseguenza pure Azzurra è raro vederla.

– E l'altra sera l'ha vista?

– Io no. Mia moglie la incrociò, solo che adesso non è in casa. Volete che la chiami?

– Non è necessario. Sua moglie si è fermata a parlare con la Leonardi?

– Sí, ma Azzurra andava di fretta. Disse che doveva prendere una cosa nella villetta e poi andarsene a una rimpatriata con i compagni di scuola.

– Era sola?

– Sí. Almeno, mia moglie non mi disse che era con qualcuno, perciò penso di sí.

– Sa se la villetta dei Leonardi ha un'altra entrata?

Torrisi ci rifletté.

– Ora che mi ci fa pensare, credo abbia un cancello che dà sulla stradina qua dietro –. Si preoccupò. – Ma perché, pensate che possa essere stata uccisa... qua?

– Lo reputo molto improbabile, signor Torrisi.

L'uomo parve sollevato.

Vanina lo salutò allungandogli un biglietto da visita.

– Se sua moglie dovesse ricordare qualcosa, anche una fesseria, le dica di chiamarmi.

– Certo, non dubiti.

Rientrarono nella Jeep e girarono intorno alla casa. Il cancello di dietro era invisibile dalla strada.

– E bravo monsignor Murgo, – concluse Spanò.

Il distributore era aperto.

Un uomo sulla sessantina, vestito con tuta e giubbotto col marchio dei carburanti, se ne stava appollaiato su uno sgabello nel casotto. Appena vide la macchina uscí e s'avvicinò.

– Quanto? – chiese.

Vanina scese dall'auto.

– Lei è il titolare?

– In persona.

– Vicequestore Guarrasi, squadra Mobile.

L'uomo s'irrigidí.

– E che vuole da me?

– Niente di particolare, solo farle alcune domande.

– Tutte cose in regola ho.

– Non ne dubito, ma le confesso che non me ne frega granché. Come si chiama lei?

– Cucuzza Pasquale.

– Come mai non ha le telecamere, signor Cucuzza?

L'uomo alzò gli occhi verso la staffa.

– Si scassò il circuito e sutta Natale non venne nessuno a ripararmelo.

– Ho capito. E nell'attesa c'era bisogno di smontarle tutte?

Cucuzza ebbe un momento di esitazione. – Tanto per ripararle dovevano smontarle per forza, perciò mi portai avanti col lavoro.

– Ah, ecco. E dove le conservò?

– A casa me le portai, – si sbottonò il giubbotto. C'erano sette gradi, eppure sudava.

Vanina lo soppesò con lo sguardo.

– Quando si ruppero? – chiese.

– Non mi ricordo. Qualche giorno fa.

– E i filmati registrati, chi li tiene?

Cucuzza esitò ancora. Poi gli venne la bella pensata di passare al contrattacco.

– Ma scusi, a lei che gliene importa delle telecamere? Fatti miei sono.

Vanina gli lanciò un'occhiata che ebbe l'effetto di fargli aprire ancora di piú il giubbotto. Si sventolò perfino con la mano.

– Signor Cucuzza, lei lo sa di che cosa mi occupo io?

– N… no.

– Di omicidi. Gente ammazzata. E lo sa il compito mio qual è? Trovare gli assassini. Con tutti i mezzi che ho a disposizione e avvalendomi dell'aiuto di tutte le persone che, secondo me, possono contribuire all'indagine. Se io faccio una domanda lei è tenuto a rispondermi; se non lo fa, passa un guaio. Perciò ora riproviamo: i filmati delle telecamere, chi li tiene?

Quello allargò il collo del pile che indossava. – Io, – e subito: – Ma quando si scassò il circuito li persi tutti.

– Quindi non ce li ha piú?

– No.

Vanina allargò le braccia. – Peccato, – guardò Spanò.

– Niente, pazienza.

– Che facciamo allora, dottoressa, ce ne andiamo? – l'assecondò l'ispettore.

– E che possiamo fare?

L'uomo rimbalzava gli occhi dall'una all'altro, confuso.

– Arrivederla, signor Cucuzza. Mi raccomando, se per caso dovesse recuperare i filmati ce lo comunichi.

– Certo, certo. Ma… pozzu sapiri perché li cercate?

Vanina lo guardò seria. Tergiversò.

– Meglio di no, – sparò.

L'uomo non ebbe il tempo di chiedere altro perché una macchina che doveva fare rifornimento arrivò dall'altro lato.

Fecero il giro dell'isolato e si fermarono dietro l'angolo, invisibili.

– Ispettore, scenda e si nasconda dietro la siepe. Vediamo che fa 'sto cornuto appena la macchina se ne va.

Vanina si mise al volante mentre Spanò s'infrattava tra i cespugli, in modo da vedere senza essere visto. Passarono dieci minuti buoni. Poi com'era entrato nella siepe l'ispettore ne uscí. Svoltò l'angolo e salí sulla Jeep. Vanina partí e s'allontanò dalla parte opposta.

– Allora?

– Allora questo Cucuzza non ce la conta giusta proprio per niente. Appena il cliente se ne andò, per prima cosa s'appizzò al telefono con qualcuno. Poi trasí nel gabbiotto e uscí con uno scatolone in mano. Lo caricò nel bagagliaio di una macchina, presumo la sua. Per sí e per no fotografai la targa. E infine si rimise al posto suo.

Vanina guardò l'orologio. Era mezzogiorno. Il distributore doveva restare aperto per forza almeno un'altra ora.

– Spanò, chiami la Bonazzoli e metta in viva voce.

Lui eseguí.

– Ispettore, – rispose Marta.

– Marta, io sono, – fece Vanina.

– Oh, capo, dimmi.

– Tu che stai facendo?

– Sto aiutando Nunnari a recuperare il percorso della Leonardi dopo mezzanotte.

– Per caso si fermò in via Petraia a Nicolosi?

– Sí. Ma tu come lo sai? – replicò l'altra stupita.

– Non importa. Ascolta: prenditi Lo Faro e salite subito qui a Nicolosi. In via Petraia c'è un distributore. Piazzatevi in modo da vedere quello che fa il gestore. Appena chiude e se ne va, seguitelo. Vedete se si ferma e dove si ferma. Se dovesse dare a qualcuno uno scatolone che tiene nel bagagliaio, segnatevi la targa di questa persona. Tutto chiaro?

– Tutto chiaro. Partiamo subito.

– Di' a Nunnari di chiamarmi appena ha ricostruito il percorso.

Rimasero nascosti finché non avvistarono la Panda di servizio che andava a parcheggiare davanti al distributore. Videro Marta e Lo Faro tirare fuori dei panini e mettersi a mangiare, come se si fossero fermati lí per quello.

– Tutto parunu tranne che poliziotti, – fece Spanò, soddisfatto.

Mentre tornavano in ufficio, Vanina chiamò il commissario Patanè.

– Commissario, come sta?

– Magnificune! Macari del calcolo mi liberai, definitivamente. 'Stu risgraziatu.

– Ma lei lo sa che è stato fortunato, vero? Ci sono persone che si sopportano giorni e giorni di dolori prima di
risolvere la questione.

– Lo so, lo so. Comunque sia: io me ne sto tornando a
casa. Cchiú tardi viene Francesco, mi accompagna e se ne
torna in montagna in tempo per il veglione. Perciò, se si
trova di strada, ci facciamo gli auguri.

Il veglione, gli auguri. L'indomani era Capodanno. Vanina si rese conto che stavolta l'avrebbe trascorso da sola
per davvero.

– Le prometto che farò di tutto per passare a trovarla.

– Cosí mi cunta macari le novità, se ce ne sono, che qua
come sono messo… nun pozzu parrari.

Nunnari aveva acquisito i dati forniti dall'assicurazione e aveva ricostruito il percorso della Leonardi, che
finiva esattamente nel bosco dov'era stata ritrovata l'auto. Ultimo spostamento registrato: l'una del mattino del
27 dicembre. Alle spalle del *Grand Hotel della Montagna*.

– Ma comu ci vinni per testa a 'sta cristiana a quell'ora
di notte di andarsene in giro muntagna muntagna, – commentò Spanò.

– La macchina se ne andò in giro, – precisò Vanina.
– Di quello che fece Azzurra non sappiamo niente, per-
ché entrambi i suoi telefoni a quell'ora erano spenti.
Vero, Nunnari?

– Sí, dottoressa.

– Tutto sta a capire dove incontrò l'assassino, – ragionò l'ispettore.

– E questo, se siamo fortunati, lo scopriremo presto, –
azzardò la Guarrasi.

Gli uomini la guardarono interrogativi.

Dovette spiegarsi. – Sentite, picciotti, io un'idea di come possano essere andate le cose me la sono fatta. Vi avverto che è pura immaginazione, perché non ho elementi per provare niente di quello che vi sto dicendo, – avvertí. E continuò: – L'assassino segue Azzurra Leonardi da casa sua fino a Nicolosi, aspetta che finisca la festa e che lei riprenda l'auto per andarsene e la segue di nuovo. Deve trovare il momento per fermarla, ma Azzurra glielo fornisce senza saperlo. Trova un distributore lungo la strada e va a fare benzina. L'assassino, che potrebbe essere Giuseppe Zinna ma pure questo è tutto da vedere, con la forza la costringe a guidare fino a raggiungere un posto isolato: il *Grand Hotel della Montagna*. La percuote, magari tenta pure di violentarla ma Azzurra si difende e lui non ci riesce, cosí, preso dalla foga del momento, la strangola. Un attimo dopo, giusto giusto, nell'albergo entra Scimemi. L'assassino si nasconde, aspetta che quello se ne vada e trascina via il cadavere verso il bosco, dove era parcheggiata la macchina. L'indomani va a completare l'opera con Murgo. Poi, per farla piú teatrale, visto che probabilmente sapeva cosa c'era tra Azzurra e il monsignore, allestisce la cappella e cosí la fa trovare alla famiglia.

– Accussí li sputtana meglio, – ipotizzò Spanò.

– Che altro motivo poteva esserci per armare tutto quel palcoscenico?

L'ispettore annuiva.

– Quale palcoscenico? – domandò Macchia, che s'era appena affacciato nell'ufficio della Guarrasi con al seguito Giustolisi, il dirigente della Sco. Quel caso ora riguardava anche la sua sezione.

Vanina dovette ricominciare da zero. Al secondo minuto Tito aveva già spodestato Nunnari dalla sedia e masticava il sigaro spento con significativo coinvolgimento, e Giustolisi s'era accomodato sul divanetto.

– Sai qual è il problema con te, Guarra'? Che riesci a smontare in mezzo minuto certezze granitiche, – sentenziò Macchia.

– Ovvero?

– Sai benissimo qual è la prima domanda che uno si fa dopo tutto 'sto ragionamento: ma a uno come Zinna, o alla famiglia Vizzino, che gliene fotteva di far sapere a tutti che la Leonardi e Murgo erano amanti? – Si voltò alla ricerca del consenso di Giustolisi, che annuí.

Vanina non commentò.

Niente. A Zinna, non gliene fotteva niente.

19.

Mentre il Grande Capo disquisiva ancora sulla sua capacità di scombinare le cose, a Vanina squillò il telefono.

– Marta, dimmi.

Macchia cambiò espressione.

– No, dottoressa, Lo Faro sono. Marta sta guidando e non si può distrarre.

– Dimmi, Lo Faro.

– Ora ora al distributore arrivò un ragazzo, il benzinaio gli diede lo scatolone che aveva nel baule della macchina. Lo stiamo seguendo.

– Bravi. Vedete dove va, e soprattutto se si libera dello scatolone, – afferrò una penna. – Dettami la targa.

– Le mando la foto, cosí non si può sbagliare.

Certo che era assurdo: per età lei era molto piú vicina a Lo Faro e alla generazione Z, ma spiritualmente si sentiva piú simile a Patanè, col suo bloc notes a quadretti squinternato e il suo essere refrattario alla tecnologia moderna. E al tempo stesso non avrebbe mai piú potuto vivere senza uno smartphone a portata di mano.

– Mi raccomando, fatemi sapere.

Un secondo dopo la foto era arrivata. Il vicequestore passò il numero di targa a Nunnari, che andò a controllarlo subito.

Tornò correndo che pareva inseguito dai cani.

– Capo!

Vanina e Macchia si voltarono. Il sovrintendente come al solito rimase per un attimo appeso all'incertezza se rivolgersi all'uno o all'altra.

– Nunnari, di chi è 'sta targa? – lo riscosse la Guarrasi.

– Di Maugeri Nunzio, domiciliato in via...

– Lascia perdere la via, tanto sappiamo benissimo chi è, – l'interruppe Giustolisi.

Vanina ricordava di essere incappata in un solo Maugeri, che non si chiamava Nunzio. E ricordava anche di chi era parente.

– Uno dei nipotuzzi di Natale Zinna? – indovinò.

– Il piú giovane, – precisò Giustolisi. – Una perla di caruso, che a diciannove anni già collezionò piú reati di un ergastolano.

Vanina meditò in silenzio.

– E siamo daccapo a dodici, – concluse Macchia, dando voce ai suoi pensieri.

Marta la richiamò dopo mezz'ora, stavolta in prima persona. Tito e Giustolisi erano ancora piazzati nell'ufficio di Vanina e non accennavano a schiodare. Era evidente che in quel momento operazioni importanti la Sco non ne aveva. O forse erano semplicemente già settati in modalità Capodanno e si stavano trattenendo lí solo perché la faccenda diventava sempre piú curiosa.

– Vanina, abbiamo fatto centro, – disse la Bonazzoli, esultante.

– Che vincesti alla lotteria?

Marta si smontò. – No... è che il ragazzo ha appena buttato la scatola in mezzo a una specie di discarica.

– Intendi una vera e propria discarica, oppure un ammasso fituso di munnizza accumulato da qualche allergico alla raccolta differenziata che vive nei dintorni?

– La seconda.

Un'inciviltà che le faceva girare i cosiddetti a mille.

Ma in quel momento non era il punto. – E poi che successe?

– Se ne andò.

Vanina saltò in aria. – E non l'avete seguito?

Marta esitò. – Veramente ho pensato che fosse piú importante recuperare quello che aveva buttato.

E aveva ragione.

– Vero è, brava Marta. Dove siete, adesso?

– Alla discarica, – rispose l'altra, come se fosse ovvio.

A Vanina venne un sospetto.

– E Lo Faro che fa?

– Sta... nuotando nella spazzatura.

La telefonata di Pappalardo, che aveva confrontato le impronte, resettò di nuovo tutto.

– Siamo sicuri, vero? – insisté Vanina.

– Sicurissimi, – rispose lui, – le impronte di Zinna non c'entrano niente con quelle che trovammo noi, né a casa del monsignore né al *Grand Hotel*. Le feci ricontrollare perfino a un collega mio che di dattiloscopia è esperto, e pure lui concorda.

– Che rottura di palle, – sbottò Vanina. – Dell'auto bruciata che mi dice?

– Tutto carbonizzato. I telefoni della vittima erano lí dentro, se le può interessare. Ma non ne possiamo ricavare granché.

– Figuriamoci.

– Mi dispiace, dottoressa. Con quello che ho in mano non riesco a dirle altro. E se dovessi scommettere, considerato che domani è Capodanno, possiamo metterci l'anima in pace fino al 2 gennaio –. Era costernato. Per rimediare cambiò soggetto: – Però abbiamo trovato un'orma al cimitero.

– Mizzica, grandi cose, – ironizzò la Guarrasi.

– Misura 43.

– Una misura rarissima.

Pappalardo capí che non era cosa.

Macchia e Giustolisi, intanto, se n'erano andati nell'ufficio del dirigente.

In attesa che Marta e Lo Faro rientrassero alla Mobile, Vanina decise di rompere gli indugi. Pazienza che era il 31 dicembre, pazienza che la sapeva oberata di lavoro, ma Paola le parve l'unica ancora di salvezza.

Cercò il numero in rubrica e la chiamò.

– Vanina, gioia, a te pensavo, – le rispose la collega della Scientifica.

– Vero? E perché?

– Eehh! Sai quanti motivi ho per farlo? Aspetta che li conto: uno, due, tre… cinque tracce diverse da cui estrarre il Dna, su cui purtroppo t'avverto che non ho potuto lavorare di persona. Piú le cose di Palermo, che finii di combatterci ora ora.

– E che c'entro io col lavoro di Palermo? – obiettò Vanina, con scarsa convinzione.

– C'entri, c'entri. Lo sai che c'entri. Però sono sicura che non mi chiamasti per questo.

– Vedi tu che c'inzertasti?

Paola rise. – Dài, forza, chiedimi quello che devi chiedermi e vediamo se ti posso aiutare. Tra poco smonto baracca e burattini e me ne vado a casa. Solo io rimasi.

Vanina non ci girò intorno.

– Sinceramente: siete proprio a zero con i nostri rilievi oppure qualcosa avete già?

– Aspetta che controllo. Come ti dicevo, gli esami fisicamente non li ho fatti io, ma la mia collega è una precisa, – la sentí camminare, poi fermarsi: – Allora: campione numero uno, Dna già estratto. Campione due pure.
Manca il tre... però c'è il quattro... no, aspetta che mi
sto confondendo. Il tre è qua. In realtà manca il quinto,
un capello... No, scusami di nuovo, non manca nemmeno questo, – ricontrollò. – Tutti ce li abbiamo. Ma allora
perché non ve li trasmisero? – armeggiò con qualcosa.
– Ecco perché, – fece, contrariata. – Abbiamo i computer bloccati. Tutte cose s'impallano ora, porca miseria! –
sospirò. – A te cosa serve di preciso?
   – Con urgenza solo se ci sono convergenze tra i Dna dei
campioni che vi abbiamo mandato.
   – Aspetta un momento.
   Vanina attese. L'indomani era Capodanno, era com-
prensibile che Paola non tornasse in ufficio. L'unica era
sperare che riuscisse a raccapezzarsi e le desse qualche informazione subito.
   – Vanina, facciamo cosí, dammi mezz'ora e ti richiamo.
Vediamo se qualche cosa riesco a dirti.

   Bonazzoli e Lo Faro arrivarono trionfanti armati di
uno scatolone che piú fituso non poteva essere. Piú o meno come l'agente, che pur di non toccarsi i vestiti camminava teso e con le braccia larghe che pareva un mani-
chino di legno.
   – Matri santa, Lo Faro, vatti a lavare. Ce l'hai un cambio? – fece Vanina.
   – Ho un borsone per la palestra che tengo sempre qua.
   – Vai, di corsa.
   Il ragazzo esitò. – Ma... mi aspettate per vedere cosa
c'è dentro, vero?

Vanina gli sorrise. – Certo che t'aspettiamo.

Tornò dopo cinque minuti. Appresso a lui rientrarono anche Macchia e Giustolisi, attratti dall'arrivo dei due poliziotti con il materiale recuperato in extremis.

Lo Faro era impaludato in una tuta che poteva andare bene in tarda primavera.

– Viri ca t'ammazzi cosí, – l'avvertí Spanò.

– Questa sola ho, ispettore.

Vanina tirò fuori un maglione d'emergenza dal cassetto e glielo lanciò.

– Ti starà un poco aderente, ma meglio che rovinarsi il Capodanno a letto è.

La scatola del benzinaio era appoggiata per terra. Dentro c'era tutto l'impianto di sorveglianza del distributore, compreso un vecchio netbook.

– Questo sicuramente serviva per collegarsi alle telecamere, – fece Nunnari, chinato sulla scatola.

– Secondo te può contenere ancora qualche immagine di quella sera? – chiese Marta.

Il sovrintendente allargò le mani. – Speriamo –. S'infilò i guanti e cominciò a tirare fuori tutto l'armamentario.

– Qua dentro, quindi, dovrebbe esserci una prova di quello che ipotizzi tu, – fece Tito, rivolto a Vanina. – La Leonardi si è fermata a fare benzina e l'assassino l'ha agganciata.

– Dovrebbe –. Il condizionale era d'obbligo, ma Vanina ne era quasi certa, anche se non sapeva ancora come c'era arrivata.

– Intanto abbiamo rintracciato il numero di telefono del benzinaio e la Recupero ha già autorizzato tracciamento e intercettazioni. Vediamo a chi chiamò.

– Nunzio Maugeri, con ogni probabilità. Oppure qualcuno a cui lui fa da galoppino.

– E torniamo a Giuseppe Zinna, – concluse Macchia.
– Guarra', rassegnati: a quel fetente gli sarà venuto l'estro
creativo e ci ha fatto trovare i cadaveri addobbati.

Nunnari portò via il materiale contenuto nella scatola
per lavorarci meglio. Lo Faro e Bonazzoli lo seguirono.

– Vediamo che esce fuori, – fece Giustolisi, che grandi
dubbi sul coinvolgimento degli Zinna non ne aveva.

Macchia, che sul fiuto della Guarrasi ormai tendeva a
fare affidamento, conservava invece il dubbio.

Mentre seguiva senza intromettersi i ragionamenti dei
due, Vanina sentí il telefono vibrarle in tasca.

Mostrò il display a Tito.

– La Scientifica di Palermo, – lo avvertí.

Rispose.

– Dimmi, Paola.

– Allora, il risultato per iscritto te lo manderanno domani, ma se hai bisogno delle comparazioni tra i campioni che ho qui, posso anticiparti qualcosa subito. Il Dna di
una delle vittime, Murgo Antonino, corrisponde a quello
del campione di sperma e a quello di alcune tracce ematiche. Quello del capello corrisponde a Leonardi Azzurra.
Quello dei frammenti cutanei è diverso, ma corrisponde
a un altro capello.

– Che capello? – chiese Vanina. Non le risultava.

– A me lo chiedi?

– Scusami, ragione hai.

– Ora ti saluto e me ne scappo, che si fece tardi.

– Grazie, Paola, sei sempre preziosa.

– Buon anno, Vanina. E vediamoci presto.

Nunnari e Bonazzoli tornarono nell'ufficio della Guarrasi che parevano in lutto. Marta non storse nemmeno
il naso per la cappa di fumo, cui il suo fidanzato ave-

va contribuito ampiamente smezzandosi un sigaro con Giustolisi.

– Picciotti, e che sono 'ste funce?

– Niente, dottoressa, manco s'accende, – chiosò Nunnari. – E purtroppo cavetti d'alimentazione per questi affari qua oramai non se ne trovano piú. Quando sono cosí vecchi non tengono piú la carica e necessitano di stare sempre attaccati all'alimentatore. Che rimase sicuramente appizzato nel gabbiotto quando il benzinaio tolse tutto il resto.

– Vabbe', domani lo mandiamo a quelli della Postale. Vediamo se riescono a cavarci qualche cosa. A proposito: chi è di turno?

Lo Faro, che era entrato due minuti prima, alzò la mano.

– Io. E penso anche Spada.

– Allora domani mattina, appena arrivi, ci pensi tu.

– Sí, dottoressa.

– Notizie del numero chiamato dal benzinaio? – chiese Vanina.

Marta e Nunnari guardarono Lo Faro, che avevano incaricato di fare la ricerca appena erano arrivati i tabulati.

Il ragazzo allungò un foglio a Vanina. – Eccolo, dottoressa. C'è scritto anche a chi è intestato.

– Ficuzza Natalina... e chi è?

– La madre di Giuseppe Zinna e di Carmela Zinna sposata Vizzino. La nonna della bambina morta, in poche parole, – rispose Giustolisi dal divano.

– E sempre là torniamo a sbattere, – ribadí Macchia, alzandosi dalla sedia lentamente. La botta di due giorni prima era ancora bella vivida nel ricordo. Suo e del suo fondoschiena. – Vabbuo', Guarra', penso che qua per oggi non ci sia piú niente da fare. Ragazzi, vi suggerisco di mettervi in macchina ora, prima che chiudano i negozi e la città si paralizzi, – guardò l'orologio: le 17.30, – anche

se potrebbe essere già troppo tardi. A meno che non siate
con un mezzo a due ruote, in quel caso non sapete quanto
vi invidio. Mannaggia alla poltrona tua, Guarra'.

Il tempo di una telefonata con Eliana Recupero, e Vanina si ritrovò a uscire dall'ufficio nel pieno della paralisi
cittadina annunciata da Tito.

Per coprire la breve distanza tra via Ventimiglia, dov'e-
ra la Mobile, e via Umberto dove abitava Patanè, ci mise trentacinque minuti e due sigarette. A ogni fermata,
per distrarsi, osservava la gente che le sfilava di fianco
sui marciapiedi affollati. Tutti reduci dalla passiata in via
Etnea, tutti diretti sparati verso le proprie case, a prepa-
rarsi per la serata.

Non era la prima volta che passava la notte di fine anno
da sola. Nei quattro anni post palermitani le era già capitato. La prima volta a Milano, appena arrivata e reduce da
un mese sabbatico a New York che aveva segnato il confine
tra il «prima» e il «dopo». O che per lo meno avrebbe dovuto segnarlo. Era stata bene nella Grande Mela, rifletté,
e le sarebbe piaciuto tornarci. Con Giuli immaginavano
spesso di organizzare un viaggio. In quel momento, manco a farlo apposta, la De Rosa la chiamò.

– Scusami se ti ho usata come pretesto per giustificare
la mia assenza da Adriano e Luca.

– Figurati. Tu come stai?

– Poche forze e ancora meno voglia di vedere gente. Stasera, per la prima volta in vita mia, passerò la fine dell'anno col brodino davanti alla tv, sintonizzata su qualche concertone di piazza.

– Idem. Io invece del concertone opterò per uno dei
miei film. E al posto del brodino mi scongelerò una porzione di anelletti al forno di Bettina.

– Vabbe', declinazioni diverse. Comunque, semmai dovessi romperti troppo a stare sola, ricordati che tu non fai parte della «gente». Per te quello che ho detto non vale. E la televisione possiamo vedercela anche in due. Senza nessun formalismo: se ti va di uscire vieni, se non ti va no. Basta che non mi costringi a vedere qualche film arcaico dei tuoi!

Vanina sorrise, con la sigaretta tra i denti.

– Grazie, amica, ci penso.

Le venne in mente che in quei giorni non aveva avuto nemmeno il tempo per un cineforum d'antan con Adriano. Una di quelle serate felici che il suo amico, l'unico che apprezzava e condivideva la passione per i vecchi film, riusciva sempre a procurarle. Una pizza siciliana di Alfio, una birra di quelle giuste, un vassoio di paste da divorare senza ritegno davanti al maxi schermo. Dovevano recuperare al piú presto.

Trovò parcheggio in una traversa di via Umberto, di fronte a un antico laboratorio di pasticceria famoso per produrre la migliore torta Savoia di Catania. Un dolce davanti al quale Vanina era capace di perdere ogni freno inibitore. Una mattonella tonda di cioccolata morbida alla nocciola, intervallata a strati di biscotto e ricoperta da altra cioccolata. Le prenotazioni per il periodo di Natale erano già esaurite dai primi di dicembre. Vanina s'attardò davanti alla porta a vetri. Nella vetrina sotto il bancone erano rimaste sí e no due paste di mandorla. Quella laterale era vuota, a eccezione di un pacchetto che aveva tutta l'aria di contenere una Savoia. Impensabile che lo fosse davvero, ma poteva restare con quel dubbio l'intera serata? Abbassò la maniglia per entrare ma la porta era chiusa dall'interno.

Una donna uscí da una stanza dietro il bancone e venne ad aprirle.

– Prego? – La riconobbe. – Dottoressa Guarrasi, buonasera!

– Aveva già chiuso, vero?

– Non si preoccupi. Come la posso aiutare?

– Volevo solo accertarmi che quel pacchetto non fosse una torta Savoia che vi è avanzata, magari per sbaglio.

La donna sorrise. – L'occhio fino ha, dottoressa. Sí, una
Savoia è. Ma non avanzò per sbaglio: qualcuno la ordinò
e poi all'ultimo non se la venne a prendere.

Vanina non ci poteva credere.

– Ma vero dice?

– Vero. La vuole?

E che domande erano? Se la fece dare di corsa. Adesso
almeno aveva uno scopo per la serata.

La lasciò in macchina, richiuse e tornò verso via Umberto.

Patanè la aspettava con l'aria di un carcerato in attesa
della visita settimanale dei parenti. Era su una poltrona,
e naturalmente impeccabile: camicia pantaloni e giacca da
camera bordeaux con giummi appesi.

– Commissario, che eleganza.

– Non è ca pirchí uno è a casa si deve vestire male!

Vanina gli si sedette accanto.

– Come sta?

– Bene, starei, – buttò un occhio alla porta. – Piccatu
ca Angelina non se ne voglia convincere!

Da quando era tornato a casa la moglie non l'aveva mollato un attimo: Gino tutto a posto, vuoi acqua, hai freddo, hai caldo?

– Viri tu che quasi quasi ero piú libero in ospedale che
a casa mia, – rise.

Angelina offrí a Vanina una crostata di ricotta che aveva appena sfornato e il tè che stava preparando per Gino, che doveva bere liquidi assai. La invitò a cena, nonostante l'entusiasmo di suo marito per l'idea non le facesse affatto piacere, e finse di dispiacersi quando Vanina declinò. Invece di sedersi insieme a loro, come di solito pretendeva di fare, se ne tornò in cucina. Patanè si stupí. C'era qualcosa che gli sfuggiva.

Vanina lo distrasse. Gli raccontò i nuovi risvolti dell'indagine.

– Certo ca 'sto caso è un rompicapo non da poco, – commentò il commissario, grattandosi il mento. – Appena troviamo un indizio nuovo, quello precedente non funziona piú.

– Che vuole dire, commissario?

– Ci pinsasse, dottoressa: la sceneggiata del cimitero, sono d'accordo con lei, pare organizzata apposta per provocare lo scandalo e fari sapiri a tutti ca la Leonardi e Murgo erano amanti. E sugnu d'accordo cu llei macari quando dice che a Zinna di sputtanare la storia tra il monsignore e la dottoressa non gliene poteva fregare una beneamata. Le impronte che non corrispondono con quelle trovate a casa di Murgo e all'albergo confermerebbero i nostri dubbi. Ma la sim che lui usava per minacciare la Leonardi s'attrovava a Nicolosi, nella zona dell'unico distributore di benzina che, guarda caso, era senza telecamere di sorveglianza. Nun sulu, ma il proprietario che, di sicuro non spontaneamente, le aveva ammucciate in fretta e furia, appena si sentí sgamato a chi chiamò? Alla madre di Zinna. E chi se lo andò a prendere tutto l'armamentario per toglierlo di mezzo? Un nipote di Zinna. Raggiuni avi Macchia, quannu dice che gira vota e furría sempre ddocu andiamo a intappare. L'amica sua magistrata che dice?

– Non si sbilancia. Tanto è rapida nel disporre indagini, quanto è cauta nel giungere alle conclusioni. Ma sono sicura che tra lei, noi e quelli della Sco, Zinna avrà un poco di gente addosso. Già da stasera tutti i telefoni interessati saranno intercettati.

– Ca viremu, – disse il commissario. Bevve un sorso di tè, meditabondo. – Che poi, – continuò, – a mmia non me lo leva nessuno dalla testa che la relazione tra la Leonardi e Murgo c'entri in qualche modo con la loro morte.

Vanina lo guardò. Come facevano a nutrire sempre i medesimi dubbi, restava un mistero. Ma cosí era.

– Nemmeno a me, commissario.

Vanina riprese la strada di casa. Erano le 19.30 e la città ormai s'era svuotata.

Salí a Santo Stefano in compagnia delle note del maestro Escher.

Aprí il portoncino di ferro e vide che da Bettina c'era ancora la luce accesa. Appena la sentí arrivare la vicina uscí dalla porta finestra.

– Vannina, s'arricampò finalmente –. Maglioncino paillettato, gonna plissé, orecchini di perle. Pronta per il cenone che Gregorio Scavone aveva organizzato in un locale un po' fuori dal paese.

– Bettina, elegantissima è, – le guardò le scarpe, – pure i tacchi si mise.

– Finché mi reggono!

– Voleva dirmi qualche cosa?

Bettina esitò. – No, niente. Ero preoccupata per lei, non la vedevo tornare…

Vanina non se la bevve. Non vederla tornare era la norma.

– Bettina, sicura è?

La donna scosse il capo.

– Sicurissima.

– Buona fine anno, allora –. Vanina si chinò ad abbracciarla. La vicina le schioccò un triplo bacio sulla guancia, di quelli che si dànno ai bambini.

Proseguendo lungo il cortile, Vanina raggiunse l'entrata di casa sua e si accorse che la luce era accesa. Si voltò verso la porta finestra di Bettina e la vide ancora lí che la guardava.

Un dubbio atroce la assalí. Atroce quanto, inutile negarselo, emozionante. Eppure giú in strada non c'era traccia né della X5 blindata né delle auto di scorta. E se invece quel pazzo fosse venuto di nascosto con la sua macchina?

Aprí la porta con la mano instabile. Com'era possibile che il pensiero di vedere Paolo continuasse a mozzarle il fiato? Eppure, razionalmente, era convinta di doversi staccare da lui.

Entrò con circospezione e un profumo di roba cucinata l'assalí subito. Che fosse Manfredi? Ma no, lui era a Taormina al festone di un suo collega. Arrivò in cucina e rimase a bocca aperta.

20

Quando il giorno prima aveva visto comparire sul telefono il numero della signora Bettina, a Federico Calderaro era preso un colpo. Vanina non lo sapeva, ma l'ultima volta che aveva dormito lí da lei, aveva allungato alla vicina il suo biglietto da visita. Per ogni evenienza, le aveva sussurrato. Una cosa che si dice a cuor leggero, ma nella speranza che sia un'inutile precauzione.

La donna l'aveva tranquillizzato subito. Niente di grave, non c'erano problemi. Però... e aveva parlato. A lungo.

Marianna non aveva avuto dubbi: che quella testarda lo volesse o no, il Capodanno da sola a crogiolarsi nelle sue insicurezze non gliel'avrebbe fatto passare.

E cosí eccoli lí.

Vanina era rimasta rincitrullita per cinque minuti buoni. Tutto si sarebbe aspettata tranne di vedere sua madre armeggiare tra i suoi inutilizzati fornelli col pentolame di Bettina.

– Vita mia, capisco che non cucini, ma manco una pentola per la pasta ti sei comprata?

La pentola in realtà ce l'aveva, solo che bastava per una persona. Come il padellino, la teglia. Il suo alleato migliore era il forno a microonde, dove scaldare quello che altri avevano cucinato assai meglio di come avrebbe mai fatto lei.

Pure il tavolo da pranzo non pareva lui. Tovaglia rossa tirata fuori da chissà quale cassetto dimenticato, piatti mai usati da quando un anno e mezzo prima, presa dalla smania di arredare la casa, li aveva comprati.

La cena, l'atmosfera, perfino l'umore, andarono nella direzione opposta a quella che s'era prefigurata. Niente film, niente anelletti scaldati, niente pigiama, niente bicchierino di *mosto muto* per brindare al nuovo anno con sé stessa. Allo scoccare della mezzanotte, scandito dalla tv accesa sul famoso concertone di Giuli, Federico stappò una bottiglia di champagne millesimato che bevvero sul terrazzino, guardando i fuochi d'artificio per cui il paese di Santo Stefano era famoso. Botto dopo botto, la torta Savoia sparí per metà.

L'Etna, quella notte, manco a farlo apposta, stava dando il meglio di sé per vincere il primo premio come miglior artificiere pirotecnico dell'anno.

– Ma non ti impressiona avercela sempre davanti? – fece Marianna, che una fontana di lava di quelle dimensioni non l'aveva vista mai.

No, non la impressionava. Pareva strano ma era cosí. Come i catanesi veri, che con la *muntagna* ci convivevano felicemente, amandola pure.

Da mezzanotte in poi il telefono di Vanina squillò ogni due minuti. Giuli. Adriano e Luca, dalla loro terrazza sui tetti di Noto. Manfredi Monterreale, che mandò gli auguri anche al professore Calderaro. Costanza, che fece addirittura una videochiamata via Skype. E Paolo, ovviamente, che era con la bambina in casa dei suoi genitori. Infine, inaspettato, il commissario Patanè, che degli auguri anticipati non s'era accontentato.

Bettina aveva tirato fuori la solita brandina delle occasioni straordinarie e gliel'aveva fatta preparare dalla ragazza che faceva le pulizie. Come al solito Inna l'aveva conzata in un modo che Vanina trovava incompatibile col suo sonno.

Appena la madre e Federico si ritirarono nella sua stanza, che aveva ceduto loro, recuperò il cuscino e solo una delle quattro coperte sovrapposte che Inna aveva stratificato sul lettino e se li portò sul divano grigio insieme al solito plaid, in cui s'avvolse per fumare l'ultima sigaretta fuori.

Temeva di non riuscire a addormentarsi, invece crollò subito.

Si risvegliò l'indomani mattina sentendo l'odore del caffè che Federico stava preparando in cucina. Con la porta chiusa, per non disturbarla. Entrò avvolta nel plaid e lo vide che toglieva la caffettiera dal fornello piccolo.

– Ma che, ti portasti pure la moka? – gli chiese.

Federico si voltò, le sorrise.

– Gioia, mi dispiace, ti svegliai, – si rammaricò.

– Non ti preoccupare.

Si sedettero al tavolo.

– A tua madre il caffè della macchinetta non piace, lo sai.

Marianna li sentí parlare e li raggiunse.

Vanina tirò fuori il ciambellone che le aveva lasciato Bettina il giorno prima e i savoiardi fantastici della signora Luisa.

Mentre facevano colazione il suo telefono squillò. Un numero sconosciuto.

– Pronto, – rispose.

– Pronto, dottoressa Guarrasi?

– Sí. Chi parla?

– Mi deve scusare se la chiamo la mattina di Capodanno, sono Ubaldo Torrisi, si ricorda? Il vicino di casa dei Leonardi a Trecastagni.

– Certo che mi ricordo. Mi dica.

– Senta, dottoressa, potremmo vederci da qualche parte insieme a mia moglie? Dove preferisce lei. Per telefono... sa com'è...

Vanina uscí sul terrazzino e si accese una sigaretta.

– Quindi si tratta di una cosa importante?

– Direi di sí. E anche delicata. Se vuole possiamo anche venire in questura.

Guardò l'orologio. Erano le 10.

– Non si preoccupi, vengo io da voi.

Chiuse e chiamò in ufficio. Le rispose Lo Faro.

– Buongiorno, dottoressa, buon anno.

– Buon anno anche a te, Lo Faro. Che si dice lí?

– Niente. Sono stato alla Postale, a portare il netbook. Spada, assieme a un collega della Sco, sta seguendo le intercettazioni degli Zinna.

– In ufficio chi altro c'è?

– L'ispettore Spanò, che arrivò cinque minuti fa.

– Passamelo.

Lo Faro andò a chiamarlo.

– Auguri, dottoressa, – disse l'ispettore.

– Auguri, Spanò. Che ci fa in ufficio? Non è turno suo oggi.

– Sono venuto a dare un occhio ai carusi. In piena indagine per duplice omicidio, lasciare Lo Faro e Spada a sbrigare qualunque cosa, detto tra noi, non mi faceva stare tranquillo.

– Vero è. Però tra un po' li lasci soli e venga a prendermi. Dobbiamo incontrare una persona.

– Chi?

– Se lo ricorda il tizio col cane che abita nella villetta accanto a quella della Leonardi a Trecastagni?

– Certo, Torrisi.

– Mi chiamò un momento fa. Disse che mi deve parlare insieme alla moglie.

Spanò capí.

– Piglio una macchina e salgo.

– Aspetti una mezz'ora, che mi svegliai adesso e sono con i miei.

– Allora verso le 10.30.

Quando rientrò nel soggiorno Vanina vide sua madre in piedi davanti alla libreria dei film che guardava la mensola sulla destra. Le si avvicinò, e si accorse che stava fissando la foto del padre.

– Da quanto tempo la tieni qua? – chiese Marianna.

– Da sempre.

L'altra si stupí: – Vero dici? Ma com'è possibile che non l'ho mai notata?

Semplice: le altre volte lei aveva pensato bene di farla sparire prima del suo arrivo.

Glielo confessò.

La madre la guardò dispiaciuta. – E perché hai fatto una cosa tanto sciocca?

Che poteva risponderle? Poteva dirle che per venticinque anni le era sembrato giusto cosí?

– Ogni tanto si fanno cose sciocche, – si giustificò.

Marianna guardò di nuovo la fotografia.

– Gli somigli assai, Vani. Ma assai assai. E non solo fisicamente, – disse senza staccare gli occhi da quelli di Giovanni.

– E ti dispiace? – scherzò Vanina, per ingoiare il nodo che le stava stringendo la gola.

La madre si voltò verso di lei. Non ebbe bisogno di rispondere.

Spanò arrivò puntualissimo e salí a salutare Bettina. Vanina gli presentò la madre; Federico e l'ispettore si erano già conosciuti poco tempo prima. I due poliziotti se ne

andarono lasciando i Calderaro in giardino a fare conversazione con la vicina.

Arrivarono a Trecastagni a mezzogiorno.

I Torrisi li aspettavano in giardino, il cane già legato.
Li fecero accomodare in un soggiorno che pareva copiato
– male – da una casa ampezzana.

– Dottoressa, mi scusi ancora se le ho chiesto di vederci
proprio il primo dell'anno, ma mia moglie voleva raccontar-
le una cosa. Ieri era tardi per chiamarla, ci sembrò brutto.

La donna annuí. Minuta, capelli corti tinti di biondo,
occhi allegri.

– Cosa si è ricordata, signora? – chiese Vanina.

La Torrisi si schiarí la voce.

– Non lo so se faccio bene a dirglielo, dottoressa. Non
vorrei mettere nei guai qualcuno che non c'entra niente.

– Non si preoccupi, che se questa persona non c'entra
niente guai non ne avrà. Mi dica.

– La sera del 26, verso le 20.30, vidi Azzurra Leonardi
che apriva il cancello della sua villetta. Mi fermai a parlare un momento con lei, ci facemmo gli auguri. Era nervosa assai, come se avesse fretta, perciò la salutai e me ne
tornai a casa. Subito dopo notai che una macchina girava per la stradina dove si affaccia l'entrata posteriore di
casa dei Leonardi. Dovette parcheggiare lí, perché dopo
non passò piú.

– E per caso vide chi c'era alla guida?

– No, perché ero dentro il giardino e la macchina era
oltre lo steccato.

– Vada avanti.

– Dopo neanche dieci minuti mi scappò il cane. Lo inse-
guii fuori e mi accorsi che c'era qualcuno appostato dietro
la siepe dell'entrata posteriore dei Leonardi. Io mi spaven-
tai, tanto che non volevo avvicinarmi. Quello, forse per-

ché a sua volta s'era spaventato che Igor potesse assalirlo, si palesò chiedendomi di richiamarlo. E cosí mi resi conto che era il dottore Di Girolamo.

– Il marito di Azzurra?

– Sí, lui. Io sapevo che s'erano lasciati, che le cose non andavano bene. Perciò preferii evitare di mettermi in mezzo.

– E come le sembrò? – chiese Vanina.

– Chi, il dottore?

– Sí, le sembrò nervoso, arrabbiato, oppure era calmo?

– Non lo so, in quel momento sembrava solo aver paura. Lei l'ha visto Igor? Non è propriamente un cane da compagnia!

Un cane che faceva drizzare i capelli solo a taliarlo, altro che compagnia.

– Senta, signora, si ricorda se nella stradina posteriore alla casa c'era ancora la macchina che aveva visto passare prima?

– Sí, c'era. Ci feci caso perché era parcheggiata proprio davanti al cancello dei Leonardi.

– E secondo lei era la macchina del dottore Di Girolamo?

– Assolutamente no. La macchina del dottore Di Girolamo è un macchinone, ed era posteggiato piú avanti su questa strada qua. Quella era una macchina piú piccola.

– Poteva essere una Citroën C3? – chiese Spanò.

La donna sorrise. – No, ispettore, non mi chieda marche di automobili che non ci capisco niente!

– Almeno il colore?

– Nera, di colore era nera.

– Altro che a casa coi picciriddi, – attaccò Spanò appena rientrarono in macchina, – il marito della Leonardi ci contò una minchiata.

– E pure la baby sitter. Non fu lei a confermarci che era stato lí e non s'era mosso?

– Esatto.

Vanina si accese una sigaretta per concentrarsi meglio.

– Sa qual è il problema, Spanò? Quello che successe prima della festa non ha nessun collegamento con quello che successe dopo.

– Che vuole dire, dottoressa?

– Mi spiego meglio: prima di andare alla festa Azzurra si è vista con monsignor Murgo. Ora sappiamo che suo marito, ex marito anzi, per qualche motivo la seguí. Non sappiamo se lei se ne accorse, ma possiamo immaginare che in questa fase gli attori fossero lei, Murgo e Di Girolamo. Di Zinna nessuna traccia. Poi Azzurra va alla festa, rimane lí fino a mezzanotte circa, esce di lí, – Vanina si voltò verso Spanò, – e il quadro cambia completamente. Gli attori non sono piú gli stessi. A meno che non pensiamo che il marito l'abbia aspettata fuori dalla festa, il che significherebbe che è stato fuori tutta la sera e anche la notte.

Spanò scosse la testa. – E chistu non è possibile, pirchí il picciriddu piú grande, quando ci andammo a casa, disse che s'era addormentato col padre. La baby sitter può contare minchiate, ma un picciriddu no.

– A questo punto siamo costretti a riparlare con entrambi, lui e la baby sitter.

– Certo. Quando li faccio venire?

– Dice in ufficio? No, da Di Girolamo preferisco andarci io –. Vanina guardò l'orologio. – Nel pomeriggio però. Ora me ne devo tornare a Santo Stefano, che Bettina ha invitato i miei a pranzo e devo esserci.

– Macari io ho un pranzo coi parenti.

– Mi raccomando, Spanò, che le riunioni familiari sue sono sempre fonte di notizie.

– Faremo del nostro meglio.

Il pranzo durò due ore. Numero di portate a parte, quello che lo rese lungo fu la chiacchiera continua tra Bettina, Marianna e Federico. Pareva che si conoscessero da sempre. E piú Vanina friggeva che doveva andarsene in ufficio, piú quelli s'attardavano.

Ma che avrebbe dovuto fare?

Arrivò alla Mobile alle 17, quando sua madre e il patrigno erano ripartiti per Palermo.

Spanò non s'era ancora fatto vivo. In compenso la chiamò Patanè.

– Sa che le dico, dottoressa? Forse abbiamo sottovalutato la pista passionale.

– Sí, commissario. Però, vede, il marito della Leonardi quella sera la moglie l'ha incrociata solo prima della festa. A quel punto, se l'aveva sgamata col monsignore e gli era partito l'embolo omicida, li avrebbe avuti entrambi a portata di mano. Perché aspettare la fine della rimpatriata? E, in ogni caso, non risulta che dopo si sia mosso.

– E lei come fa a saperlo? – chiese Patanè.

– Ho ricontrollato le celle d'aggancio del suo telefono. A parte un'ora e mezza di vuoto, in cui probabilmente lo staccò, e che corrisponde come orario a quando è salito a Trecastagni, stava a casa.

– Io parlai di pista passionale, non è che per forza dev'essere il marito. Può essere qualchedun altro.

– Cioè Azzurra aveva un altro amante oltre al monsignore?

– E chi sapemu?

– Difficile mi pare, commissario.

Patanè rifletté sulla cosa.

– E poi resta sempre il rompicapo numero uno: tutti gli indizi che portano a Zinna.

Nel frattempo Spanò era comparso in ufficio. Vanina se lo portò da Di Girolamo insieme alla Bonazzoli.

Il farmacista viveva in un appartamento grande, dalle parti di piazza Michelangelo. Era in casa con i bambini, e col suocero.

– Dottoressa Guarrasi, se viene qui il giorno di Capodanno vuol dire che ha cose importanti da comunicarci. Accomodatevi.

Vanina e Marta si sedettero dove lui indicava.

– In effetti qualcosa che non ci convince c'è.

– Mi dica.

– Che ci faceva lei la sera del 26 dicembre alle 20.30 circa appostato sotto la casa di Trecastagni dove la sua ex moglie era appena entrata?

Di Girolamo inghiottí a vuoto, impallidí.

– Ammette di esserci stato? – lo incalzò Vanina.

L'uomo la fissò. – Sí, lo ammetto. E ammetto anche di essere stato geloso di monsignor Murgo per tutti gli otto anni di matrimonio. A un certo punto mi resi conto che la storia tra Azzurra e lui non era mai finita. E finí il nostro matrimonio. Ogni tanto l'ho seguita, è vero, ma è stato solo per esserne sicuro.

– O magari scattare qualche foto per poi riusarle in sede di divorzio. Giusto? – lo sferzò Vanina.

– Anche se fosse, questo non fa di me un assassino.

– No, è vero. Ma fa di lei un reticente, che quando è stato interrogato ha taciuto la cosa e ha negato di conoscere monsignor Murgo.

– E che avrei dovuto dirvi? Sarebbe stato un atto di autoaccusa.

– Cosa vide quella sera?

– Per filo e per segno?

– Ovvio, Di Girolamo: per filo e per segno.

– Vidi arrivare don Nino, anzi monsignor Murgo. Lo vidi entrare in casa dal cancello posteriore, vidi Azzurra che lo baciava. Punto. Loro entrarono in casa e io tornai indietro. Avevo lasciato i bambini con una scusa dicendo che sarei tornato subito e non potevo trattenermi a lungo.

– Perciò la baby sitter non ci ha mentito?

– No, lei poveretta sa che sono stato in garage a riparare un pezzo della moto. Il garage è qua sotto, perciò per lei davvero non sono mai uscito.

– Senta, dottor Di Girolamo, è in grado di produrre un alibi inoppugnabile per le ore dalla mezzanotte in poi?

L'uomo ci pensò, si asciugò il sudore dalla fronte.

– Ci sarebbe... una persona che venne qui a tenermi compagnia, ma preferirei non metterla in mezzo.

– Lo faccia, dottore, altrimenti potrebbe trovarsi nei guai.

Alla sua colpevolezza Vanina non credeva affatto. S'è mai visto uno che ammazza per gelosia a scoppio ritardato? E anche ammesso che si sia visto, restava da capire perché mai, invece di strangolare la vittima in un qualunque momento, avesse aspettato di portarsela in gita sotto la neve in un albergo vuoto.

– È mai stato al *Grand Hotel della Montagna*? – cambiò discorso in modo improvviso, apposta per capire la reazione.

Lui non si scompose.

– Quand'era ancora aperto no. Da ragazzi, però, ci salivamo spesso dalla strada della Milia che passa attraverso i boschi. Eravamo in tanti. Trovavamo sempre quel custode, che se ne stava là e blaterava di alieni e di ufo. Uno di noi lo intratteneva e uno andava ad aprire la finestra del salone per fare entrare gli altri.

– C'era anche Azzurra?

– Come no, certo. Anzi, lei e un paio di amici suoi erano tra i piú accaniti. Era una sorta di passatempo.

– Ha idea se avesse un particolare legame con quel posto?

– Era fissata che doveva rivederlo prima che lo ristrutturassero. Ma il lavoro la assorbiva molto, e il tempo per salire sull'Etna non lo trovava mai.

– Fino a qualche sera fa, – obiettò Vanina.

– Già, fino a qualche sera fa, – la voce di Di Girolamo si strozzò. – Mi scusi. Azzurra era ancora molto importante per me, sebbene non stessimo piú insieme.

Vanina lo studiò. Rispetto a tre giorni prima sembrava dimagrito. Aveva un'espressione triste, che non cercava di enfatizzare, lo sguardo spaventato: tutto nell'atteggiamento di quell'uomo la induceva a essere benevola. Almeno riguardo all'omicidio. Ovviamente il fatto che pedinasse la moglie non le piaceva, poteva essere l'inizio di qualcosa che, forse, un giorno sarebbe sfociato in un atto violento. O forse no. Di certo non aveva portato a *quell'*atto violento. Non con quelle modalità, non con quei tempi.

– Dottor Di Girolamo, dia retta a me: produca una prova che la notte dell'omicidio lei era in casa.

L'uomo annuí.

– Senta, – fece poi Vanina, mentre andavano verso la porta. – A che periodo risalgono le scorribande al *Grand Hotel* cui accennava prima?

– Mah, metà degli anni Novanta, piú o meno.

– Azzurra era già all'università?

Di Girolamo fece uno sforzo di memoria.

– Io dovevo essere al secondo o terzo anno di Farmacia, di conseguenza lei era ancora alle superiori. Probabilmente quarta o quinta.

– Perciò quando parla degli amici che erano fissati col *Grand Hotel*, si riferisce ai compagni di scuola di Azzurra?

– Sí, ma non solo. Il gruppo era vario.

– E non si ricorda i nomi di quelli che la sua ex moglie frequentava di piú?

– No, dottoressa, non saprei proprio. Al tempo ero fidanzato con un'altra, Azzurra la incontravo solo a qualche festa, niente di piú... C'era una cui era molto legata, che le fece pure da testimone di nozze, ma purtroppo è mancata tre anni fa –. Assunse una faccia contrita: – Cancro.

– Mi dispiace... Il bosco che attraversavate è quello dietro il *Grand Hotel*?

– Sí.

– E come l'ha chiamata la strada?

– La Milia, – rispose Spanò. – Era l'unica che arrivasse fin lassú dopo che l'albergo era stato chiuso. Ma bisognava conoscerla.

– Dottor Di Girolamo, lei lo sa che l'auto di Azzurra è stata ritrovata proprio lí? – fece Vanina.

Quello si meravigliò. – No, non lo sapevo. Perciò ora potete recuperare quello che c'era dentro la macchina, magari una traccia dell'assassino?

– Non credo proprio, dottore.

– E... perché?

– Perché era completamente carbonizzata.

Di Girolamo sbiancò.

– Carbonizzata? Ma... dottoressa Guarrasi, questo un criminale serio è! – Si sedette su una sedia appoggiata alla parete dell'ingresso, come se le gambe non lo reggessero. Prese un paio di respiri e si rialzò.

Vanina gli rivolse un'ultima domanda.

– Lei ha detto di aver scoperto che la relazione tra Azzurra e il monsignore non era mai finita. Ma esattamente, quando era iniziata? Durante la missione in Africa?

Di Girolamo esibí un sorriso tra l'amaro e il sardonico.

– Dottoressa, all'epoca della missione Azzurra e don Nino... mi scusi, mi viene di chiamarlo cosí perché cosí lo chiamavo una volta... a quell'epoca, insomma, stavano insieme già da almeno otto anni. Io lo seppi dopo, naturalmente.

Le facce di Vanina e di Spanò tradirono stupore.

– Otto anni! – esclamò la Guarrasi. – Quindi, scusi, che età aveva Azzurra quando iniziò la relazione?

Di Girolamo trasse un sospiro.

– Diciassette, diciotto... piú o meno.

– E... come avvenne?

– Azzurra era guida Scout, don Nino Murgo l'assistente ecclesiastico del gruppo.

– Tutto questo glielo raccontò Azzurra?

– Sí. Quando scoprii la verità.

Vanina e Spanò recuperarono l'auto di servizio.

Sul lunotto, sotto il tergicristallo, c'era un foglietto di provenienza inequivocabile.

– Viri tu, – bofonchiò l'ispettore.

– Che fu, Spanò?

– La multa ci fecero. Perché eravamo poco poco sulle strisce pedonali.

La Guarrasi scoppiò a ridere.

– E lei perché parcheggia sulle strisce pedonali?

Entrarono in auto.

– Spero che Di Girolamo abbia modo di scagionarsi, perché in linea teorica avrebbe un movente grande quanto una casa, – disse la Guarrasi, pensierosa.

– Lei non crede che sia stato lui, vero, dottoressa?

– Francamente no. A parte il fatto che il suo telefono
è rimasto agganciato tutta la notte alla cella della zona
di casa sua, il che di fronte a un movente cosí forte non
basterebbe, ma è un indizio a suo favore. Poi, cosí a naso, non mi sembra che menta. Pure la reazione che ha
avuto quando gli ho detto della macchina bruciata era
troppo spontanea.

– Macari io la penso cosí.

– Senta, Spanò, ce l'ha appresso il numero di Scimemi?

– Sí, dottoressa, ce l'ho.

– Convochiamolo in ufficio... diciamo verso le 19.30.
Qualche cosa in piú sulla storia che ci raccontò Di Girolamo di sicuro ce la può dire.

– Lo chiamiamo subito. Però mi scusi, quelle che raccontò Di Girolamo sono storie vecchie. Non penso che c'en-
trino con gli omicidi nostri. Senza contare che sull'altra
pista, quella degli Zinna, indizi ne stanno uscendo.

– Spanò, mi guardi in faccia: quante volte l'abbiamo
fatto il discorso sui fatti vecchi, io e lei?

– Almeno tre o quattro volte.

– Ecco. Le risulta che io mi sia mai lasciata convincere?

– No.

– E le risulta che abbia mai perso tempo inutilmente?

– No.

– Allora ascolti a me. Questa storia che Azzurra aveva
la fissazione per il *Grand Hotel* non può essere una coincidenza. Voglio capirci qualche cosa di piú.

– Come vuole lei, capo, – s'arrese Spanò.

Tanto, che la Guarrasi stesse pigliando la calata verso le indagini «storiche» sulla Leonardi, l'aveva capito
quando, un attimo prima di uscire da casa Di Girolamo,
aveva chiesto una fotografia di Azzurra da ragazza. E
siccome il marito non ne aveva, gli aveva detto di procu-

rarsene una dal suocero e di farla recapitare alla Mobile entro un paio d'ore.

Mentre Spanò parlava con Scimemi, Vanina si accese la sigaretta e aprí il finestrino. Assorta nei suoi ragionamenti, non s'accorse che le squillava il telefono. Glielo fece notare l'ispettore. Rispose in extremis.

– Dottoressa, Pappalardo sono.

– Pappalardo, buon anno. Ma lei che è, in servizio?

– No, ma passai un momento dal laboratorio per vedere se per caso erano arrivati i risultati da Palermo.

Vanina mise in viva voce.

– E arrivarono, – indovinò.

– Arrivarono. Volevo riferirle una cosa importante. Ci sono corrispondenze tra il Dna...

– Del monsignore e quello del campione spermatico, – lo anticipò Vanina.

– Ma... lei come lo sa?

– Parlai con l'amica mia ieri sera, le chiesi di anticiparmi qualcosa.

– Bonu fici. Allora sa anche che il Dna del capello trovato al *Grand Hotel* corrisponde a quello della Leonardi, e le tracce di sangue pure. Quelle sulle scale del monsignore appartengono a lui.

– Sí –. Di colpo ricordò un particolare riferito da Paola.
– Scusi, Pappalardo, una domanda: ma il secondo capello che abbiamo fatto analizzare, da dove minchia spunta?

Pappalardo rise: – Dal berretto di lana che trovammo abbandonato in casa del monsignore. Una cosa importante: il Dna di quel capello è compatibile con quello della tazzina e con quello del mozzicone.

– Perciò Murgo non solo aprí al suo assassino, ma gli offrí pure il caffè, – desunse Vanina. Spanò annuiva.

– Parrebbe proprio cosí. E c'è di piú: è compatibile con quello dei frammenti cutanei trovati sotto le unghie della donna. Ah, ed è maschile.

Paola non aveva specificato il sesso, ma Vanina l'aveva dato per scontato.

– Perciò l'assassino era un uomo che Murgo conosceva bene, – concluse Spanò, appena Pappalardo ebbe riattaccato.

– E non solo lui.

– Che vuole dire, dottoressa?

– Che probabilmente di quell'uomo si fidava anche Azzurra. Tanto da avventurarsi al *Grand Hotel* di notte con lui in mezzo alla neve.

Rimasero in silenzio entrambi.

– E Zinna chi ci po' trasiri, perciò? – rifletté a voce alta Spanò.

Vanina, intanto, inseguiva altri pensieri.

– Spanò, non torniamo in ufficio, – se ne uscí.

– Dove debbo andare, allora?

– Da don Rosario.

Spanò si straní. – E pirchí?

Non gli rispose.

Erano già quasi a San Cristoforo quando Patanè chiamò Vanina.

– Commissario, come sta?

– Magnifico sono. Ma lei unni è, che sento rumore assai?

– In macchina con Spanò.

– E dove ve ne state andando?

– Alla parrocchia di don Rosario Limoli.

Il commissario si prese un attimo. Poi chiese: – Vi viene troppo complicato passare a pigliarmi?

Vanina e Spanò si guardarono.

– Perché, lei può uscire?

– E pirchí nun putissi nesciri, scusate.

– Che ne so, magari le hanno prescritto di stare a casa.

Patanè rispose di nuovo a scoppio ritardato, ma in maniera inequivocabile.

– L'unica ca mi vulissi fare stare in casa è Angilina, ma doppu chiddu ca cumminò... per ora meno la vedo e meglio sto.

Vanina sorrise. Il fiuto sbirresco di Patanè aveva sgamato i traccheggi della moglie in mezza giornata.

– Arriviamo, commissario.

Tornarono indietro verso via Umberto.

Patanè era già sotto casa. Sigaretta accesa, cappello calcato per occultare il bernoccolo e mano in tasca, passeggiava davanti al portone. Salí al volo sul sedile posteriore dell'auto di servizio.

– Grazie, beddi carusi miei. Stavo scimunendo assittato su quella poltrona.

– Ma la signora Angelina niente le disse, che uscí? – lo provocò Spanò.

Patanè lo guardò storto.

– Nun mi nominare Angilina, Carmelo, ca pi farisi perdonare la malaparte che fece alla dottoressa come minimo si deve stare muta per i prossimi sei mesi.

– Amuní, commissario, non la punisca. Secondo me già se n'è pentita lei stessa.

– Ca quale pentita. Per giunta... vabbe', nun mi facissi parrari, va'!

Vanina alzò le mani in segno di resa.

– Ci furono novità, che siete piedi piedi?

– Qualcuna, – annuí la Guarrasi.

E gli fece il resoconto della giornata.

– Macari sicunnu mia il marito nun ci trasi nenti, – concordò Patanè. – Come nun ci trasi nenti manco Zinna, – sentenziò, definitivo. Si isolò in meditazione finché non arrivarono in parrocchia.

– Sicunnu lei don Rosario qualche cosa dei gruppi Scout la sa, vero? – indovinò Patanè.

– Spero di sí.

La chiesa era gremita di gente. I ragazzi di don Rosario erano schierati di lato all'altare, con Chanel in prima fila che serviva la messa.

– Non è che ci dobbiamo assuppare tutta la celebrazione, vero? – fece Spanò a bassa voce.

Vanina cercò di capire, in base alle sue reminiscenze d'infanzia, a che punto era. Grande frequentatrice di messe non era mai stata, ma da qualche anno a quella parte non le passava manco per l'anticamera del cervello di infilarsi in una chiesa. Quella di don Rosario, però, era diversa. Chissà perché, quasi quasi le dispiacque rendersi conto che la messa doveva essere agli sgoccioli.

– Finiu, Carmelo. Cosa di cincu minuti, – lo tranquillizzò Patanè.

I minuti diventarono dieci, perché il sacerdote, prima di mandare via i fedeli, elencò tutte le prossime attività parrocchiali cui erano invitati.

– *Ite, missa est*, – mormorò Patanè, alzandosi.

– Che disse? – chiese Spanò a Vanina, che stava fissando un angolo con una raccolta di oggetti e vestiario per bambini di famiglie indigenti.

– *Ite, missa est*, – gli ripeté il commissario. Spanò non dava segni di cognizione. – Carmelo, quann'era nicu iu, la messa si diceva in latino, – spiegò.

– Ah vero.

– Certo, nove pirsune su dieci non capivano manco una

parola, – continuò Patanè, mani dietro la schiena e collo dritto, – però arripitevanu a pappagallo. Parole senza senso, eh, stracangiate per come le sentivano pronunciare.

Don Rosario li avvistò.

– Dottoressa! – Avanzò verso Vanina.

Strinse le mani a tutti e tre. Li invitò nella sagrestia, che pareva un porto di mare. Carusi che entravano, carusi che uscivano, il sagrestano che vigilava zoppicante.

– Ciao Chanel, – salutò Vanina. La ragazza arrivò di corsa, la baciò e l'abbracciò. – Buon anno, dottoressa, – poi se ne tornò a smantellare gli armamenti della celebrazione.

– Qualche cosa dobbiamo fare per quella carusa. Se lo merita di diventare una poliziotta, – sussurrò don Rosario guardando la Guarrasi.

– Vediamo come possiamo aiutarla, – gli promise lei.

Si misero di lato, in una stanzetta tranquilla. Una sorta di locale di servizio, ma meglio del baccano era.

– Ditemi tutto.

Vanina andò dritta al punto.

– Lei lo sapeva che monsignor Murgo, piú di vent'anni fa, era stato assistente ecclesiastico di un gruppo Scout?

Don Rosario ci pensò.

– No, non lo sapevo. Ma questo che c'entra con la sua morte?

– Lei ha mai ricoperto quel ruolo? – chiese Vanina.

– Sí, ma è passato tanto tempo. Ero ancora fresco fresco di ordinazione.

– Tra il sacerdote e i ragazzi si instaura un bel rapporto, suppongo.

– Certo. S'immagini che io ancora ho ex ragazzi che mi vengono a trovare.

– E lei se li ricorda tutti?

– Piú o meno sí –. Ci rifletté. – Vabbe', magari alcuni meglio di altri. Perché me lo chiede?

– Azzurra era guida Scout nel periodo in cui monsignor Murgo era assistente ecclesiastico, – disse Vanina.

– Quindi la loro conoscenza risaliva a prima della missione in Africa, – dedusse don Rosario.

– A molto prima.

– Strano che non me lo raccontò.

– Senta, don Rosario, lei conosce per caso qualche capo Scout di allora?

– Posso informarmi. Cosa le serve sapere?

– Vorrei i nomi di chi partecipò ai campi in cui Azzurra era guida.

– Perciò quando aveva quindici-sedici anni.

– No, diciassette-diciotto.

– Perciò era una scolta.

– Come, scusi?

– Non si chiamava piú guida, ma scolta. Sempre una specie di guida, ma piú grande d'età, – specificò il prete.

– Le credo sulla parola! – A stento aveva capito i concetti base dello scoutismo, ora pure le gerarchie erano troppo. – Mi servirebbero, come le dicevo, i nomi dei partecipanti, e qualcuno che ricordi degli episodi riguardanti Azzurra e monsignor Murgo. Curtigghi, in poche parole.

Il sacerdote restò un attimo in silenzio.

– Ho capito –. La fissò, serio. – Ma... lei di questa cosa ne è sicura?

– Sicurissima, don Rosario.

L'altro sospirò.

– Mamma mia, – guardò prima lei, poi Patanè, infine Spanò. – Voi ritenete che siano stati uccisi per questo? Io m'ero fatto un'idea su quella storia della bambina che era morta. Ho saputo che i genitori sono parenti di Zinna, e immaginavo... ma cosa conta quello che immaginavo.

– Potrebbe anche essere, don Rosario. Ma noi dobbiamo seguire tutte le piste. Sarebbe utile che queste informazioni le prendesse una persona... addentro all'ambiente. Se mando uno dei miei, la cosa viene notata, si comincia a parlare. Rischiamo di attirare l'attenzione e di fare piú danno che altro.

– Certo, dottoressa, capisco. Anzi, la ringrazio per la delicatezza.

Prima di rientrare in ufficio, Vanina, Patanè e Spanò si fermarono in un bar di via Etnea e ordinarono tre aperitivi.

Vanina era pensierosa. L'indagine stava prendendo una piega che poteva portare al nulla. O a una soluzione basata su prove indiziarie di cui non sarebbe mai stata sicura. Certo, a mettere dentro uno come Giuseppe Zinna non si sbaglia mai. Anche se non avesse commesso quel delitto, c'erano almeno altri cinquanta reati per cui sarebbe stato giusto processarlo. E magari, indagando su di lui per l'omicidio di Azzurra e del monsignore, uno tra questi cinquanta reati sarebbe emerso e lo avrebbe spedito in galera. Ottima cosa, ma non era ciò per cui Vanina stava lavorando. A lei interessava sapere chi aveva ucciso quelle due persone e perché.

– Dottoressa, me la leva una curiosità? – chiese Patanè, pescando nella ciotola delle noccioline.

– Dica, commissario.

– Come mai si sta facendo tutti 'sti scrupoli a sollevare troppo pruvvlazzo su monsignor Murgo e Azzurra Leonardi? No, perché di solito lei non talia in faccia manco il papa in pirsuna, altro che un monsignore. Che fu?

Vanina mandò giú l'ultimo sorso di spritz e due patatine.

– Commissario, non si preoccupi, sempre io sono. Sinceramente non me ne fregherebbe nulla di usare i guanti bianchi e di evitare scandali nemmeno se si trattasse di un cardinale. Ma qua la questione è un'altra: organizzando tutto quel teatro al cimitero, è come se l'assassino avesse dichiarato che parte del suo progetto criminale consisteva nello sputtanare la relazione tra le due vittime, una relazione che piú segreta non poteva essere. E io 'sto sazio a quel bastardo non glielo voglio dare.

– L'avevo immaginato, – fece Patanè, sorridendole, – e sono d'accordo con lei.

– Oltretutto, smontargli la seconda parte del piano potrebbe indurlo a commettere passi falsi pur di vederlo realizzato. E cosí riusciremmo a beccarlo.

Patanè annuí. Terminò il suo negroni e si fece fuori le ultime noccioline.

– Commissario, non è che sta esagerando, vero? – domandò Vanina.

– Pirchí, le risulta che dopo le coliche renali sia necessario il digiuno?

– Il digiuno no, ma magari proprio il negroni, piú le noccioline, e le patatine...

Il commissario la guardava risolente.

– Vero è, 'ste cose con la colica renale non c'entrano niente, – ammise la Guarrasi.

– Piuttosto, invece di peddiri tempu appresso alle noccioline mie, mi cuntasse megghiu la storia del bosco della Milia.

L'accenno che Vanina aveva fatto in macchina lo aveva incuriosito.

– Lei viene in ufficio con noi, commissario? – fu la risposta.

– Se mi vuliti!

– Certo che la vogliamo.

– Allora sí.

– Bene. Aspetti una mezz'ora e qualche cosa in piú la scopriamo.

Arrivarono alla Mobile e trovarono Scimemi già lí, che aspettava piantonato da Lo Faro.

– Dottoressa, ci sono novità importanti dalla Postale, – l'avvertí l'agente prima che entrasse in ufficio.

– Cioè?

– Meglio se le vede lei stessa.

– Appena finisco con Scimemi passo di là. Per caso è passato qualcuno dei Leonardi con una fotografia?

– Sí. Venne il fratello. Ne lasciò tre diverse.

– Portamele. Le intercettazioni di Zinna?

– Se ne occupano alla Sco, ma per ora niente di rilevante per la nostra indagine. Loro invece credo se la stiano scialando a sentirlo parlare.

– Bene, – fece Vanina, dura. – Cosí lo prendono e ci liberiamo di un pezzo di merda. Certo, ne restano altri centomila, ma intanto accontentiamoci.

Lo Faro la guardò con ammirazione.

Andò a prendere le fotografie e tornò di corsa.

Vanina entrò che Spanò e Patanè avevano già fatto accomodare Scimemi.

– Buon anno, dottoressa Guarrasi, – fece l'uomo.

– Buon anno, signor Scimemi.

– Non vi sentii piú, e pensai che la testimonianza mia non vi era servita.

– E si sbagliò. Ci è servita assai. Anzi, è stata confermata in ogni dettaglio.

Scimemi gongolò, soddisfatto come se avesse vinto un premio.

– Come posso aiutarvi? – chiese.

– Avremmo bisogno che lei facesse un piccolo sforzo di memoria. Ci risulta che a metà degli anni Novanta circa un gruppo di ragazzi venisse su all'albergo da una strada secondaria e passasse il tempo a scorrazzare lí. Lo conferma?

Scimemi fece un gesto con la mano.

– Eh, avoglia se lo confermo! Ma non solo negli anni Novanta. Pure prima. S'era creata la moda. Accuminciarono l'anno appresso alla chiusura. Salivano dalla Milia e arrivavano all'albergo da dietro. La strada che facevo macari io quando scendevo in paese a fare la spisa. La stessa da cui saliva il proprietario quando doveva controllare che andasse tutto bene. Se sulu fussi stata cchiú larga e meno appinnuta, ci sarebbero potuti passare i pullman dei turisti e non ci sarebbe stato motivo di chiudere l'hotel. Ma insomma… Maria, dottoressa, mi persi. Chi stava dicennu?

– I ragazzi che salivano su.

– Ah, certo! All'inizio erano tutti carusi che conoscevano l'albergo, pirchí fino all'anno prima c'erano venuti a ballare e fare feste. Tornavano, passavano tempo, e a mmia sinceramente la cosa non mi dispiaceva. Almeno mi facevano un poco di compagnia –. Guardò Spanò.

– Macari l'ispettore ogni tanto ci vinni –. Spanò glissò, imbarazzato dalla faccia sfottente con cui lo guardava la Guarrasi.

Scimemi proseguí: – Negli anni successivi, quelli che dice lei, arrivavano carusi che nell'albergo non c'erano stati mai, o al massimo l'avevano frequentato da picciriddi. Vinevanu per curiosità, pirchí l'avevano sentito cuntare da quelli cchiú grandi di loro, che oramai invece avevano altro che fare.

– Senta, Scimemi, se la ricorda la donna che vide morta quella notte, vero?

– Certo ca m'arricoddu. Cose cosí uno non se le scorda piú.

Gli mostrò la fotografia di Azzurra ai giorni nostri.

– Mischina, – fece Scimemi.

Vanina tirò fuori le tre foto vecchie. Ornella Muti ai tempi di *Romanzo popolare*.

– La riconosce qua?

Scimemi si infilò gli occhiali.

– Idda è? – domandò.

– Sí, è lei.

Scimemi s'incantò a guardarla.

Vanina scambiò un'occhiata con Patanè, che aveva capito tutto.

– Maria, Maria, Maria… – prese a litaniare il custode.

– Che ha visto? – chiese la Guarrasi.

– Ma io 'sta carusa me la ricordo precisa. Vineva sempre all'albergo assieme ad altri tre. Maria, Maria, Maria!

– E gli altri tre, se li ricorda?

– Forse, se li rivedo… – scuoteva la testa. – Maria, che 'mprissioni!

Patanè si drizzò sulla sedia. Iniziò a mandare segnali inequivocabili con gli occhi a Vanina. Le voleva parlare. Il vicequestore si alzò e il commissario le andò appresso.

Spanò non sapeva che fare, rimase seduto a metà, finché Vanina non lo liberò dall'imbarazzo.

– Stia, ispettore, torniamo subito.

Uscirono nel corridoio.

– Dottoressa, mi vinni un'idea, – partí Patanè, a bassa voce. – Sicunnu lei, ce la possiamo procurare una fotografia unni ci su' tutti i compagni di liceo della Leonardi? Chiddi che si fanno a fine anno dopo la maturità, per ricordo.

Vanina lo guardò ammirata. Niente, Patanè arrivava sempre un attimo prima.

– Lei è un genio, commissario.

Entrarono nell'ufficio dei carusi.

– Lo Faro, ho bisogno di una cortesia, – fece Vanina. Poi vide che c'erano anche Nunnari e Marta. – Oh, picciotti, come mai qua?

– Arrivarono i filmati delle telecamere del benzinaio, – comunicò Nunnari.

Si voltò verso Marta.

– E tu?

– Mica potevo perdermeli?

Vanina li fissò.

– Ma cose accussí grosse ci sono in questi filmati? – chiese Patanè, anticipandola.

Marta annuí.

– Secondo me sí –. E continuò: – Ma avevate bisogno di qualcosa?

– Sí, – confermò Vanina, – chiamate la tizia che organizzò la rimpatriata a casa sua, Ilaria... non mi ricordo il cognome. Chiedetele se può mandarci subito una foto in cui ci sono tutti loro l'anno della maturità, – si voltò verso Patanè. – Mi gioco la camicia che ce l'ha e che per l'occasione aveva preparato come minimo una gigantografia.

– Okay, capo. E poi che faccio, te la porto di là?

– No, te la incornici e te l'appizzi in salotto.

Marta sbuffò.

Quando un quarto d'ora dopo Marta entrò col computer portatile in mano, Vanina, Patanè e Spanò s'erano fatti una cultura sulla storia del *Grand Hotel della Montagna*, dalle origini negli anni Trenta alla chiusura definitiva nel 1983.

L'immagine non era nitidissima, ma Vanina aveva temuto di peggio. Probabilmente era davvero una gigantografia. Come quella di *Compagni di scuola*. Quasi quasi le stava venendo voglia di rivederselo, il film. Era già troppo moderno per le sue abitudini, ma Verdone le piaceva. Era la seconda volta che la pellicola le veniva in mente dall'inizio del caso.

Girò il computer verso Scimemi, che inforcò di nuovo gli occhiali.

– Riconosce qualcuno?

Il custode esaminò coscienziosamente tutti i soggetti ritratti, uno per uno.

– Chistu, – indicò.

Vanina fece segno a Marta di annotare.

– Macari chista veniva sempre, – indicò una ragazza e subito un ragazzo. – Iddu me lo ricordo preciso, pirchí s'addivirteva a parrari cu mmia di… astronomia –. Non ebbe il coraggio di dire che parlavano degli ufo e degli alieni, ma si capí lo stesso.

Ne indicò altri due.

– Si ricorda se venivano con Azzurra?

– Sí, chisti venivano tutti assieme.

L'idea di Patanè era stata vincente. Marta aveva preso appunti in modo da poter poi telefonare a Ilaria Girardo e associare dei nomi ai volti.

– Nunnari, – chiamò Vanina, – forza con questi filmati, che stiamo morendo dalla curiosità.

Il sovrintendente arrivò con una chiavetta in mano e Lo Faro alle calcagna.

Dai meandri del suo ufficio comparve anche Macchia.

– Pure tu qua sei? – si stupí Vanina.

Tito allargò le braccia.

– E che, me ne stavo a casa da solo?

Attorno alla scrivania di Vanina si creò un capannello. Il filmato che interessava loro era quello che andava dalla mezzanotte all'una del 27 dicembre.

Nunnari lo mandò avanti veloce.

– Però non c'era neve, – osservò Marta.

– A quanto pare attaccò a nevicare verso le 2, – disse Spanò.

– Chista è una buona notizia, – se ne uscí Patanè.

Lo guardarono tutti, Macchia compreso.

– Se nevicava era meno probabile che la Leonardi s'avventurasse con la macchina nella strada della Milia, – spiegò il commissario.

Tito passò da lui alla Guarrasi.

– Mi sono perso qualche passaggio?

Vanina gli fece segno che l'avrebbe ragguagliato dopo.

In venti minuti di filmato al distributore non si fermò nessuno. Alle 00.23 comparve una 500X bianca.

– Idda è, – fece Spanò.

Azzurra Leonardi uscí e s'avvicinò per inserire le banconote nella colonnina. Guardò piú volte dietro di sé, con aria preoccupata.

– Santa fimmina, ma comu ci veni pi testa di firmarisi a un benzinaio di notte e notte da sola. Per giunta sapendo che qualcuno la stava minacciando! – commentò Patanè. Macchia concordò.

Un attimo dopo comparve un'altra auto da cui scese un uomo.

– Ferma, – ordinò Vanina. – Ingrandisci la faccia.

Macchia s'era chinato sullo schermo sovrastandola.

– Guarra', fattene una ragione, – si limitò a dire.

La faccia sfregiata non permetteva dubbi.

Spanò inforcò meglio gli occhiali.

– Minchia, – disse.

Patanè scuoteva la testa.

– Cose da pazzi. 'St'indagine è peggio di un cruciverba senza schema.

Il numero di targa di Zinna era chiaro, ma non serviva. Bastava il viso.

Azzurra era riuscita a infilarsi in macchina. Zinna aveva tentato di aprirle lo sportello ma la macchina era ripartita. Quello era salito sulla sua ed erano spariti entrambi.

Erano daccapo a dodici.

21.

Da Bettina era tutto buio, segno che i bagordi delle «vedove piú uno» continuavano.

Nel frigorifero trovò gli avanzi del cenone, messi a posto da sua madre, che comprendevano anche una pentola di lenticchie. Ci sarebbe voluto poco a scaldarle, ma l'idea non l'attirava granché. Dopo due giorni di cibi bomba, quella sera la sua tazza di latte e biscotti ci stava perfettamente.

Guardò il cellulare: Adriano e Giuli l'avevano cercata. In piú c'era la notifica di un messaggio in segreteria. Mentre scaldava il latte richiamò l'amico medico legale.

– Ehi, Adri. Dove sei?

– A casa, – rispose l'altro, la voce cupa.

– Come mai non siete rimasti a Noto?

– E come mai? Indovina?

– Luca è dovuto partire.

– C'è stato un attentato terroristico non so dove e l'inviato speciale è volato subito –. Pareva che lo sfottesse, ma in realtà era orgogliosa di lui. Anche se ogni volta gli veniva il magone.

– Cenasti? – gli chiese.

– No, non avevo fame.

– Vuoi venire qui?

– Dici sul serio? – si rianimò Adriano.

– Se t'accontenti di latte e biscotti.

– Adoro latte e biscotti.

– Ci vediamo *Compagni di scuola*, – gli comunicò.

– Va bene.

Vanina non ebbe il coraggio di confessargli come le era venuta l'idea.

Mentre lo aspettava chiamò Giuli. Le fece la proposta che le girava in testa da quel pomeriggio. L'avvocata accettò.

Mezz'ora piú tardi Adriano era lí, piazzato con lei sul divano grigio, il tazzone di latte in mano e un pacco di biscotti formato famiglia sul tavolino davanti.

– Meno male che mi hai invitato, – sospirò.

– Secondo te ti lasciavo in una valle di lacrime?

– Per questo sei la mia amica preferita, – le diede un bacio sulla guancia.

– È solo che ti capisco, – gli rispose, armeggiando con la smart tv. *Compagni di scuola* non era tra i titoli annoverati nella sua collezione. Troppo recente.

– Tu capisci, capisci, ma le cose tue non le racconti mai. Cosí come faccio io a ricambiare?

– Tu non preoccuparti, che ricambi lo stesso.

– Perciò non ne vuoi parlare nemmeno ora?

– Di che cosa?

– Di Malfitano, di che cosa se no?

Vanina non rispose.

– Oh, eccolo –. Aveva trovato il film.

Adriano non insisté.

«Il Patata», alias Carlo Verdone, era appena tornato a bordo della Lancia Thema del sottosegretario Massimo Ghini, portando con sé la sua amante ragazzina, che Adriano s'era era già rannicchiato in posizione fetale, abbracciato al cuscino, e dormiva alla grande.

Inutile, ogni volta che lo coinvolgeva in cineforum che superavano le undici e mezzo di sera finiva cosí. Vanina gli mise il plaid addosso e abbassò il volume. Continuò da sola. Seguí le storie dei protagonisti che si concludevano ognuna in un modo diverso. Una lite, una rottura, la dura realtà dopo una serata piú romantica del previsto, un ritorno di fiamma... era quasi ai titoli di coda quando si raddrizzò di colpo sul divano.

– E se invece Azzurra non fosse davvero andata via dalla festa da sola? – si domandò a voce alta.

Adriano aprí un occhio.

– Eh?

Vanina lo guardò, guardò l'orologio. Mezzanotte e mezzo. Che poteva fare? Svegliare la squadra per un'idea campata in aria?

– Niente. Dormi.

– Posso restare qui? – farfugliò l'amico.

– Certo.

Vanina prese il telefono. Un sms a Patanè? In quei giorni diceva che non gli poteva sonno. Ma sí, tanto al massimo l'avrebbe trovato la mattina dopo.

Mentre lo scriveva il telefono le squillò in mano.

Si chiuse in camera, per evitare di svegliare Adriano.

– Paolo, – rispose.

– Non è che stai dormendo?

– Ti risulta che sia un orario in cui dormo?

– No, ma sai com'è. Magari sei reduce da una giornata appresso ai cadaveri del cimitero.

– Piú un film in compagnia di Adriano Calí, che ora dorme della grossa sul nostro divano... – Si bloccò. Nostro. Ma come le era venuto?

Paolo esitò prima di commentare.

– Bisogna fare attenzione, quando uno è stanco i filtri s'inceppano. Si rischia di uscire al naturale –. Il tono era ironico, ma l'amarezza si sentiva tutta.

– Volevi dirmi qualcosa? – divagò lei.

– Sí, – ripose il magistrato con un sospiro. In quel momento si sentí la voce di un uomo.

– Dove sei? – gli chiese Vanina.

– In procura.

Drizzò le antenne. Una leggera nausea iniziò ad assalirla. Respirò per ricacciarla indietro.

– Perché, che è successo?

– Abbiamo appena fatto il terzo buco nell'acqua.

– Un altro covo vuoto? – indovinò Vanina.

– Diciamo un'altra abitazione temporanea. Di passaggio.

– 'Sto bastardo fituso.

– Fituso per davvero, non hai idea in che condizioni fosse quel seminterrato.

– E ora?

– E ora si ricomincia da zero.

Altro per telefono non poteva dire.

Ma il fatto che l'avesse chiamata significava che qualcosa da dirle c'era.

– Ortès?

– Corrado è un dirigente bravo, anzi bravissimo. Però… non avrei mai pensato di dovertelo dire chiaramente, ma penso che la squadra avrebbe piú chance di riuscita se la dirigessi tu. O quantomeno se lo affiancassi. Due uomini su quattro erano gente tua. Angelo Manzo su tutti, che poi è anche l'elemento piú valido. A proposito, dice che ha provato a chiamarti oggi pomeriggio, a caldo, ma partiva la segreteria.

Doveva averla cercata mentre era in chiesa da don Rosario.

– Piú tardi lo sento, – si limitò a rispondere.

Paolo s'innervosí.

– Vani, non può funzionare cosí per tutto.

– Ma non posso richiamare Angelo a mezzanotte, – replicò.

– Non fare finta di non capire, non mi riferisco a questo. Non ho detto quello che ho detto tanto per attirarti a Palermo. L'ho detto perché reputo davvero che la tua presenza potrebbe essere determinante.

Lo sapeva pure lei che la sua presenza poteva essere determinante. Chi piú di lei si sarebbe speso anima e corpo per sbattere in galera l'unico dei killer di suo padre rimasto ancora a piede libero?

Ma con quali forze?

– Che posso risponderti, Paolo? Ci ho provato, meno di due mesi fa. E sono di nuovo qui. Non basta?

– Basterebbe se non ti conoscessi. Se non sapessi che dovresti solo sbloccarti, superare 'sto muro di Berlino che ti sei costruita lasciando dall'altra parte tutto quello in cui avevi creduto, e per cui avevi speso tutta te stessa –. Esitò, poi aggiunse: – Me compreso.

Vanina inghiottí due volte, ma il nodo non se ne andava. Le si offuscò la vista.

– Basta? – disse. La voce la tradí.

Lui si ammorbidí di colpo.

– Basta.

Vanina rimase in silenzio.

– Facciamo che ci pensi? – le propose Paolo. – Ma ci pensi sul serio?

Lei prese un respiro.

– Facciamo che ci penso, – gli rispose.

L'sms a Patanè era andato a farsi benedire. Non avesse avuto il malo carattere che aveva, c'era lí a disposizione

Adriano per sfogarsi. Ma, appunto, Vanina il malo carattere ce l'aveva e ciò che avrebbe potuto dirle l'amico in realtà lei non voleva sentirlo, perché temeva si avvicinasse troppo a quanto aveva appena ascoltato da Paolo.

Perciò se ne rimase sdraiata sul letto, vestita, finché non iniziò a infreddolirsi. Si spogliò, si infilò il pigiama, scrisse un messaggio per convocare la squadra l'indomani mattina e se ne andò a dormire.

Adriano saltò in aria quando la vecchia sveglia a carica manuale dei nonni, piazzata in cucina, emise un suo suono da campanella scolastica.

– Oddio, che è!

Vanina arrivò di corsa, barcollando, gli occhi ancora chiusi. La disattivò. Stramazzò su una sedia e appoggiò la testa sul tavolo.

– Vani, un colpo mi pigliò! Ma che ore sono?

– Le 7.30. E io ho ignorato alla grande tutte le altre sveglie.

Adriano si trascinò in cucina.

– Caffè?

Si spararono due tazze a testa, piú qualche biscotto rimasto.

Vanina aveva fretta.

L'intuizione della sera precedente andava verificata sul campo. Di corsa.

– Passiamo da Alfio a fare una colazione come si deve? – propose Adriano, mentre si infilava nel bagno di servizio.

– Tu fai colazione da Alfio. Io me la porto in ufficio, – gli rispose lei da quello principale.

Quindici minuti dopo l'aveva già mollato al *Bar Santo Stefano* ed era partita verso l'ufficio attrezzata di cappuccino e cornetto alla crema.

Lungo la strada chiamò Eliana Recupero e le espose la sua teoria.

– Mi faccia capire, dottoressa Guarrasi, – ricapitolò la pm con voce calma, – in presenza di un filmato come quello che mi avete inviato ieri sera, che inchioda Zinna in modo inequivocabile, io dovrei disporre il tracciamento di ben quattro telefoni di comuni cittadini all'unico scopo di scoprire se uno di questi, ripeto, comuni cittadini avesse un appuntamento con Azzurra Leonardi? Ammesso che sia cosí, considerato l'incontro che la Leonardi fece poco dopo la festa, tale appuntamento sarebbe andato comunque a farsi benedire. Non crede?

– Dottoressa, lo so che la mia richiesta non è normale. E so anche che con quegli indizi di colpevolezza la tentazione di arrestare Zinna e farla finita è forte, ma la prego di fidarsi di me. Non posso restare con questo dubbio.

– No, non è normale, ha ragione. Ma con lei certe cose sono parte del gioco. Le ho visto risolvere casi incredibili a colpi di intuizioni che oserei definire folli. Però, siccome quello che ci interessa è sempre il risultato finale, se per arrivarci serve qualche follia ci adatteremo. Tra mezz'ora sono in ufficio. Mi mandi la lista dei numeri che le interessano.

Il commissario Patanè non aveva pressoché chiuso occhio. S'era appisolato verso le 4 e aveva sognato un distributore di benzina. S'era arriminato nel letto ripassandosi a mente le sequenze del video fino a dove l'avevano interrotto. Ogni volta aveva la sensazione di essere rimasto appeso, come se mancasse un pezzo. Ma il perché di quella sensazione non era capace di afferrarlo.

Alle 6.30 prese una decisione e scese dal letto. Si infilò nella doccia, si fece la barba, si vestí come i vetri appannati suggerivano: camicia, gilet e giacca pesante. Per non svegliare Angelina, non si preparò manco il caffè. Raggiunse il bar all'angolo, stretto nel cappotto doppiopetto di cammello, la sciarpa sul naso, il cappello calcato bene.

Il profumo del locale lo rinfrancò. Prese un cappuccino e mangiò un panzerotto al cioccolato. Si sentí rinascere. Recuperò la Panda, abbandonata da giorni nella traversa. Pregò che partisse. Con un po' di difficoltà, quella vecchia ferraglia fece il dovere suo.

Il vantaggio numero uno di arrivare alla Mobile alle 7.30 era che si trovava parcheggio piú facilmente.

Citofonò e attese che chiunque fosse in servizio gli aprisse.

– Commissario, – si sentí chiamare.

Spanò lo fissava sbigottito. Caffè in mano, collo incassato nel giubbotto.

– Carmeluzzo.

– E che ci fa qua a quest'ora?

– Ci credi che non mi poteva sonno?

– Sí. Anche perché non poteva sonno manco alla Guarrasi, che alle 3 ci mandò un lapidario: «Domani mattina tutti da me, subito».

– Visto? Io m'apprisintai in orario perfetto! – scherzò Patanè.

Entrarono nel portone.

– Seriamente, commissario: sicunnu lei che vuol dire?

– Ca io e la Guarrasi pensiamo all'unisono, – rispose, compiaciuto. Avrebbe scommesso che anche Vanina non si stava arrovellando su Zinna.

Salirono al secondo piano, con l'ascensore che per miracolo funzionava.

– Però non mi disse che venne a fare qua alle 7.30, –
tornò a chiedere Spanò, mentre entravano nella stanza
dei veterani.

Patanè decise di parlare chiaro, che tanto con Carmelo poteva permetterselo. Si liberò di cappotto, cappello e sciarpa.

– Carmelo, tu mi devi fare una cortesia, – disse poi.

– A disposizione, commissario.

– Ci dobbiamo riguardare il filmato di ieri sera.

L'ispettore rimase spiazzato, ma non replicò.

Lo accompagnò nella stanza dei carusi e si piazzò alla
scrivania di Nunnari.

Aprí il file.

– Che dobbiamo vedere, commissario?

– Portalo all'orario che ci interessa.

Spanò andò avanti finché non comparve la 500X. La
Leonardi scende, poi arriva Zinna. Lei rientra in auto e
parte. Quello sale nella sua macchina e le va dietro.

– Si finí, commissario, – fece Spanò.

Ma Patanè non lo sentiva. Occhiali sul naso, naso ap-
piccicato allo schermo, fissava un riflesso che s'intravedeva a malapena. Il dettaglio, quello che gli aveva levato
il sonno, ecco cos'era. A un certo punto il riflesso si fece
piú lungo, fino a trasformarsi nel faro di una macchina.
Che passò, veloce.

Vanina entrò nell'ufficio dei carusi e trovò tutta la squadra ammucchiata sulla scrivania di Nunnari. In mezzo, seduto a dare indicazioni, il commissario Patanè.

– Ora! – faceva.

Nunnari scuoteva la testa: – Niente, non la pigliai.

– Ora! – di nuovo. E di nuovo Nunnari faceva segno di
no. E partiva il baccano. Te lo dissi, io, che devi premere
prima! Fai provare a me, capace che ce la faccio!

Vanina li guardava allibita.

– Picciotti, – tentò di richiamarli. Niente da fare, non la sentivano.

– Picciotti, – ripeté piú forte. Nessun risultato.

– Perciò! – gridò.

S'ammutolirono di colpo.

– Che è 'sto bordello? – domandò, seccata.

Patanè si alzò.

– Colpa mia è, dottoressa, – si scusò.

Vanina s'ammansí.

– Ma che sta succedendo?

Patanè le fece rivedere il video, col pezzetto in piú che aveva insistito per controllare. La macchina che passa.

– Avi menz'ura ca 'sti poveri carusi cercano di bloccare l'immagine sulla targa, ma nun c'è potenza.

Vanina fissò il monitor per un tempo indefinito. L'immagine freezzata della fiancata di una macchina. Il berretto di lana sulla testa del guidatore.

– Andiamo da me, – ordinò.

Patanè si piazzò alla sua destra. Spanò alla sinistra. Marta seduta davanti, Lo Faro e Fragapane in piedi, Spada appoggiato alla porta, un orecchio alla stanza delle intercettazioni 'nsamai il collega della Sco lo chiamava.

– Picciotti, la Recupero sta autorizzando il tracciamento di questi quattro telefoni. Appena possibile cerchiamo le posizioni della sera in cui è stata uccisa la Leonardi e quelle del giorno appresso, quando ammazzarono il monsignore. Celeri, perché se per nessuno di questi telefoni si registrano movimenti sospetti, le operazioni, nostre e della Sco, devono concentrarsi su Zinna e Vizzino. Intesi?

– Sí, capo, – le risposero quasi in simultanea. Compreso Lo Faro, che sperò non l'avesse sentito.

– Se per caso uno di questi telefoni risultasse implicato, localizzatelo immediatamente, – aggiunse Vanina.

I carusi se ne andarono nell'ufficio accanto. Fragapane e Spanò nel loro.

Vanina rimase sola con Patanè. Scartò la colazione e gli offrí un pezzo di cornetto.

– No, grazie, dottoressa. Sono reduce da un panzerotto al cioccolato.

Vanina si spazzolò tutto in cinque minuti e bevve fino all'ultimo sorso di cappuccino. Aveva la fame nervosa di quando sentiva di esserci quasi. Che mancava pochissimo per sapere se ci aveva azzeccato o se aveva cannato di brutto la soluzione del caso. Fino a quel momento la seconda opzione non si era mai verificata.

– Che pensa? – chiese Patanè, accendendosi la sigaretta.

– Che se si riuscisse a freezzare l'immagine di quella targa, probabilmente, avremmo risolto il caso –. Sorrise. – E che, come al solito, lei e io arriviamo sempre alle stesse conclusioni.

– Perciò se sbagghiamu, sbagghiamu entrambi, – concluse Patanè.

– Ma se c'inzertiamo...

Aspettarono mezz'ora. Mentre ragionavano, entrò Macchia.

– Guarra', ma tu il cuore in pace non te lo vuoi mettere proprio, eh?

Squinternò la spalla di Patanè con la solita zampata amichevole e si andò a sedere davanti a Vanina.

– Tito, ragioniamoci insieme: l'assassino non ha le impronte digitali di Zinna e il suo Dna è stato trovato su una tazzina di monsignor Murgo, il che fa supporre che fosse una persona con cui questi era in confidenza o di cui, comunque, si fidava. Quindi, di nuovo, non certo di Zinna.

Oltretutto, il fatto che il dottor Rossello non ricevette piú minacce dal giorno in cui la notizia dei due omicidi diventò pubblica potrebbe anche far pensare che Zinna l'avesse appresa dai giornali. Ancora: Azzurra è andata con la sua auto fino al *Grand Hotel della Montagna*, fra l'altro salendo dalla strada che passa nel bosco. Perché mai avrebbe dovuto rischiare che Zinna la seguisse in un posto simile? Logica voleva che rimanesse in un centro abitato, tanto piú che rischiava di restare senza benzina. Infine c'è la messinscena del cimitero, che a tutto fa pensare tranne che a un delitto di mafia.

Tito abbassava la testa in segno di assenso.

– Guarra', vai al sodo. Chi credi potesse avere un motivo per ammazzare la Leonardi e Murgo e poi armare quell'addobbo nella cappella?

L'urlo proveniente dalla stanza dei carusi li fece sobbalzare sulla sedia. Si precipitarono di là.

Lo Faro saltava come un pazzo dietro la scrivania di Nunnari, urlando cori da stadio.

– Lo Faro, che minchia hai? – gridò Vanina.

– Ci sono riuscito, dottoressa! Frizzai l'immagine della targa!

Ci mancò poco che Patanè si mettesse a saltare appresso a lui.

– Ma vero stai dicendo? – domandò Vanina.

– Sí, dottoressa. Ho già dato la targa a Spanò. Tempo cinque minuti e sappiamo di chi è la macchina.

Vanina lo fissò.

– Ti prometto una cosa, Lo Faro: se grazie a quella targa becchiamo l'assassino, da domani hai il permesso di chiamarmi capo.

Il ragazzo rimase senza parole.

Arrivò tutto insieme: targa, tracciamenti, tabulati. Perfino le liste dei partecipanti ai campi Scout che don Rosario s'era procurato a capo di mattina, con relativi curtigghi. Tutto corrispondeva, tutto combaciava.

Il telefono era stato localizzato. Le macchine uscirono dal parcheggio nella caserma davanti alla Mobile una dietro l'altra. Nella prima, diretta al luogo dove risultava il telefono, Vanina, Spanò e Patanè, con la Bonazzoli alla guida. Nella seconda, diretta in procura, Lo Faro e Fragapane.

Stando alla cella telefonica, incrociata con l'indirizzo di residenza, l'uomo doveva essere in casa, ma al citofono non rispondeva. Si fecero aprire il portone da un inquilino, che sgattaiolò di corsa nel proprio appartamento chiudendosi a chiave, mentre i poliziotti salivano le scale armi in pugno.

Vanina e Spanò andarono avanti. Arrivati dinanzi alla porta suonarono il campanello, una, due, tre volte.

– Sfondiamo, Spanò.

La porta si spalancò facilmente. In casa del professor Vicenzo Ortone pareva non esserci nessuno. Si separarono, ognuno in stanze diverse. Marta e Patanè li seguirono a distanza di qualche minuto.

Vanina era nella stanza in fondo al corridoio e fissava annichilita le pareti, interamente tappezzate di foto. Azzurra ritratta ovunque: nel giardino di casa, mentre saliva sull'ambulanza, mentre guidava lo scooter. Azzurra ragazzina, Azzurra diciottenne. Azzurra Scout insieme a monsignor Murgo, allora don Nino, in posa ufficiale. Azzurra Scout insieme a don Nino in uno scatto rubato nella notte, dove i due si baciavano appassionatamente. Azzurra morta su un letto che, a occhio e croce, doveva essere a pochi metri da lí.

– Madunnuzza santa, – mormorò Patanè.

Voltando il capo, Marta vide Spanò che veniva verso la Guarrasi. La mano con la pistola abbandonata sul fianco. Nell'altra, un telefono.

– Dottoressa.

Vanina si girò.

– Venga di là, – fece l'ispettore.

Le bastò guardarlo in faccia per capire.

22.

Vincenzo Ortone aveva documentato i suoi ultimi giorni con precisione certosina. La stessa con cui aveva vissuto. Un uomo meticoloso, equilibrato, dissero di lui i colleghi e gli allievi del corso di Fisica teorica. Uno studioso dedito alla materia. Un genio e, come spesso capita ai geni, una persona sola.

Ricostruire la dinamica dei due omicidi fu semplice. Ortone ne aveva lasciato una descrizione accurata in due audio sul proprio telefono.

Con Azzurra la sera della festa era tornata la confidenza di una volta, quella che la Leonardi chiamava amicizia ma che per Vincenzo non era mai stata tale. Lei aveva detto che le sarebbe piaciuto tornare al *Grand Hotel della Montagna*, lui l'aveva accontentata. La donna aveva insistito perché uscissero da casa di Ilaria separati. L'incidente al distributore di benzina si era risolto in fretta, il tipo che minacciava Azzurra aveva rinunciato a inseguirla appena era comparso Ortone. Così il progetto era andato avanti. Tutto come una volta. La strada della Milia, l'arrivo dal bosco. A metà della salita la macchina di Azzurra aveva finito la benzina, e lei era salita sulla sua. Erano entrati al *Grand Hotel* dal solito finestrone. Per Azzurra era una scorribanda come quelle che facevano da ragazzi, per lui un'opportunità da non sprecare dopo una vita dedicata solo a lei. Ma lei non c'era stata. Gli aveva sbattuto in faccia la realtà, a cui lui non voleva credere. L'aveva picchiata, lei aveva resistito. L'aveva afferrata per il collo e aveva stretto finché aveva sentito che non respirava piú. Con tutta la rabbia che aveva in corpo le aveva bruciato la macchina, poi l'aveva portata a casa sua. Addosso le aveva trovato una foto di monsignor Murgo, occultata in una tasca interna. Aveva capito che ogni cosa era rimasta come allora. L'indomani era andato a trovarlo. Lui l'aveva accolto come l'ex Scout di cui era stato assistente ecclesiastico tanti anni prima. Quando gli aveva parlato di Azzurra lui aveva negato, poi Ortone gli aveva detto quello che aveva fatto. Piú Murgo si mostrava disperato, piú la collera di Vincenzo dirompeva. Gli aveva serrato le mani intorno alla gola, come ad Azzurra. E aveva deciso di organizzare la gogna. Quella da cui la memoria di entrambi doveva uscire infangata: la puttana e il prete traditore dell'abito. Ma la memoria dei due non era stata intaccata. Avevano vinto loro.

Vincenzo Ortone non aveva avuto neanche la vendetta.

Vanina accompagnò Patanè fino alla strada.

– 'A sapi 'na cosa, dottoressa? A volerci scrivere un romanzo giallo, 'sta storia sarebbe stata difficile da cuntare.

– Perché dice cosí, commissario?

– Tutta l'indagine appresso a una pista, e poi la soluzione spunta accussí, di bonu e bonu. L'ultima delle soluzioni ca uno si puteva immaginare. A cchiú scunchiuruta. D'altronde è normale, visto e considerato che l'assassino era scunchiuruto completo.

– Un pazzo di catena era, altro che scunchiuruto, commissario!

Ce l'aveva ancora davanti agli occhi, quella stanza completamente «dedicata» alla povera Azzurra.

– Vabbe', come sia sia, abbiamo risolto macari chista, – concluse Patanè, avviandosi lungo il marciapiede verso la Panda.

– E come al solito lei è stato determinante.

Patanè rise.

– Veramente, come al solito, c'era arrivata pure lei. Da altre parti –. Aprí lo sportello, che cigolò.

– Mi raccomando, commissario, faccia attenzione, non si strapazzi assai. E non metta in croce quella povera Angelina!

Patanè la guardò di sbieco.

– Lei pinsassi alle croci sue, che alle mie ci penso io! – fece un sorrisetto.

Se ne andò sgasando.

Per rispondere al telefono, Manfredi Monterreale schivò per un pelo il calcio di un treenne tutt'altro che intenzionato a farsi visitare. Vanina Guarrasi meritava piú che due minuti strappati alle urla di quell'indemoniato, perciò le aveva detto che l'avrebbe richiamata.

E adesso era lí, seduto sulla poltrona dello studio, gli occhi su un poster pubblicitario di un latte artificiale, a riflettere su cosa sarebbe stato meglio fare. Meglio per lui, per la sua salute mentale. Se fosse andata avanti cosí ancora per molto, con Paolo Malfitano sempre lí a sbarrargli la strada, prima o poi gli sarebbe toccato prendere una decisione. Difficile, ma necessaria. Se invece le cose fossero cambiate… periodo ipotetico del terzo tipo.

– Ciao Guarrasi.

– Ciao Monterreale, come stai?

– Sopravvissuto anche a questa giornata. Lo risolvesti il caso di Azzurra?

– Non come avrei voluto, ma sí. Poi ti racconto. Volevo ringraziarti per il tuo contributo, e non solo sul caso.

– Come sta il commissario?

Vanina rise.

– Meglio di me e te messi insieme.

– Dobbiamo festeggiare allora, – s'azzardò a proporle.

– Capodanno, l'indagine o la guarigione di Patanè?

– Tutte e tre le cose.

Ponderò la risposta, e incredibilmente accettò.

– Però stavolta a casa mia, – gli fece di patto.

– E cucino io, però.

– Tu porti un piatto, al resto non ci pensare.

– Allora meglio che mi inventi un piatto unico, – la sfotté.

Rimasero d'accordo per quella sera.

Vanina trascorse mezzo pomeriggio a chiedersi se aveva fatto bene ad accettare la proposta di Manfredi. Con quell'uomo stava cosí bene che non frequentarlo le sembrava un sacrificio enorme.

Le tornavano in mente le parole che Patanè le aveva detto tempo prima, dopo aver conosciuto Paolo. La corda non si può tirare troppo assai. Prima o poi doveva decidersi: o tagliare col passato e buttarsi tra le braccia di Manfredi, o riaprire la porta a Paolo senza piú insicurezze.

Una scelta che Vanina, in cuor suo, aveva già fatto. Doveva solo prenderne atto e arrendersi alla realtà.

L'altro mezzo pomeriggio lo trascorse a capire come rimediare all'impiccio in cui s'era cacciata da sola.

La soluzione gliela serví pulita pulita Giuli, quando la chiamò per comunicarle che aveva deciso di darle retta e regalare tutte le cose che aveva comprato per il bambino alla parrocchia di don Rosario. Purché fosse lei a occuparsene. Vanina le assicurò che lo avrebbe fatto e la invitò a cena. Data l'assenza di Luca, poteva essere un'occasione buona per riavvicinare Giuli a Adriano. Lo chiamò e invitò anche lui.

Il problema della cena a due era risolto. Per coerenza, avvertí Manfredi, che come sempre fece buon viso a cattivo gioco e si presentò alle 20.30 in punto con una teglia di riso con zucca, salsiccia e rosmarino.

Bettina aveva dato a Vanina non una, ma due mani, preparandole «veloce veloce» un falsomagro con le patate al forno e una caponatina. Adriano e Giuli, che con gli orari loro chissà a che ora si sarebbero arricampati, s'erano divisi il dolce e il vino.

Manfredi si appropriò dello spazio cucina come se fosse a casa propria. Accese il forno per scaldare il riso e la carne. Ci mise del suo anche nell'apparecchiare la tavola. E intanto rideva e smontava i problemi come se fossero inesistenti.

Suonarono alla porta.

Grembiule indosso, mestolo in mano, Manfredi si offrí di andare ad aprire.

Vanina lo raggiunse, curiosa di scoprire quale dei due amici fosse arrivato per primo.

Paolo Malfitano era immobile sulla soglia, la faccia indecifrabile.

– Disturbo?

Ringraziamenti.

Un paio di premesse sono necessarie: nella città di Acireale, tra le quaranta chiese per cui è famosa, ovviamente non esiste quella di Sant'Oliva, cosí come non esiste nessun monsignor Antonino Murgo. Ma semmai qualcuno dovesse essere a conoscenza di una parrocchia cosí intitolata, o di un sacerdote con quel nome, sappiate che non avrebbero nulla a che vedere con questa storia che, come tutte le precedenti, è frutto della mia fantasia in ogni sua parte. Cosí come lo sono tutti i nomi, a eccezione di alcuni luoghi reali che Vanina frequenta giornalmente.

Nel 2016, anno in cui si svolgono tutte le indagini di Vanina, l'ospedale Vittorio Emanuele era ancora attivo, e cosí anche il Santo Bambino. Parlarne qui mi è servito a ricordare un luogo cui sono legata da bei ricordi universitari. Esigenze narrative mi hanno costretta a rimaneggiare un po' l'organizzazione di alcuni reparti, suoi e del Policlinico.

Per sviluppare una storia c'è sempre bisogno di documentarsi, e cosí si finisce sempre col tediare con le proprie domande gli esperti della materia, che voglio ringraziare doppiamente, considerato che stavolta li ho disturbati in pieno agosto. Rosalba Recupido, mio riferimento fondamentale in ambito giuridico; Nello Cassisi per le dritte poliziesche; Paola Di Simone per le «mavaríe» della Scientifica. Cristoforo Pomara, senza il quale i morti ammazzati che invento resterebbero privi di autopsia.

Un grazie speciale a S. E. Rev.ma monsignor Giuseppe Sciacca, che con grande disponibilità ha risposto alle domande piú disparate, aiutandomi a costruire la carriera ecclesiastica del personaggio. Spero che le mie licenze narrative non siano state eccessive. E al mio amico Roberto Di Giunta, che mi ha messo in contatto con lui.

Grazie di cuore a tutta la casa editrice Einaudi Stile Libero, cui Vanina Guarrasi deve la sua stessa esistenza. Essere una vostra autrice è un grande onore. E grazie all'ufficio stampa, e a tutte le persone che in Einaudi lavorano instancabilmente per la mia poliziotta di carta.

Alla mia agente, Maria Paola Romeo, sempre accanto a me.

A Nuccio e Monica e agli altri amici che, presa dalla consegna di questo libro, ho trascurato in modo imperdonabile. Alla mia famiglia, che ha sopportato sera dopo sera una lunga estate di scrittura.

E su tutti, sempre e infinitamente, grazie a Maurizio, perché non esiste una sola mia emozione degna di essere chiamata tale della quale lui non sia l'artefice.

DT 0172762553

370001RHJ
TALENTO DEL
CAPPELLANO
CASSAR SCALIA

1° ED SL/BIG
EINAUDI

Questo libro è stampato su carta contenente fibre certificate FSC®
e con fibre provenienti da altre fonti controllate.

MISTO
Carta da fonti gestite
in maniera responsabile
FSC® C115118

Stampato per conto della Casa editrice Einaudi
presso ELCOGRAF S.p.A. - Stabilimento di Cles (Tn)
nel mese di novembre 2021

C.L. 25059

Edizione							Anno			
1	2	3	4	5	6	7	2021	2022	2023	2024